4th Edition

KB152283

Oral Histology and Embryology

구강조직발생학

저자

강 경 희 (건양대학교 치위생(학)과)

김 경 미 (충청대학교 치위생(학)과)

김　　정 (수원여자대학교 치위생(학)과)

민 희 홍 (대전보건대학교 치위생(학)과)

이 영 은 (대구보건대학교 치위생(학)과)

구강조직발생학

Oral Histology and Embryology

첫째판 발행 | 2013년 08월 10일
둘째판 발행 | 2014년 08월 25일
셋째판 발행 | 2015년 08월 25일
넷째판 1쇄 인쇄 | 2022년 08월 10일
넷째판 1쇄 발행 | 2022년 08월 25일

지 은 이 강경희, 김경미, 김정, 민희홍, 이영은
발 행 인 장주연
출 판 기 획 한수인
책 임 편 집 김민수
표지디자인 신지원
내지디자인 신지원
일 러 스 트 이호현
발 행 처 군자출판사(주)
　　　　　등록 제 4-139호(1991. 6. 24)
　　　　　(10881) **파주출판단지** 경기도 파주시 회동길 338(서패동 474-1)
　　　　　전화 (031) 943-1888　　팩스 (031) 955-9545
　　　　　www.koonja.co.kr

ISBN　979-11-5955-909-9
정 가　35,000원

저자 서문

　지난 수십 년간 세포 및 분자생물학 분야의 발전으로 생명체의 구조와 기능을 어느 정도까지 이해할 수 있게 되었습니다. 특히 조직·발생학 분야의 관련 지식이 급격히 팽창함으로써 조직·발생학은 어느 시기보다 눈부신 발전을 이루어왔습니다.

　주지하다시피 조직·발생학은 의학의 기초학문으로서 해부학의 이론적 배경이 되는 중요한 한 분야이며, 임상에서도 필수적 지식을 제공해 주는 핵심 분야입니다. 특히, 조직학은 형태학의 한분야로 정상적인 신체의 구조를 다루고 있어 질병의 형태학적인 면을 다루는 병리학을 공부하는 밑바탕이 되는 학문이며, 기능을 다루는 생리학을 이해하기 위한 기초를 마련해 주는 분야입니다. 이에 저자들은 실제로 대학교육에서 다루는 조직·발생 영역을 중심으로 한 교재의 필요성을 느껴 본서를 펴내게 되었습니다.

　본서 제4개정판에서는 Part 1에서 현미경에 대해, Part 2에서 일반조직학에 대한 기본적 내용을, Part 3에서 인체의 일반적 발생 및 얼굴과 구강의 발생, Part 4에서 구강조직학의 내용 등을 체계적으로 구성하였습니다. 한정된 강의시간에 조직·발생학을 보다 효과적으로 이수할 수 있도록 주요 내용을 간추렸기 때문에, 이 과목을 처음 배우는 치위생(학)과 학생들에게 적지 않은 도움을 줄 수 있으리라 생각합니다.

　또한 치위생학을 전공하는 상당수의 학생들에게 조직·발생학은 여전히 이해하기 힘든 과목의 하나인 만큼, 본서에서는 학생들의 이해 증진을 최우선으로 강조하였습니다. 특히 본서에서는 다수의 전자현미경 사진과 모식도를 수록함으로써 보다 쉽게 내용을 이해할 수 있도록 하였습니다.

　본서에 참여한 저자들은 다수의 원서와 의학논문, 국내외 교과서 등을 참고하였으며, 치과임상 각 분야의 관련서적의 방대한 내용을 체계적으로 정리하였습니다. 저자들의 많은 노력에도 불구하고 아직 아쉽고, 미흡한 점이 있을 것으로 생각됩니다. 이에 대해 앞으로도 아낌없는 충고와 격려를 부탁드립니다.

　아무쪼록 이 책이 치위생학을 배우는 학생들에게 훌륭한 교재가 되기를 바라며, 끝으로 본서의 출판을 흔쾌히 허락하신 군자출판사의 장주연 대표님을 비롯한 편집팀 여러분의 노고에 깊은 감사를 드립니다.

2022년 8월
저자 일동

Oral Histology and Embryology

목차

저자 서문 ………………………………………………………………………………… 3

PART **1** 서론

Chapter **1**   서론
1. 가시광선을 이용하는 현미경 …………………………………………………… 10
2. 비가시광선을 이용하는 현미경 ………………………………………………… 14

PART **2** 조직학총론

Chapter **2**   세포
1. 세포막 ……………………………………………………………………………… 18
2. 핵 …………………………………………………………………………………… 20
3. 세포소기관 ………………………………………………………………………… 24
4. 세포분열 …………………………………………………………………………… 30

Chapter **3**   상피조직
1. 개요 ………………………………………………………………………………… 36
2. 분류 ………………………………………………………………………………… 36
3. 상피 외측면의 특수화 …………………………………………………………… 43
4. 선상피 ……………………………………………………………………………… 46

Chapter 4 고유결합조직

1. 개요 ··· 50
2. 결합조직의 분류와 기능 ······················· 51
3. 결합조직의 세포 ······································ 55
4. 결합조직의 세포간질 ······························ 59
5. 고유결합조직 ··· 61

Chapter 5 특수결합조직

1. 연골조직 ·· 64
2. 골조직 ··· 72
3. 혈관과 림프관 ·· 81

Chapter 6 근육조직

1. 개요 ··· 90
2. 분류 ··· 92
3. 운동뉴런과 근육수축 ······························ 95

Chapter 7 신경조직

1. 개요 ··· 96
2. 분류 ··· 99
3. 신경섬유의 종류 ······································ 102

PART 3 발생학

Chapter 8 인체의 발생

1. 생식자 발생 ··· 107
2. 수정 및 분할 – 발생 1주 ························· 108
3. 이배엽성 배반의 형성 – 발생 2주 ············ 110
4. 삼배엽성 배반의 형성 – 발생 3주 ············ 110
5. 기관발생기 ·· 122
6. 태아기 ·· 126

Chapter 9 인두기관 및 얼굴의 발생

1. 인두기관 ·· 128
2. 혀의 발생 ··· 132
3. 얼굴의 발생 ··· 132
4. 구개의 발생 ··· 137
5. 구순열과 구개열 ·· 141

Chapter 10 치아의 발생

1. 치배의 발생 ··· 142
2. 치관의 형성 ··· 149
3. 치근의 형성 ··· 152
4. 치아의 맹출 ··· 156

PART 4 구강조직학

Chapter 11 법랑질

1. 개요 ·· 160
2. 법랑질의 물리 · 화학적인 특성 ······································· 161
3. 법랑질의 조직학적 구조물 ·· 161
4. 성장선 ··· 165
5. 임상적 측면 ··· 168

Chapter 12 상아질

1. 개요 ·· 170
2. 상아질의 물리 · 화학적 특징 ··· 170
3. 상아질의 석회화 ··· 171
4. 상아질의 종류 ·· 171
5. 상아질의 조직학적 구조물 ·· 174
6. 성장선 ··· 178
7. 상아질의 신경분포와 감각의 전달 ····································· 180
8. 임상적 측면 ··· 181

Chapter **13** 치수

1. 개요 ·· 182
2. 치수의 해부 ·· 182
3. 치수 표면층의 구조 ·································· 183
4. 치수의 세포 ·· 185
5. 치수의 혈관 및 신경 분포 ·························· 186
6. 치수의 기질 ·· 187
7. 치수의 주요 기능 ···································· 187
8. 임상적 측면 ·· 188

Chapter **14** 치주조직

1. 백악질 ·· 190
2. 치조골 ·· 197
3. 치주인대 ·· 199
4. 치은 ·· 204

Chapter **15** 피부와 점막

1. 피부 ·· 210
2. 점막 ·· 216
3. 구강점막 ·· 219
4. 혀점막 ·· 221
5. 침샘 ·· 226

INDEX ·· 233

PART

1

서론

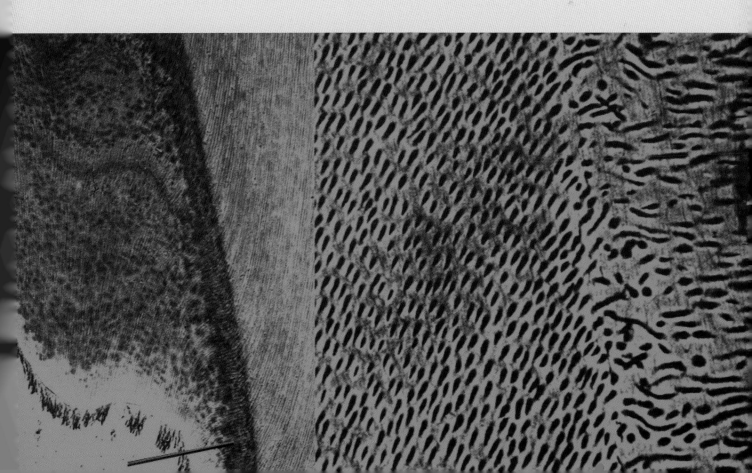

Chapter

01

서 론

학습목표　**1** 조직학의 연구법을 이해할 수 있다.
　　　　　2 현미경의 종류를 설명할 수 있다.

　조직학은 육안으로 볼 수 없는 세포와 조직을 현미경을 사용하여 연구하는 학문이고, 구강조직학은 치아와 주위조직의 발생학적 기원과 형태학적 구조를 종합적으로 연구하는 조직학의 한 분야이다.

1. 가시광선을 이용하는 현미경(광학현미경)

　관찰하려는 물체의 상을 확대시키는 대물렌즈와 이 상을 보다 확대하여 관찰자의 망막에 보내주는 접안렌즈의 조합에 의해 미소한 세포나 조직을 볼 수 있는 광학기계이다. 전자선을 이용한 전자현미경에 비해 광학현미경은 가시광선을 사용한다.

　광학현미경으로 명확한 상을 맺는데 있어 결정적인 요소는 두 개의 점이 각각의 점으로 관찰되는 두 점 사이의 최소한의 거리로, 이를 현미경의 분해능(resolving power)이라 한다. 광학현미경은 최소 0.2 ㎛ 정도의 분해능과 최고 약 2,000배 정도의 확대비율을 가지고 있어 전자현미경에 비해 확대비율과 분해능은 떨어진다(그림 1-1).

　광학현미경에서는 일반적인 생물현미경 외에 위상차현미경, 간섭현미경, 형광현미경, 자외선현미경, 암시야현미경 등이 있으며 사용목적에 따라 다양한 종류의 현미경이 만들어지고 있다.

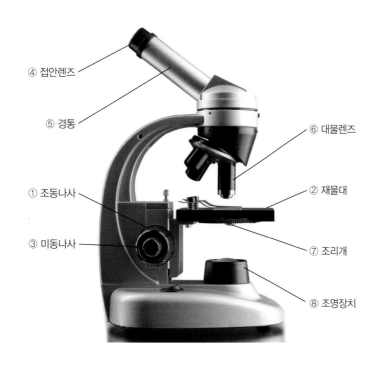

① 조동나사 : 경통이나 재물대를 상하
　로 이동시켜 상의 초점을 맞춘다.
② 재물대 : 관찰할 프레파라트를 올려
　놓는 부분. 가운데에 빛이 통과하는
　구멍이 있다.
③ 미동나사 : 조동나사로 조절한 상의
　초점을 좀더 정확하게 맞춘다.
④ 접안렌즈 : 눈을 대고 보는 렌즈. 대
　물렌즈에 의해 확대된 상을 더욱 확
　대한다.
⑤ 경통 : 재물대에 있는 구멍을 통해 올
　라온 빛을 접안렌즈까지 전달한다.
⑥ 대물렌즈 : 물체의 상을 1차로 확대
　한다.
⑦ 조리개 : 재물대로 올라오는 빛의 양
　을 조절한다.
⑧ 조명장치 : 빛을 반사시켜 빛이 접안
　렌즈로 전달되게 한다.

④ 접안렌즈
⑤ 경통
⑥ 대물렌즈
① 조동나사
② 재물대
③ 미동나사
⑦ 조리개
⑧ 조명장치

그림 1-1. 광학현미경과 그 원리.

1) 일반광학현미경(light or bright-field microscopy)

집광렌즈가 빛을 모아서 조직에 조사하면 대물렌즈에서 일차 확대상을 만든 후 접안렌즈에서 최종 배율을 결정하여 눈으로 관찰할 수 있게 된다. 즉, 접안렌즈는 분해능을 향상시키기보다는 대물렌즈를 통해 오는 상을 확대하기만 한다.

접안렌즈는 대개 10배의 배율을 갖고, 대물렌즈는 보통 4, 10, 25, 40, 100배 렌즈 중에서 선택을 할 수 있으므로 만일 100배의 대물렌즈로 조직을 관찰한다면 1,000배로 확대되어 눈으로 보게 되는 것이다.

2) 위상차현미경(phase-contrast microscopy)

염색을 하지 않은 표본과 살아 있는 조직을 명암이나 빛깔의 차이가 아닌 굴절률의 차이를 이용하여 관찰하도록 고안된 현미경이다. 세포 내부에 존재하는 세포소기관들은 각기 다른 굴절률을 가지므로 빛의 통과 속도도 달라진다. 이러한 변화에 의해 세포의 구조는 좀 더 짙거나 밝게 나타난다.

3) 간섭현미경(interference microscopy)

물체가 빛을 지연시키는 현상을 이용하여, 표본을 투과한 물체광에 광원에서 분리된 간섭광을 겹치게 하여 광파장에 대한 간섭현상으로 투명한 표본에서도 그 구조가 뚜렷이 나타나게 하는 원리를 이용하여 두께가 다른 구조물들을 관찰하거나 정량하는 데 쓰인다(그림 1-2).

4) 편광현미경(polarizing microscopy)

광물현미경 혹은 암석현미경으로 불리워지는 현미경으로 생물현미경의 집광렌즈 밑에 편광기(polarizer)를, 대물렌즈와 접안렌즈 사이에 검광기(analyzer)를 놓고 편광에 의해서 관찰하는 현미경이다. 여러가지 물체가 혼합된 상태의 견본에서 각 물체마다 빛의 진동하는 방향이 다른 점을 이용하여 어떤 각도에서 한가지 물질만을 관찰한다거나 혹은 어떤 물질이 혼합되어있는가를 알아내는데 이용된다. 광물, 동물의 뼈 단면, 근육조직, 글리코겐 같은 표본을 관찰할 때 주로 사용한다(그림 1-3).

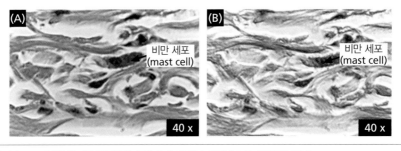

그림 1-2. 비만세포를 H−E 염색 후, 일반광학현미경(A)과 간섭현미경(B)으로 관찰한 사진.

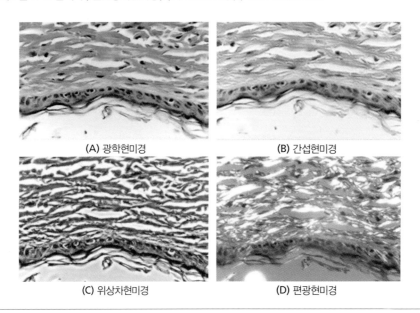

그림 1-3. 근육조직을 다양한 현미경을 통해 관찰한 사진.

5) 암시야현미경(dark-field microscopy)

암시야를 이용하는데, 어두운 방에 빛이 들면 먼지가 반짝이면서 보이는 현상을 볼 수 있는데 어두운 배경을 선택할 때 배경이 되는 빛이 입자에 닿으면 빛이 산란되면서 미립자의 위치, 형태, 크기를 알 수 있게 되는 원리를 이용한 현미경이다. 이러한 원리를 이용하여 일반현미경으로는 관찰이 어려운 혈액속의 지방 입자나 미립자를 관찰한다(그림 1-4).

6) 형광현미경(fluorescent microscopy)

특정한 형광물질이 적절한 파장의 빛을 받게 되면 그보다 긴 파장의 빛을 발산하는 원리를 이용한 방법으로 조직 표본에 파장이 짧은 자외선을 조사하면 가시광선이 발산되게 된다. 근래에는 조직 고유의 형광 이외에 형광색소를 표지한 물질을 실험동물에 투여하여 이를 조직 내에서 추적하거나 항원 또는 항체에 표지하여 체크하는 방법으로까지 확대되어 활용되어지고 있다(그림 1-5).

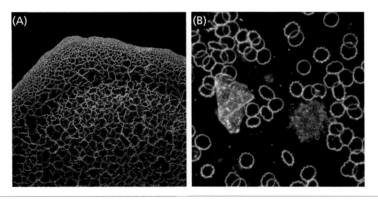

그림 1-4. 암시야현미경으로 관찰한 혈병(A)과 생 혈액(B).

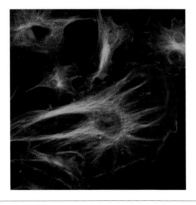

그림 1-5. 다양한 색소로 염색된 내피세포들을 형광현미경으로 관찰한 상.

2. 비가시광선을 이용하는 현미경

1) 자외선현미경(ultraviolet microscopy)

가시광선 대신 자외선을 이용하는 현미경으로, 현미경의 분해능은 광선의 파장에 반비례하므로, 파장이 짧은 2.00~4.00 nm의 자외선을 사용하면 분해능을 높일 수 있다. 일반적으로 석영렌즈를 사용하여 표본 안에 존재하는 분자의 자외선에 대한 분별흡수력을 사진으로 기록하는 것이다. 주로 자외선을 선택적으로 흡수하는 물질, 예를 들면 단백질, 핵산과 같은 생물학적인 시료를 연구하는 데 이용된다.

2) 전자현미경(electron microscopy)

광선 대신 전자선을 이용하고 광학렌즈 대신 가변전자장을 이용한 전자렌즈를 사용하여 미세한 구조체의 확대상을 얻는 장치로 전자파는 가시광보다 훨씬 파장이 짧기 때문에 광학현미경에서는 도달할 수 없는 고분해능(현재 0.1 nm 이하)을 얻을 수 있다.

광학현미경과 그 원리가 비슷한 투과전자현미경(transmission electron microscopy, TEM)과 전자선을 표본의 표면에 주사하여 관찰하는 주사전자현미경(scanning electron microscopy, SEM)이 있다. TEM과 SEM의 모든 표본은 살아 있는 상태로 관찰할 수 없다. 즉, 투과전자현미경의 표본은 제작과정에서 마이로톰을 이용하여 표본을 매우 얇게 자르기 때문이며, 주사현미경의 표본은 제작과정에서 전자선의 반사를 위하여 진공상태에서 표본의 외형을 금가루로 코팅하기 때문에 살아 있을 수가 없다.

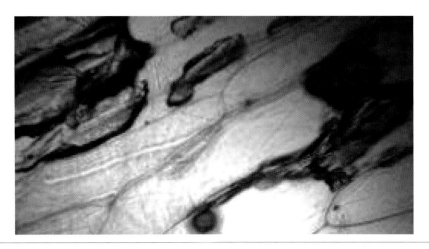

그림 1-6. 자외선현미경을 통해 관찰한 세포의 상.

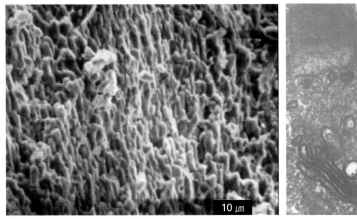

그림 1-7. 주사전자현미경으로 본 자연치의 법랑질.

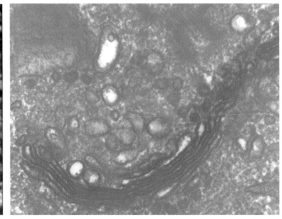

그림 1-8. 투과전자현미경으로 관찰한 인간 백혈구의 골지체.

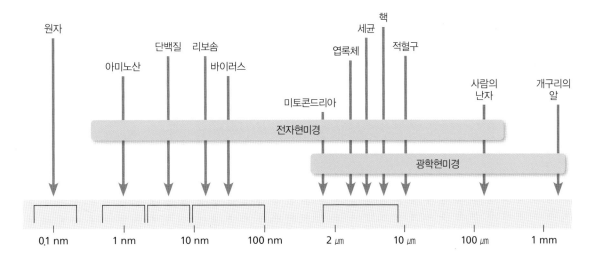

그림 1-9. 현미경을 통한 표본의 관찰 범위.

PART

2

조직학총론

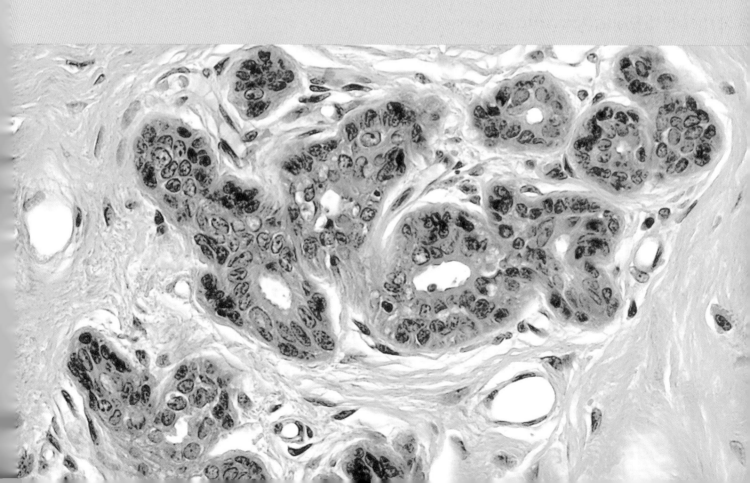

Chapter

02

세 포

///// **학습목표**
1 세포를 정의할 수 있다.
2 세포의 유사분열 과정을 설명할 수 있다.
3 세포, 조직 및 기관의 특징을 설명할 수 있다.
4 세포소기관을 열거하고, 특징을 설명할 수 있다.

세포는 생물체를 구성하는 최소단위이자 동시에 독립적으로 존재하며, 그 생명현상을 영위할 수 있는 최소의 단위이다. 생명현상은 결국 생물학적인 단위인 개개세포의 활동을 총합시킨 것이기 때문에 물질 대사, 발생, 유전, 진화 등 생물의 특성을 알기 위해서는 세포에 관한 기본적인 이해가 전제되어야 한다.

세포의 살아 있는 부분 전체를 일컬어 원형질(protoplasm)이라고 한다. 진핵세포의 원형질은 핵(nucleus)과 세포질(cytoplasm)로 나눈다. 핵은 유전물질을 포함하고 있고, 세포 내에서 일어나는 화학반응을 조절하며, 세포질 내에는 여러 세포소기관들이 있어서 세포호흡, 단백질 합성, 기타 에너지 대사 등에 관여한다(그림 2-1).

1. 세포막(Cell membrane)

세포막(원형질막, plasma membrane)은 세포질의 최외층을 둘러싸고 있고, 세포와 외계를 경계짓는 생체막으로서 물질의 출입을 조절하는 선택적 장벽의 기능을 한다. 또한 막은 이와 같은 경계 장벽을 통한 특수한 물질의 운반을 촉진하기도 한다. 막의 구조는 두 층의 인지질(phospholipid bilayer)을 기본 골격으로 하고, 여기에 여러 종류의 단백질이 분포되어 있으며, 약간의 탄수화물이 결합되어 있다(그림 2-2).

세포막의 두께는 약 7.5(6~10) nm 두께의 막으로 광학현미경 표본에서는 가는 선으로 나타나 투과전

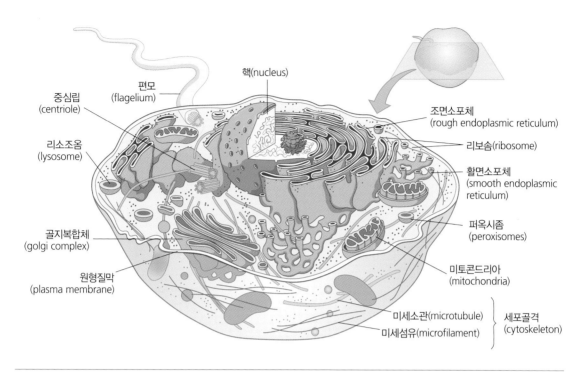

그림 2-1. 전형적인 동물세포의 모식도. 핵과 막성 세포소기관인 소포체, 골지체, 미토콘드리아, 퍼옥시좀이 보인다.

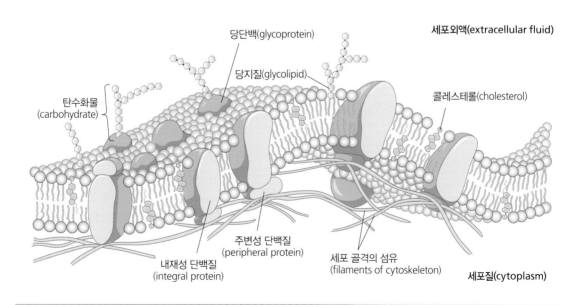

그림 2-2. 세포막의 구조. 막의 구조를 설명하는 유동모자이크 모델. 막은 이중지질층으로 구성되어 있으며, 단백질이 그 내부에 들어 있거나 세포질쪽 표면에 붙어 있다. 일반적으로 인정되고 있는 막구조의 유동모자이크모델은 막단백질이 모자이크 형태로 배열되어 있다는 점과 지질이중층의 유동성을 근거로 한 것이다.

자현미경으로 관찰할 수 있다. 사산화오스뮴(osmium tetroxide)으로 고정한 후, 세포막과 세포소기관의 막, 즉 미토콘드리아, 골지체, 소포체, 용해소체, 과산화소체 등을 관찰하면 모두 삼중층판구조로 보여진다. 모든 막이 이러한 세 층의 구조로 나타나기 때문에 이를 단위막(unit membrane)이라고 한다.

2. 핵(Nucleus)

핵은 모든 진핵생물에서 발견할 수 있는 세포 내의 세포 기관 중 하나로, 대부분의 유전 정보를 담고 있는 장소이다. 또한 세포질 내 합성활동을 조절하는 역할을 하며 세포 분열과 유전에 관여한다. 그러나 우리 몸의 일부 세포, 즉 적혈구 그리고 손발톱, 털 등의 각질화된 세포들에는 핵이 없다.

일반적으로는 하나의 세포에는 한 개의 핵이 있는 것이 보통이나 두 개 이상 여러 개의 핵을 가진 세포들도 있다. 예를 들면 골격근세포의 경우는 수 십개 이상의 핵을 가지고 있다.

휴식기 세포의 핵은 핵막으로 둘러싸여 있으며, 그 속에 핵형질(necleoplasm, karyoplasm)이 들어 있다. 핵형질은 염색질(chromatin)과 이들을 담고 있는 기질인 핵즙(nuclear sap)으로 이루어져 있다. 핵즙은 구조가 없는 반유동체의 콜로이드로서 세포질 기질보다 약간 더 굳고 비중이 높다.

1) 핵막

핵형질은 핵막에 의하여 세포질과 격리되어 있다. 핵막은 2개의 막으로 구성되어 있다. 핵형질에 면한 막을 내막이라 하며, 세포질 쪽에 면한 막을 외막이라 하며, 두 막 사이의 약 15~30 nm 떨어진 공간을 핵막수조(핵막간 공간, perinuclear cisterna)라 한다. 특히 내막은 핵층판(nuclear lamina)이라 불리우는 지지섬유들의 네트워크와 연결되어 있으며, 외막은 소포체라 불리는 세포소기관과의 막과 연결되어 있다.

핵막에는 포유동물인 경우 보통 3,000~4,000개 정도의 핵공이 존재한다(그림 2-3). 핵공의 수는 세포에 따라 다르며, 핵막에서 차지하는 면적은 3~35%로 세포에 따라 차이가 많다.

2) 염색질(chromatin)

분열하지 않는 세포에서 염색질은 염색체가 풀려 있는 상태를 의미한다. 염색질은 DNA, DNA 결합단백질 및 약간의 RNA로 구성된 미세사성 구조물로서 핵형질 내에 퍼져 있으며, "핵 속에 있는 염색되는 물질"이라는 의미로 처음 사용되었다.

염색질은 분자구조상 구형의 기본 단백질인 히스톤(histon)과 이중나선 구조의 DNA가 정전기적으로 결합되어 있는 DNA-히스톤복합체이다(그림 2-5). 염색질은 세포주기의 시기에 따라 그 분포상태가 다르다. 휴지기의 세포 핵에서는 진정염색질(euchromatin)과 이질염색질(heterochromatin)로 구별된다
(그림 2-4).

진정염색질은 세포분열 때를 제외하고 항상 가느다랗게 퍼져 있는 형태를 유지하고 있는 반면, 이질
염색질은 핵내부를 향한 핵막 주변의 핵 라미나 구조물에 결합되어 있으며 상당히 응축되어 있는 모
습을 하고 있다. 진정염색질에 속한 DNA는 세포분열 때를 제외하고 분주하게 RNA로 전사되어 세포
에서 필요한 어떤 기능을 수행하는 정보를 많이 가지고 있으며, 반대로 이질염색질로 관찰되는 부위는
핵막의 특정부위에 붙어 염색질을 잘 배열시키는 구조적인 기능을 주로 한다.

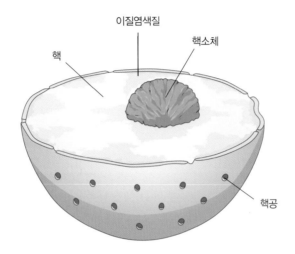

그림 2-3. 세포 핵의 입체구조. 핵공의 수는 세포에 따라 매우 다르다.

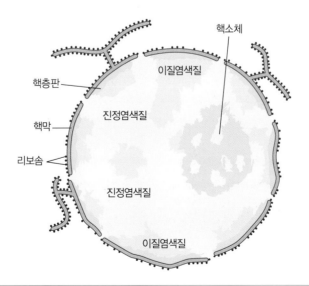

그림 2-4. 세포 핵을 간략하게 나타낸 그림. 핵막은 외막과 내막으로 되어 있고 곳곳에 핵공이 뚫려 있다. 핵 속에는 염색질과 핵
소체가 있고 염색질은 농축되어 있는 이질염색질과 퍼져 있는 진정염색질로 구분된다.

(A)

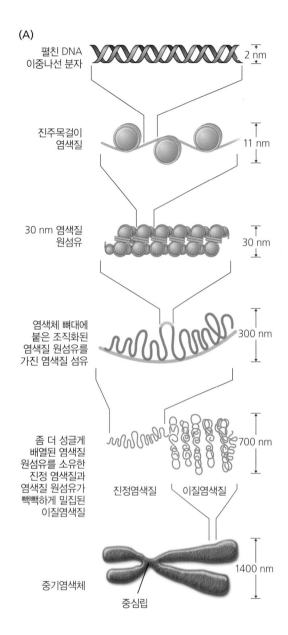

펼친 DNA 이중나선 분자 — 2 nm

진주목걸이 염색질 — 11 nm

30 nm 염색질 원섬유 — 30 nm

염색체 뼈대에 붙은 조직화된 염색질 원섬유를 가진 염색질 섬유 — 300 nm

좀 더 성글게 배열된 염색질 원섬유를 소유한 진정 염색질과 염색질 원섬유가 빽빽하게 밀집된 이질염색질 — 700 nm

진정염색질 이질염색질

중기염색체 — 1400 nm

중심립

(B)

그림 2-5. 염색체 구조에서 염색질의 배치. (A) 핵염색질의 단계적인 압축 DNA의 2중나선으로 시작해 염색체에서 보이는 매우 밀집된 형태를 보여주고 있다. (B) 인간의 2번 염색체 핵을 원자힘(atomic force)을 이용해 관찰한 중기의 모습(×20,000)이다(Dr. Tatsuo Ushiki 제공).

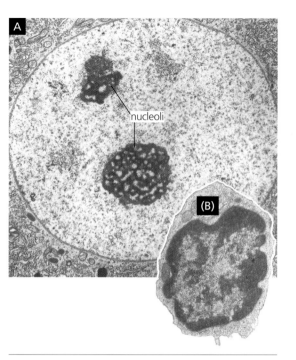

nucleoli

(B)

그림 2-6. 서로 다른 2종 세포핵의 전자현미경 사진. (A) 큰 전자현미경 사진은 신경세포의 핵이다. 2개의 핵소체가 절단면에 포함되어 있다. 활성이 높은 이 세포의 핵에서 핵소체를 제외한 부분은 거의 대부분이 늘어난 염색질(extended chromatin) 혹은 진정염색질(euchromatin)로 이루어져 있다(×10,000). (B) 더 작은 이 핵은 순환 중인 림프구의 것이고, 세포 전체가 이 전자현미경 사진에 나타나 있다. 이 세포는 상대적으로 활성이 낮은 세포이다. 세포질과 세포소기관이 적은 것에 주목해야 한다. 핵의 염색질은 대부분 농축된 이질염색질(heterochromatin)이다. 밝은 부분은 진정염색질 부분이다(×13,000).

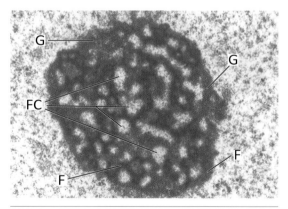

G G FC F F

그림 2-7. 핵소체의 전자현미경사진. 신경세포에서 관찰된 핵소체로 원섬유(F: fibrill) 및 과립(G: granule) 물질이 원섬유 중심(FC: fibrillar center)을 둘러싸고 있다. 이 두 가지 물질들이 얼기를 이루고 있는 것을 핵소체실(nucleolonema)이라고 한다. rRNA에 대한 유전자가 포함된 DNA, 그리고 특정 단백질들이 핵소체실 격자 속에 들어 있다(×15,000).

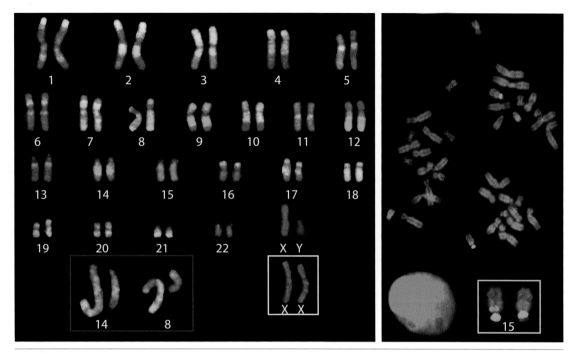

그림 2-8. 형광 제자리 교잡법(FISH)으로 본 핵형. (A) 정상적인 남자의 핵형. 하얀 테두리 안은 정상적인 여성의 XX 염색체 쌍을 보여주고 있다. 붉은색 테두리는 14번 염색체와 8번 염색체의 이상을 보여준다(제공 : 영국 뉴캐슬어폰타인-Newcastle upon Tyne-소재 Applied Imaging International 社). (B) 프레이더-윌리/앵겔만 증후군 환자에게서 얻은 염색체를 중기 펼침(metaphase spread)한 것으로 황색 테두리 안은 15번 염색체 쌍을 확대시킨 것이다(제공 : Dr. Rebert B. Jenkins).

3) 핵소체(nucleolus, 인)

핵소체는 단위막으로 싸여 있지 않은 둥근 호염기성 구조물로 리보솜(ribosome)을 합성하여 세포질로 보내는 역할을 하는 핵소기관이다(그림 2-6, 2-7). 전자현미경으로 관찰하면 핵소체는 실 모양의 구조물과 과립모양의 구조물이 서로 엉겨 있는 모습으로 보인다. 실모양의 구조물은 현재 리보솜의 구성성분인 rRNA(ribosomal RNA)를 전사하는 DNA이고, 과립모양의 구조물은 rRNA와 리보솜 단백질인 것이다.

3. 세포소기관

세포소기관에는 단위막으로 덮인 막성 성분, 이것이 없는 과립성 성분, 그리고 주로 세포골격을 구성하는 섬유성 성분의 3종류가 있다.

1) 막성성분

(1) 소포체(형질내세망, endoplasmic reticulum)

소포체는 막으로 둘러싸인 공간구조를 형성하며, 그물 모양으로 세포질 내에 흩어져 있다(그림 2-9).

단백질 합성은 대부분 세포질에서 일어나는 것이 아니라 소포체의 막 표면에서 일어나며, 리보솜이 부착되어 있는 소포체를 조면소포체(rough endoplasmic reticulum, RER) 혹은 과립소포체라 하며, 이

(A)

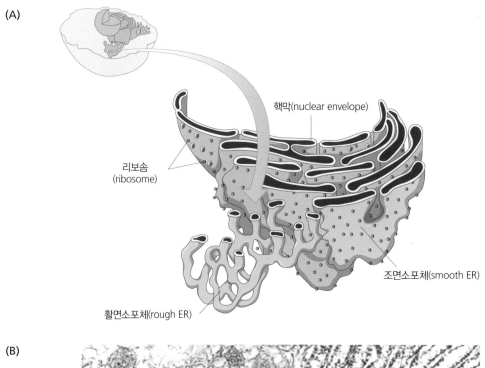

핵막(nuclear envelope)

리보솜
(ribosome)

조면소포체(smooth ER)

활면소포체(rough ER)

(B)

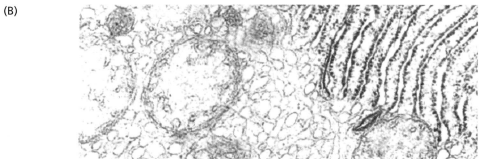

그림 2-9. 전자현미경으로 관찰한 소포체. (A) 소포체의 모양, (B) 전자현미경 사진.

들은 합성된 단백질을 보존하고 필요한 곳으로 운반하는 통로 역할을 하는 세포분비기능을 가진다. 한편, 표면에 리보솜이 부착되어 있지 않는 활면소포체(무과립소포체, smooth endoplasmic reticulum, SER))는 조면소포체와 연결되어 있으며, 리보솜이 없이 관으로 이루어진 망상구조로 막에 있는 효소가 주 기능을 담당한다. 가장 중요한 기능은 지방산, 인지질 및 스테로이드 등의 지질합성 및 해독작용에 관여한다.

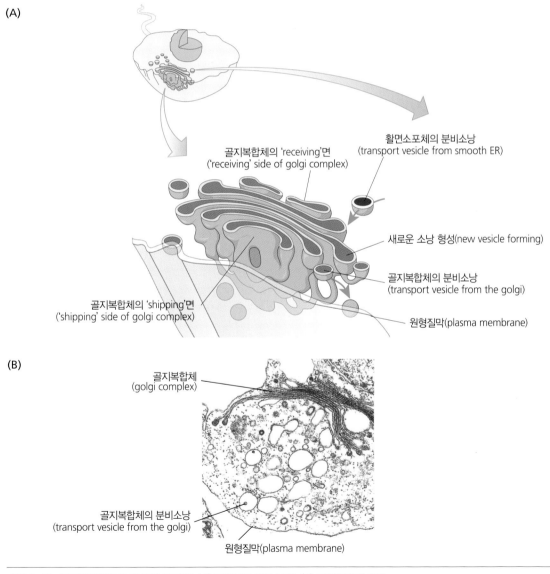

(A)

골지복합체의 'receiving'면
('receiving' side of golgi complex)

활면소포체의 분비소낭
(transport vesicle from smooth ER)

새로운 소낭 형성(new vesicle forming)

골지복합체의 분비소낭
(transport vesicle from the golgi)

원형질막(plasma membrane)

골지복합체의 'shipping'면
('shipping' side of golgi complex)

(B)

골지복합체
(golgi complex)

골지복합체의 분비소낭
(transport vesicle from the golgi)

원형질막(plasma membrane)

그림 2-10. 전자현미경으로 관찰한 골지체. (A) 골지복합체의 모양, (B) 전자현미경사진.

(2) 골지복합체(golgi complex)

막으로 된 납작한 주머니를 쌓아 놓은 형태를 하고 있는데, 한 개의 세포 내에 단 몇 개가 있기도 하고, 수백 개가 있는 경우도 있다(그림 2-10). 골지복합체의 숫자는 세포가 얼마나 활발하게 단백질을 분비하는가와 연관되어 있다.

골지복합체는 소포체와 밀접한 관계를 가지고 있으며, 분자 저장창고와 마무리 공장으로 작용하여 소포체에 만들어진 물질을 전달받아 기능에 맞는 분자로 변형, 농축, 포장한다. 골지복합체의 한쪽 면은 소포체에서 생성된 분자의 운반소포 도착장소로 작용하며, 당단백질분자를 가지고 있는 운반소포를 받아서 화학적으로 변형시킨다. 즉, 골지복합체는 세포의 분비기능 뿐만 아니라 합성에도 관여하고 있음을 알 수 있다.

(3) 리소조옴(용해소체, lysosome)

리소조옴은 단위막으로 구성된 소기관으로 세포 내 소화에 관여하는 가수분해 효소를 가지고 있다(그림 2-11). 리소조옴은 세포의 외부에서 들어온 물질이나 병원균을 포함하는 항체와 결합하여 내용물을 가수분해시키고, 찌꺼기는 다시 세포 밖으로 내보내는 역할을 한다. 대부분 구형이며 직경이 0.05~0.5 ㎛인 리소조옴은 포식작용이 활발한 세포에 풍부하다(대식세포).

분해가 일어나기 전의 용해소체를 1차 용해소체(primary lysosome)라고 한다. 용해소체는 외부 환경에서 세포로 들어오는 물질을 분해시킬 수 있다. 포식소체(phagocystic vacuole)로 이물질이 들어오면, 포식소체의 막과 1차 용해소체의 막이 융합되어 용해소체 내의 가수분해효소들이 포식소체로 들어온다. 여기에서 분해가 일어나게 되며, 이러한 복합적인 구조를 2차 용해소체(secondary lysosome)라고 한다.

(4) 미토콘드리아(사립체, mitochondria)

미토콘드리아는 세포 내 호흡이 이루어져서 에너지 대사를 주도하는 세포소기관이다. 즉, Krebs 회로(TCA cycle)와 전자전달계를 통하여 당류에 포함되어 있는 에너지의 대부분이 이곳에서 ATP의 형태로 효율화된다.

미토콘드리아는 2개의 막으로 둘러싸여 있는데, 외막은 전형적인 단위막이고, 내막은 ATP 생성에 아주 적절하게 특수화되어 있다(그림 2-12). 내막으로부터 수많은 정교한 돌기들이 미토콘드리아 내부 기질쪽으로 돌출되어 있는 크리스테(능선, cristae)를 형성함으로써 막의 표면적을 증가시켜 ATP를 생산하는 미토콘드리아의 능력을 높여준다.

이 주름의 안쪽에는 호기성 세포호흡에 관여하는 효소, 미토콘드리아 DNA(Mitochondrial DNA) 등이 있다.

2) 과립성 성분

과립성 성분에는 리보솜(ribosome)과 그 집합체인 폴리솜(polysome, polyribosome)이 있다. 리보솜은 직경 15~120 nm의 전자밀도가 높은 과립으로, 리보핵산(RNA)과 단백질로 되어 있다(그림 2-13). 폴리솜은 1개의 전령RNA(mRNA)가 가는 실(직경 1.0~1.5 nm)의 형태로 리보솜이 나선형으로 연결된 것이다.

리보솜에서는 핵에서 합성된 전령RNA의 유전정보(codon)에 따라서, 운반RNA가 아미노산을 배열

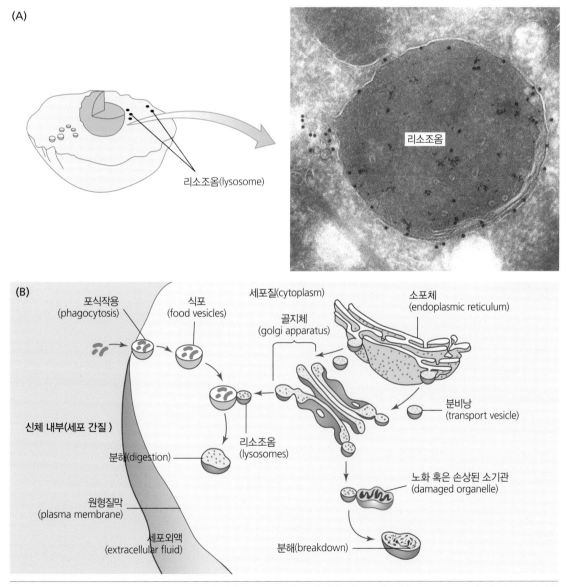

그림 2-11. 전자현미경으로 관찰한 리소조옴. (A) 리소조옴의 모양, (B) 이질포식작용(heterophagy) 및 자가포식작용 (autophagy)에서 용해소체의 형성과 기능을 설명하는 모식도.

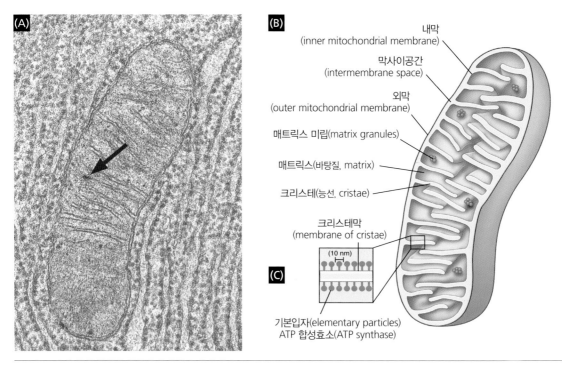

그림 2-12. 미토콘드리아의 구조. (A) 이 전자현미경사진은 이자 샘꽈리세포(pancreatic acinus)에 있는 미토콘드리아이다. 미토콘드리아 내막은 능선(C)을 만들고 있다. 화살표 부위에서 뚜렷하게 확인되는 이들 능선은 내막의 반복적인 굴곡에 의해 만들어진다. 미토콘드리아 외막은 편평하고 연속된 막으로 내막과 이어져 있지 않으며 그 성질도 다르다(×200,000). (B) 미토콘드리아의 구성성분을 보여주는 모식도. 기본입자의 위치와 ATP 합성효소의 3차원적 구조이다.

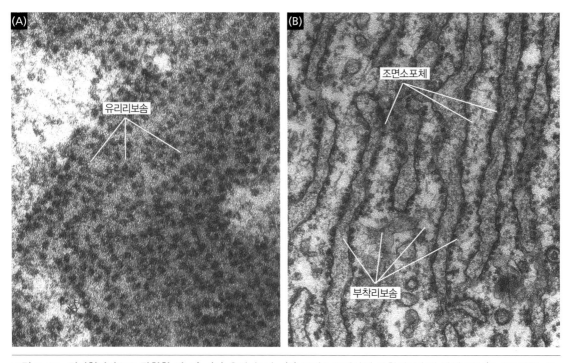

그림 2-13. 전자현미경으로 관찰한 리보솜. (A) 유리리보솜, (B) 조면소포체상의 부착리보솜의 미세 구조(A×90,000, B×60,000).

하여 단백질 또는 폴리펩티드가 합성된다. 리보솜이 세포기질 중에 개개로 유리될 경우는 자유리보솜(free ribosome)이라 불리지만, 조면소포체의 막상에서는 리보솜이 연결되어 폴리솜이라는 집합체를 형성한다.

3) 섬유성 성분

대부분의 세포소기관은 세포를 구조적으로 지지하는 기능이 있다. 가는 섬유로 된 그물 형태의 세포골격(cytoskeleton)은 지지 역할을 한다. 세포골격을 이루는 섬유는 세포질 전체에 분포되어 있는데, 가장 가는 섬유인 미세섬유, 가장 두꺼운 미세소관, 그리고 두께가 그 사이인 중간섬유가 주요부분이다.

(1) 미세섬유(microfilament)

주성분은 액틴이며, 구형의 단백질인 나사 모양의 단단한 막대기이다(그림 2-14). 액틴 미세섬유는 미세섬유의 한쪽 끝에서 조립(assembling)되고, 다른 쪽 끝에서는 분해(disassembling)되면서 미세섬유가 움직이면서 세포가 모양을 바꾸도록 한다. 원생생물인 아메바와 인체 내의 백혈구가 움직일 때 이와 같은 과정이 일어난다.

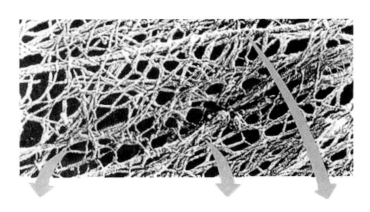

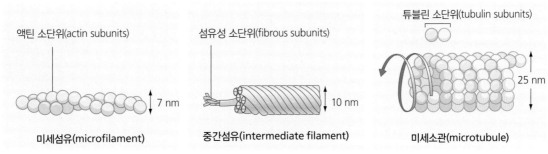

그림 2-14. 세포골격의 섬유성분.

(2) 미세소관(microtubule)

미세소관은 세포 내 섬유 중에서는 가장 큰 섬유로, 외직경이 25 nm 가량되며, 튜블린이라는 구형의 단백질로 만들어진 속이 비어 있는 관이다(그림 2-14). 미세소관은 튜블린 쌍으로 구성된 소단위를 덧붙이면서 길이가 길어지며, 이와 반대의 방법으로 분해된다. 튜블린 소단위는 다른 미세소관에 재사용될 수 있다. 또 다른 미세소관의 다른 주요한 기능은 세포소기관을 고정시키는 것과 세포소기관이 세포질 내에서 이동할 수 있는 통로로 작용하는 것이다.

미세소관의 길이는 세포의 형태나 세포의 특징기능에 따라 변하기 때문에 정확히 측정하기 어렵다. 10~25 μm의 길이는 신경세포의 축 안에서 볼 수 있고, 5~200 μm는 편모와 섬모를 갖고 있는 유기체에서 관찰된다.

(3) 중간섬유(intermediate filament)

섬유 모양의 단백질인 케라틴이 밧줄과 같은 구조를 하고 있다(그림 2-14). 중간섬유는 당김을 견디기 위한 보강용 장대로 작용하고 일부 세포소기관을 고정시키는 작용을 한다. 특히 신경세포, 뇌세포, 근육섬유와 혈구 등 상피세포에서 나타난다.

4. 세포분열(Cell division)

1) 세포주기(cell cycle)

우리 몸은 약 60조나 되는 세포수를 유지하기 위해 매 초마다 세포분열을 해야 한다. 그러나 세포마다 세포분열의 정도가 차이가 있어 어떤 세포는 매일 한 번씩 분열하지만(피부와 골수세포는 세포주기가 짧아 분열이 왕성함), 어떤 세포는 이보다 적게 분열하며, 신경이나 근육세포와 같이 고도로 분화한 세포는 전혀 분열하지 않기도 한다(G_1→S기로 전환되지 않으므로 세포분열을 할 수 없음). 세포분열을 하는 모든 진핵생물은 하나의 세포가 분열하여 두 개의 딸세포가 되고, 새로 생긴 딸세포가 다시 분열하는 사건의 연속인 세포주기를 갖는다. 세포는 세포분열이 일어나기 전에 세포질에 있는 모든 물질을 거의 2배로 증가시키고, DNA를 정확히 복제하여 세포분열을 하기 위한 준비를 한다.

그림 2-15에서 보듯이 간기(interphase)는 세포주기의 대부분(약 90%)을 차지하고 있으며 세포대사가 가장 활발한 시기이다. 즉, 염색체가 복제되고 세포소기관들이 합성되고 자라는 시기이다.

G_1기(제1간기)는 DNA 합성과 세포분열의 중간단계로 단백질 합성, 미토콘드리아, 리보솜 등의 세포소기관의 합성 및 세포가 성장하며, 두 번째 단계인 S기는 단백질 합성과 DNA가 복제되는 시기이다. G_2기(제2간기)는 DNA 합성이 완료된 시기부터 세포분열이 시작되기 전까지의 시기로 세포분열에 필수적인 단백질이 합성된다.

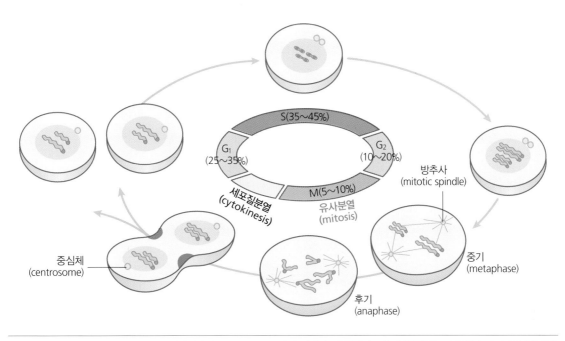

그림 2-15. 세포주기의 각 시기. G₁기(합성전기, presynthesis)의 기간은 다양하며, 세포분열의 빈도 등 여러 가지 요인에 의해 달라진다. 뼈조직의 경우 G₁기는 25시간 동안이며, S기(DNA합성기)는 8시간, G₂기와 유사분열기는 합쳐서 2.5~3시간이다.

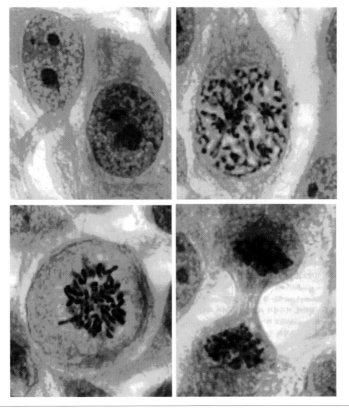

그림 2-16. 유사분열 과정에 있는 배양 세포의 현미경 사진.

실제 정상적인 세포에서 G_1기에서 S기로의 전환을 촉진시키는 단백질은 G_1기에서 만들어지며, 이 단백질의 양이 조절됨으로써 세포분열의 속도가 일정하게 유지된다. 그러나 암세포의 경우 이런 조절기능에 이상이 생겨 세포분열이 빠르게 진행된다.

2) 유사분열

유사분열에는 체세포에서 일어나는 체세포분열과 생식세포에서 일어나는 감수분열로 나뉜다.

(1) 체세포분열(mitosis)

세포분열은 먼저 핵분열이 일어나고, 이어 세포질 분열이 일어난다. 또한 핵분열 과정은 염색체의 변화에 따라 전기, 중기, 후기, 말기의 4단계로 나눈다(그림 2-17).

① 전기(prophase)

이 시기의 핵과 세포질 모두에 큰 변화가 생기는 시기로 염색체는 심하게 구부러지고 가는 실처럼 보이지만, 이것은 점차 커진다. 서로 접근해 있던 2개의 중심소체는 떨어져서, 각기 세포의 반대쪽으로 이동하기 시작한다. 그리고 거의 동시에 핵막이 소실되고, 이어서 핵소체도 소실된다.

② 중기(metaphase)

이 시기의 세포는 지구와 같은 2개의 극과 적도를 구별할 수 있다. 굵고 짧은 염색체가 적도판에 모여 있다. 세포의 양쪽 세포극으로 이동한 중심소체로부터 유사분열방추라는 다수의 실 모양의 구조물이 나와서 각각 대응하는 염색체에 연결된다. 염색체의 수를 헤아릴 수 있는 시기는 바로 이때이다.

③ 후기(anaphase)

각 염색체는 두 그룹으로 분리되고, 방추사가 짧아짐에 따라 양쪽 세포의 극으로 이동해 간다. 이렇게 하여 세포를 구성하는 가장 중요한 구조인 염색체가 처음으로 분열한다.

④ 말기와 세포질분열(telophase and cytokinesis)

말기에는 후기에 시작된 세포의 신장이 계속되며 전기에 나타난 현상들이 역으로 일어난다. 따라서 염색체 주위에 핵막이 생성되고 세포의 양 극에 딸핵이 나타나며, 염색체가 풀려 염색사로 되고, 인이 다시 생긴다.

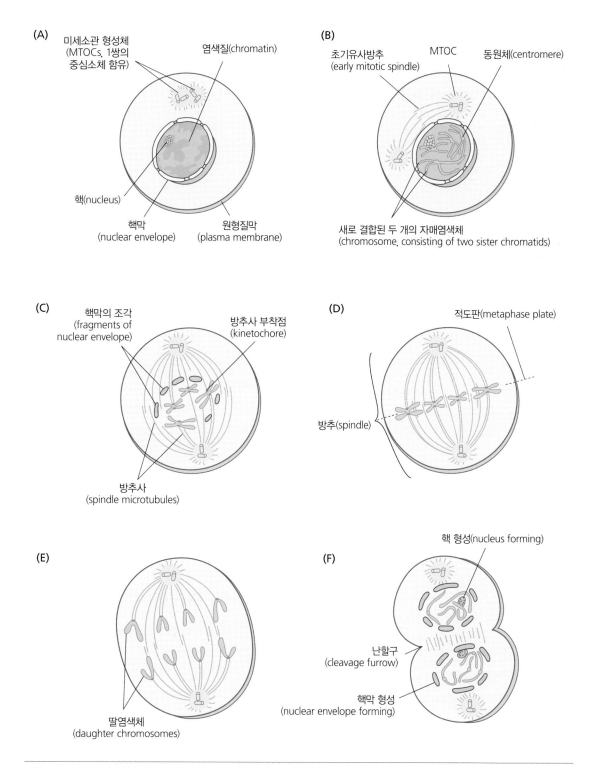

그림 2-17. 체세포 분열의 경과. (A) 간기-세포분열 개시 전의 상태(휴지기 핵), (B~C) 전기-염색체가 나타나며 핵막과 인이 사라지고 방추사가 나타남. (D) 중기-염색체가 적도면에 배열되고 방추사는 염색체의 동원체에 부착하며 두개의 염색분체로 됨. (E) 후기-염색분체들이 분리되어 방추사에 의해 양극으로 끌려감(2n). (F) 말기와 세포질분열-염색분체가 사라지고 핵막과 인이 나타나며 두 개의 딸핵이 형성됨.

(2) 감수분열(meiosis)

반수체 생식세포를 만드는 과정인 감수분열은 체세포분열과 매우 유사하지만, 다음과 같은 점에서 큰 차이가 있다. 즉, 감수분열의 경우는 체세포분열과는 달리 세포가 제1, 2 감수분열의 두 번 연속적인 분열을 거쳐 4개의 딸세포가 생긴다(그림 2-18).

그러나 두 번의 연속적인 감수분열 이전에 염색체 복제는 단 한 번만 일어나므로, 결국 딸세포는 감수분열 시작 당시 염색체 수의 반만 갖게 된다.

① 제1분열(이형분열)
- 간기 : S기에 DNA가 복제
- 1차 전기 (prophase I) : 가늘고 긴 염색분체 2개가 동원체에 의해 붙어 있고, 상동염색체가 접합하여 2가 염색체가 된다(2가 염색체=4분 염색체). 또한 염색분체 사이에서 교차가 일어나 유전자의 교환이 이루어진다.
- 1차 중기 (metaphase I) : 2가 염색체가 적도면에 모이고, 방추사가 동원체에 연결된다.
- 1차 후기 (anaphase I) : 상동염색체가 서로 분리되어 염색체의 수가 반으로 줄어든다($2n \rightarrow n$). 그러나, 각 상동염색체의 염색분체는 아직 동원체에 붙어 있다.
- 1차 말기 (telophase I) : 핵막이 생기고 세포질 분열이 일어나 2개의 딸세포가 형성된다.

② 제2분열(동형분열, $n \rightarrow n$)

간기가 없거나 있더라도 아주 짧고 DNA 복제 없이(S기가 없으므로) 분열로 들어간다.
- 2차 전기 : 두 딸세포의 염색체가 다시 농축되면서 방추체가 형성되고 핵막이 소실되며 염색체가 적도판쪽으로 이동한다.
- 2차 중기 : 염색체가 적도판에 배열하고, 중심절이 갈라져 염색분체가 나뉜다.
- 2차 후기 : 갈라진 염색분체, 즉 새로운 딸 염색체가 양극으로 이동한다.
- 2차 말기 : 핵막이 생겨나 딸핵을 형성하고 염색체가 풀리며, 세포질분열이 일어나 딸세포가 생겨남으로써 분열이 끝나게 된다.

1차 감수분열(Meiosis I)

(A)   (B)   (C)   (D)   (E)

2차 감수분열(Meiosis II)

(F)   (G)   (H)   (I)   (J)

그림 2-18. 감수분열의 단계. (A) 간기의 세포(2n), (B) 1차 전기, (C) 1차 중기, (D) 1차 후기, (E) 제1분열기 말기, (F) 2차 전기, (G) 2차 중기, (H) 2차 후기, (I) 제2분열기 말기, (J) 4개의 딸세포(n)

Chapter

03

상피조직

학습목표
1 상피조직의 특징을 설명할 수 있다.
2 상피조직의 기능적 분류를 설명할 수 있다.
3 상피조직의 형태적 분류를 설명할 수 있다.
4 상피세포들 사이의 연접복합체 구조를 설명할 수 있다.
5 외분비선과 내분비선의 구조와 기능의 차이를 설명할 수 있다.

1. 개요

인체는 매우 복잡한 구조로 이루어져 있으나 4가지의 기본 조직인 상피조직, 결합조직, 근조직, 신경조직으로 구성되어 있다. 세포와 세포외기질로 이루어진 이 조직들은 독립된 단위로 존재하는 것이 아니라 서로 다른 비율로 혼합되어 기관과 계통을 이루고 있다.

그 중 상피조직(epithelial tissue)은 생체의 외표면(피부나 점막 등의 체표면) 및 내표면(관강과 체강)을 덮는 막 모양의 세포 집단이다. 생체의 내표면 중 관강이란 소화관이나 기도와 같은 관 모양 기관을 의미하며, 체강은 흉막(가슴막) 중간과 배 안을 가리킨다. 상피조직에는 세포사이물질이 완전히 없거나, 있더라도 극히 적어 세포 상호의 결합이 매우 긴밀하다. 상피 내에는 부분적으로 말초신경섬유(자유신경종말)가 침입하는 일은 있어도 혈관, 근육, 결합조직 등은 분포하지 않는다.

상피는 형태적으로 세 가지 형태로 분류되지만, 그 기능은 부위에 따라 크게 달라 생체 내부의 보호, 합성과 분비, 흡수와 분해, 배설, 수송, 여과, 호흡(가스 교환), 자극(감각) 수용 등의 다양한 기능을 한다.

2. 분류

상피조직의 분류에는 기능에 따른 분류와 형태에 따른 분류가 있다. 기능에 따른 분류란 개개의 기관에서의 상피세포 기능을 기초로 한 분류체계이다. 그러나 상피조직의 기능에 기초한 분류는 상피세포의 생활현상의 이해를 위해서는 적합한 분류법처럼 생각할 수 있으나, 상피세포의 대부분이 다기능으로서 세포기능에 근거하는 분류는 반드시 현실적인 분류법이라 할 수 없다. 그래서 일반적으로 상피세포의 형태에 따라 분류를 실시한다.

1) 기능적 분류

상피조직의 주된 기능에는 표면을 덮어주거나 둘러 싸주는 작용(피부, 장), 흡수작용(장), 분비작용(샘상피), 감각작용(미각과 후각신경상피), 수축작용(근상피세포) 등이 있다.

상피세포는 몸의 안쪽 면과 바깥쪽 면을 모두 싸고 있기 때문에 신체로 들어가거나 나가는 모든 물질은 상피층을 통과해야만 한다.

(1) 분비(합성)상피

외분비 또는 내분비선의 분비(선)상피와 그와 연결된 관을 구성하고 있으며 분비물을 생성하여 세포 밖으로 배출하는 상피이다. 침샘, 위샘, 땀샘, 갑상샘 등에서 관찰된다.

(2) 보호(덮개)상피

피부 또는 몸 안 장기의 표면을 덮는 상피로, 기관이나 조직을 외력으로부터 보호하는 기능을 하는 상피이다. 피부 변형체로 손톱, 털, 깃털 등에서 관찰된다.

(3) 감각상피

여러 감각기관의 표면에 위치하여 자극을 받아들이는 것으로 감각기에 존재하면서 감각을 관장하는 상피이다(그림 3-1). 망막, 후각기, 내이 등에서 관찰된다.

(4) 흡수상피

세포 표면에서 물질을 흡수하는 기능을 하는 상피이다(그림 3-1). 소장의 표면, 세뇨관 등에서 관찰된다.

(5) 호흡상피

흡입한 공기와 정맥혈 사이에서 가스를 교환하는 상피이다. 폐포 등에서 관찰된다.

(6) 수송상피

세포 안팎의 이온이나 아미노산, 수분을 일정한 방향으로 능동적으로 수송하는 기능을 갖는 상피이다. 콩팥의 세뇨관(요세관, renal tubule) 등에서 관찰된다.

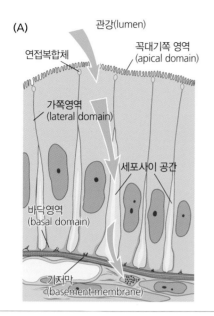
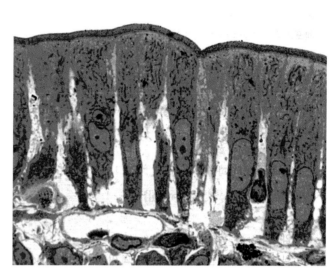

그림 3-1. 소장(작은 창자)의 흡수상피세포. (A) 전형적인 상피 세포의 세 종류 세포 영역이 표시되어 있다. 연접복합체가 인접세포들을 연결하고, 내강공간(속공간)을 세포사이공간과 구분하며, 내강공간과 그 밑의 결합조직 사이를 통과하는 액체의 흐름을 제한한다. 흡수시의 액체흐름(화살표)은 창자의 내강공간으로부터 세포로, 가쪽 세포막을 거쳐 세포사이 간으로, 마지막으로 바닥막을 거쳐 결합조직으로 이동한다. (B) Toluidine blue로 염색된 창자 상피의 plastic-embedded 박피절편 사진으로 액체 운반에 관여하는 세포를 보여주고 있다. 세포사이 공간이 옆의 그림에서처럼 뚜렷한데, 이는 그 밑에 있는 결합조직으로 들어가기 전에 액체가 이 공간을 통과하고 있음을 보여준다.

2) 형태적 분류

형태에 따른 분류는 단순히 상피세포의 형태를 기초로 한 분류체계이다.

(1) 중층상피(stratified epithelium)

중층상피에는 중층입방상피(stratified cuboidal epithelium), 중층원주상피(stratified columnar epithelium), 이행상피(transitional epithelium), 중층편평상피(stratified squamous epithelium)가 있다.

① 중층입방상피(stratified cuboidal epithelium)

입방형의 세포가 중층으로 배열된 것인데, 그 예는 매우 드물게 나타난다. 땀샘이나 침샘의 큰 분비관 등에만 매우 드물게 존재한다.

② 중층원주상피(stratified columnar epithelium)

표층의 세포는 원주형이지만 심층은 입방형으로서 요도의 일부와 연구개의 상면에서 보인다.

표 3-1 인체의 표면 상피의 유형.

세포층의 수	세포의 형태		분포	기능
단층	편평		혈관 내면 표면, 흉막, 복막 등 내강의 장막성 표면(중피)	내장의 움직임을 촉진(중피), 포음작용에 의한 능동수송(중피, 내피)
	입방		난소의 표면, 갑상샘 소포	표면을 덮음, 분비
	원주		장, 담낭의 표면	보호, 윤활, 흡수, 분비
거짓중층	대부분 원주(섬모상피)		기관, 기관지, 비강의 표면	보호, 분비(점액에 들어간 입자를 섬모 운동을 통해 운반)
중층	편평 상피	각질(건조한 표면)	표피	보호, 수분 손실 방지
		비각질(습한 표면, 점막)	구강, 식도, 후두, 질, 항문관	보호, 분비, 수분 손실 방지
	입방		땀샘, 발생 중의 난포	보호, 분비
	원주		결막	보호
	이행		방광, 요관, 요도	보호, 팽창

③ 이행상피(transitional epithelium)

기능에 따라 상피의 형태가 바뀌고 모든 상피가 기저막 위에 위치하는 중층상피로 요로, 즉 신장, 요관, 방광, 요도에서 볼 수 있다. 관강 안을 오줌이 채우고 있는 경우 점막은 확장하고, 상피는 납작해지며, 세포층도 2~3층이 된다. 그러나 오줌이 통과하면 관강은 수축하고 상피는 복잡하게 접혀서, 세포층도 수 층에서 수십 층으로 두꺼워진다.

④ 중층편평상피(stratified squamous epithelium)

수 층에서 수십 층의 세포가 겹치는 상피로 피부, 구강, 식도, 질, 항문, 각막 등에 분포한다.

중층편평상피는 각질(keratin)이라는 단단한 단백질로 채워진 각질층을 갖는 각질중층편평상피와 각질층이 없는 비각질중층편평상피로 나누어진다. 위의 조직 중 피부의 상피는 각질중층편평상피이고, 식도와 질, 각막의 상피는 비각질중층편평상피이다. 체표면과 소화관의 접점인 구강점막에는 2가지 형태의 상피가 분포하며, 각각 각질화영역과 비각질화영역이라 불린다.

a. 각질중층편평상피

구성하는 세포를 표피세포 또는 각질세포라고 한다. 이 상피는 세포의 분화단계를 기초로 다음의 4층으로 나누어진다(그림 3-2).

• **기저층**(basal cell layer)

이 세포층은 진피의 결합조직과 접하고 있으며, 1~2층으로 배열하는 입방 또는 원주형 상피세포층을 말한다. 일반적으로 기저세포와 결합조직의 경계에는 기저세포에 의해 생성된 기저막이 개재한다. 기저세포는 미분화된 세포로 항상 분열하여 증식하고 있으며, 기저세포층 사이에는 멜라닌 색소를 합성하는 멜라닌 생성세포(melanocyte)가 존재하지만, 보통 사용하는 염색법으로는 구분되지 않는다. 기저세포와 이것에 인접하는 최심층의 유극층 세포는 모두 분열능력을 가지고 있으며, 상피세포의 유사분열상이 보인다. 그래서 이 층은 본래의 상피층의 분류와는 별도로 배자층이라고 부른다.

• **유극층**(spinous cell layer)

세포의 형태는 불규칙한 다각형이며, 두껍게 다층화(십여층)하기 때문에 기계적인 압력을 완충하는 작용이 있다. 또한 가늘고 긴 세포돌기(세포간교)를 많이 파생하며, 그 모양이 마치 가시가 돋아난 모양처럼 보여서 유극세포라고도 한다.

• **과립층**(granular cell layer)

상피세포가 각화하기 위한 준비단계에 있는 세포층인 과립층에서는 세포 외형이 편평해져, 세포사이공간이 급격히 좁아진다. 특히 염기성 색소인 헤마톡실린으로 염색 시 핵 주위에 미세한 과립이 보이는 것이 특징이다. 이 과립이 바로 각질의 전구물질인 각질초자과립(keratohyaline granule)이다.

• **각질층**(horny cell layer)

각질세포층은 세포 안이 각질로 채워진 죽은 세포가 물고기 비늘 모양으로 집적한 것으로, 각질세포는 표면으로부터 순서대로 박리, 탈락된다. 각질세포에서는 핵은 소실되어, 케라토히알린과립, 층판소체 등의 세포 내 구조 그리고 부착반점의 구조도 불분명해진다.

b. 비각질중층편평상피

비각질중층편평상피는 구강이나 식도 등의 습기가 있는 점막 표면을 덮는 상피이다(그림 3-2). 이 상피는 각질세포층이 없으나, 대신 부속샘으로부터 점액 분비에 의해 점막상피의 표면이 보호된다. 세포층은 기저세포층, 유극세포층, 중간세포층, 표면세포층으로 나누어진다. 기저세포와 유극세포의 구조는 각질중층편평상피에 있어서의 기저세포, 유극세포와 다르지 않다. 중간세포와 표면세포에서는 세포 모양이 납작해지지만, 케라토히알린과립과 층판소체(lamellated corpuscle, pacini corpuscle)가 결여되어 뚜렷한 투과장벽을 형성하지 않는다.

(2) 거짓중층상피(pseudostratified epithelium)

모든 상피세포의 바닥면이 바닥막에 접하지만, 개개의 세포 높이(길이)가 다르기 때문에, 그것들의 자유면이 상피 표면에 이르는 세포와 이르지 않는 세포가 혼재하는 것이다. 따라서 핵의 위치도 불규칙해지고 1층의 세포층임에도 불구하고, 광학현미경으로는 여러 층이 있는 것처럼 관찰된다. 대표적인 예가 거짓중층원주섬모상피이다(그림 3-3).

거짓중층원주섬모상피는 호흡기(비강, 후두, 기관)와 정관 등에 분포한다. 이들 상피에는 흡기와 함께 기도 내에 침입한 이물 입자를 체외로 배출하거나 정자를 수송하는 기능이 있으며, 상피 표면에 이르는 세포는 자유면에 섬모를 가진다.

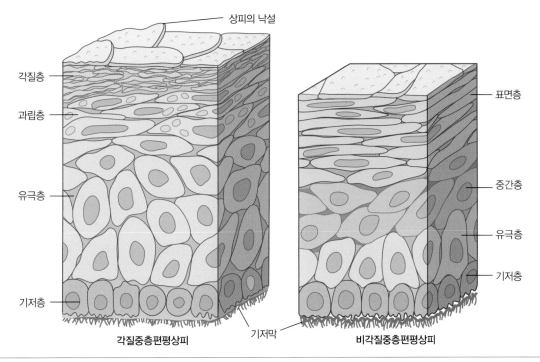

그림 3-2. 중층상피의 입체구조.

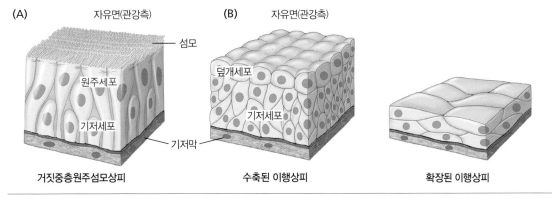

그림 3-3. 거짓중층상피와 이행상피의 입체 구조. (A) 거짓중층원주상피, (B) 이행상피. 거짓중층원주섬모상피에서 모든 상피세포는 기저막에 접하지만, 상피의 자유면에 이르는 세포와 그렇지 않은 세포가 있다. 이행상피의 형태는 관강의 수축과 확장에 따라 크게 다르다.

(3) 단층상피

단층상피(simple epithelium)에서는 상피층을 경유하는 물질의 이동, 즉 확산, 여과, 수송(능동수송과 수동수송), 분비, 흡수가 이루어진다. 상피의 형태는 이들 세포 기능과 밀접한 관련이 있다. 상피세포의 기능은 다른 기관이나 상피조직 사이에서 공통되는 것이 많으며, 1개의 상피세포가 여러 종류의 기능을 갖고 있는 경우도 있다. 단층상피는 형태적으로 다음의 3가지로 나누어진다(그림 3-4).

① 단층편평상피

단층편평상피는 편평세포들이 밀집되어 한 층의 상피초(epitherial sheath)를 형성한다. 각 상피는 높이에 비해 너비가 매우 큰 납작한 세포로 상피의 표면 쪽에서 보면 불규칙한 다각형으로 관찰되며, 핵은 대체로 중앙부에 위치해 있다. 폐의 호흡상피, 혈관 및 림프관의 내면, 폐쇄강(흉막강, 심장막강, 복막강)의 내면 등에 있다.

② 단층입방상피

단층입방상피는 폭과 높이가 거의 같은 입방형 단층으로의 세포가 배열되어 있다. 세포를 측면에서 보면 육각형으로 보이며, 핵은 공 모양으로 세포의 중심부에 위치한다. 침샘의 샘세포, 위점막의 주세포나 벽세포, 갑상샘의 소포상피세포, 콩팥의 세뇨관 상피세포 등이 있다.

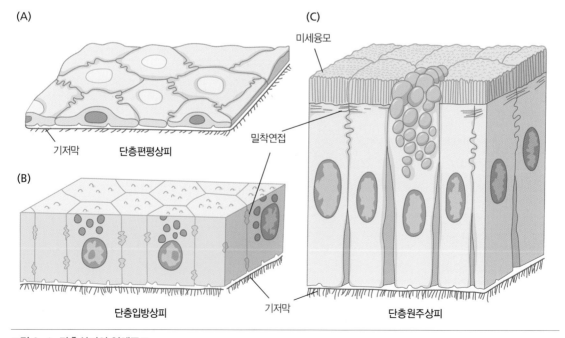

(A)

기저막   단층편평상피

(B)

단층입방상피   기저막

(C)

미세융모

밀착연접

단층원주상피

그림 3-4. 단층상피의 입체구조.

③ 단층원주상피

단층원주상피는 폭에 비해 높이가 월등하게 높은 막대 모양(rod shape)의 세포가 단층으로 배열되어 있다. 핵은 대개 타원 모양이고 세포의 기저부에 가깝게 위치하고 있다. 특히, 분비·흡수 등의 기능이 활발한 세포가 많다. 소화기 계통에는 위에서 직장에 이른 전체 장관의 내벽이 이형의 상피로 덮여 있다.

3. 상피 외측면의 특수화(세포사이연접, Intercellular junction)

상피조직은 세포의 밀도가 특히 높은 조직으로 인접한 세포들 사이에 연접복합체라는 특수구조물로 연결되어 있다. 이 구조물은 3가지 기능을 가지고 있는 구조들의 복합체이다. 첫번째는 인접세포의 막단백질이 몇 층에 걸쳐 완전히 붙어 세포 사이의 틈이나 세포막을 통해 물질이 이동할 수 없게 막는 역할을 하는 폐쇄띠(tight 혹은 occluding junction), 둘째는 세포간의 공고한 결합을 유지하게 하는 부착띠(zonula adherens)와 부착반점(desmosome), 그리고 마지막으로 이웃세포 간의 물질과 정보 이동이 일어나는 통로인 교통연접(gap junction) 등이다(그림 3-5).

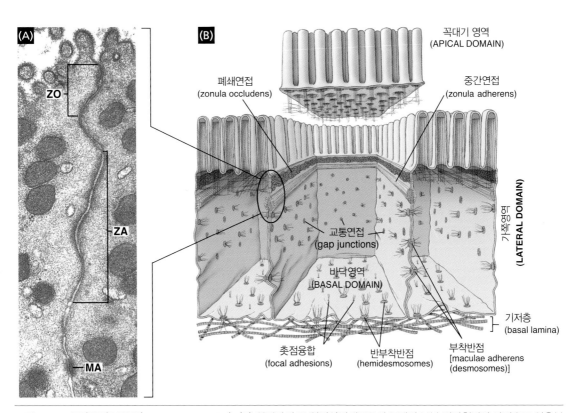

그림 3-5. 이음(연접)복합체(junctional complex). (A) 위점막의 두 인접상피세포들의 꼭대기 부분 전자현미경 사진으로 이음복합체를 보여주고 있다. 이는 폐쇄띠(ZO: zonula occludens), 부착띠(ZA: zonula adherens), 부착반점(MA: maculae adherens, desmosomes)으로 구성된다(×30,000). (B) 원주상피세포의 세가지 세포영역(cellular domain)에 분포된 세포이음을 보여주는 모식도. 세포 내의 이음복합체의 공간 배치를 더 보여주기 위하여 미세융모가 있는 꼭대기쪽 영역(apical domain)을 떼어 냈다.

1) 폐쇄띠(폐쇄연접; zonula occludens, 밀착연접; tight junction)

폐쇄띠는 연접 중에서 세포의 가장 위쪽(기저막에서 가장 먼 쪽)에 존재하는 연접이다(그림 3-6 A). 라틴어에서 유래된 zonula의 의미는 연접구조가 밴드형으로 세포를 한바퀴 감싸고 있다는 뜻이다. Occludens는 역시 라틴어로서 인접한 세포 사이의 공간을 통한 물질의 흐름이 차단된다는 의미를 갖고 있다.

폐쇄띠는 1차적으로 인접해 있는 세포를 서로 단단히 부착시켜 지지하는 역할을 하며, 또한 기능적으로 어떤 물질이 상피세포 사이를 통하여 자유면쪽에서 세포사이공간으로 유입되거나 또는 그 반대 방향으로 유출되지 않도록 한다. 그러므로 폐쇄띠가 형성되어 있는 상피를 통한 물질의 이동은 자유면 세포막과 기저외측면의 세포막을 통해서만 이루어진다.

2) 부착띠(zonula adherens, 중간연접; intermediate junction)

부착띠는 폐쇄띠와 마찬가지로 세포를 한바퀴 돌며 형성된 구조이나 그 위치가 폐쇄띠보다는 조금 아래이고 구조도 약간 다르다(그림 3-6 B). 그리고 무엇보다도 부착띠는 물질의 세포 사이 출입을 통제한다기 보다는 두 세포를 견고하게 부착시키는 것이 주요 기능이다. 그래서 부착시킨다는 라틴어 adherens가 사용된다.

부착띠는 강한 힘을 받는 부위이므로 이 부착띠로부터 세포 안쪽으로 여러 가지 섬유들이 뻗어 있다.

3) 부착반점(macula adherens, 데스모솜; desmosome)

부착반점은 부착띠와 같은 역할을 한다. 즉, 인접한 두 세포를 견고하게 묶어주는 역할을 하나 부착띠가 세포를 한 바퀴 돌면서 형성되어 있는 구조인 반면에 부착반점은 반점의 형태로 이곳저곳에 흩어져 불규칙적으로 분포하게 된다(그림 3-6 C). Macula라는 라틴어는 반점, 혹은 디스크와 같은 둥근 구조를 나타내는 용어이다.

> ── **TIP** ──
>
> **반부착반점**(hemidesmosome) : 부착반점과 달리 상피세포를 그 아래의 기저막에 단단히 고정시켜주는 데 관여하는 부착장치로서 그 대체적인 구조는 부착반점의 반쪽 모습과 같다.

4) 교통연접(교통반, gap junction or nexus)

교통연접은 상피세포의 사이에 이루어진 판상의 연접구조로서 두 세포막이 매우 근접하여 2~4 nm 정도 밖에 떨어져 있지 않다. 이 연접 부위에는 코넥손이라고 부르는, 많고 작은 대롱모양의 구조물이 두 형질막의 사이를 가로질러 형성되어 있다(그림 3-6 D). 이들의 직경은 1.5 nm 정도의 작은 구멍으로, 이 구멍들이 집단으로 모여 있는 구조를 교통연접이라고 한다. 이 구멍을 통해서 각종 무기질 이온, cAMP, 아미노산, 뉴클레오티드 등과 같은 분자량이 1,000 D 이하인 물질들이 자유롭게 통과할 수 있다.

교통연접은 상피세포 뿐만 아니라 평활근, 심장근육세포, 몇몇 결합조직세포 및 신경조직 사이에도 형성되어 있다.

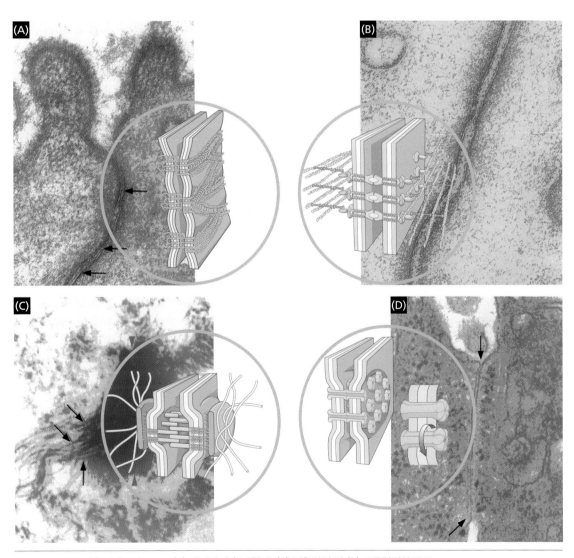

그림 3-6. 상피외측면의 특수 구조. (A) 폐쇄띠, (B) 부착띠, (C) 부착반점 및 (D) 교통연접의 구조.

4. 선상피

상피조직은 상피세포로 이루어져 있고, 이들이 서로 근접하여 몸 안팎의 표면을 덮도록 판상으로 배열해 있거나 또는 세포무리를 이루어 다른 조직 특히 결합조직 속에 묻혀 선(gland)이라는 구조물을 형성한다. 이러한 선(선상피, glandular epithelium)은 상피세포의 집합체로 세포 외부로부터 물질을 흡수한 후, 세포 내에서 단백질, 당, 지질 등과 합성하여 세포 밖으로 분비하는 역할을 한다. 그러나 샘 중에는 집합체를 형성하지 않고 각각의 샘세포가 독립하여 분비활동을 하는 경우도 있다(ex. 술잔세포).

대부분의 선상피 집단은 이장상피로부터 결합조직 속으로 깊이 떨어져, 그곳에서 하나의 영역을 확보하여 선으로서 분비활동을 주관한다.

선은 태생기에 덮개상피로부터 기원되며 상피세포가 증식하여 아래의 결합조직으로 들어가 더욱 분화된다(그림 3-7).

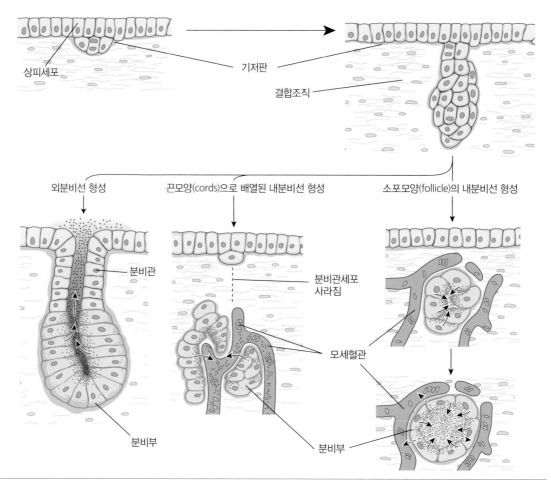

그림 3-7. 덮개상피로부터 샘이 형성되는 과정. 상피세포가 증식하여 결합조직을 뚫고 들어간다. 이들이 표면과 유지되면 외분비선이라 하며 연결되지 않으면 내분비선이라 한다.

1) 외분비선과 내분비선

(1) 외분비선(exocrine gland)

외분비선은 분비물을 만들어 관을 통해 직접 분비하는 샘이다. 따라서 분비물을 만들어내는 세포가 모여 있는 부분과 여기서 만들어진 분비물을 그 근처로 내보내는 관으로 이루어져 있다(그림 3-8 A). 단순샘에서는 분지하지 않는 하나의 분비관이 있는 반면, 복합샘에는 여러 번 분지하는 분비관이 있다. 소화선(소화샘), 한선(땀샘), 지선(기름샘) 등이 있다.

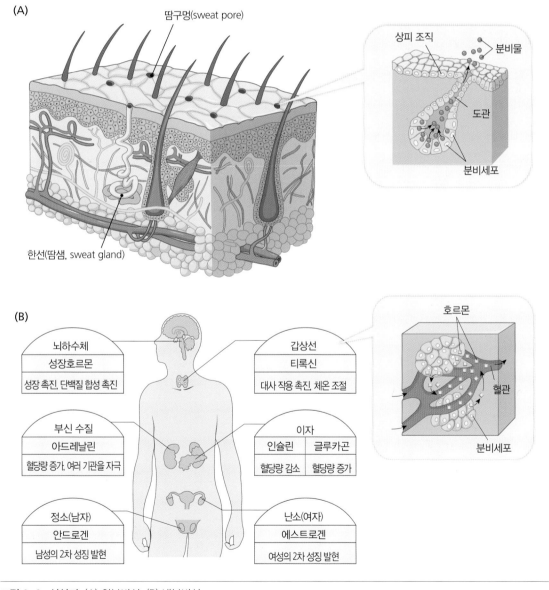

그림 3-8. 선상피. (A) 외분비선, (B) 내분비선.

(2) 내분비선(endocrine gland)

그들이 기원한 표면과의 연결구조가 발달과정 중 소실되어 도관(분비관)이 없고 분비물을 직접 결합조직 속에 방출, 근처에 있는 모세혈관 또는 림프관으로 이행하게 하여 멀리 떨어진 기관에 적용되는 것이다(그림 3-8 B). 대표적인 예가 호르몬 분비기관으로, 분비관 없이 혈액이나 림프를 통해 호르몬을 분비(뇌하수체, 부신, 갑상선)한다.

2) 외분비선의 분류

(1) 형태에 의한 분류

외분비선은 선포(샘방)와 도관의 형태를 통해 분류된다. 선포의 형태에 따라 선포가 관 같은 모양을 하고 있는 관상선(대롱샘, tubular gland), 선포가 자루형으로 부푼 포상선(꽈리샘, acinar gland)과 선포가 관 모양을 띠고 그 말단부가 꽈리처럼 부푼 관포상선(대롱꽈리샘, tubuloacinar gland)으로 분류한다.

분비관의 형태에 따라 분비관이 하나뿐인 단순선(simple gland)과 분비관이 분지하는 복합선(compound gland)으로 분류된다.

이상의 선포의 형태와 도관의 분류를 조합하면, 외분비선은 형태상 다음과 같이 나누어진다(그림 3-9).

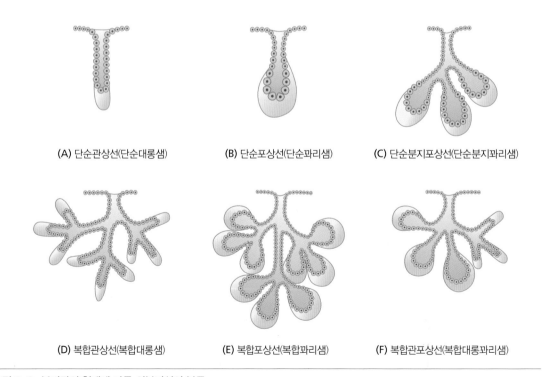

(A) 단순관상선(단순대롱샘)　　(B) 단순포상선(단순꽈리샘)　　(C) 단순분지포상선(단순분지꽈리샘)

(D) 복합관상선(복합대롱샘)　　(E) 복합포상선(복합꽈리샘)　　(F) 복합관포상선(복합대롱꽈리샘)

그림 3-9. 분비관의 형태에 따른 외분비선의 분류.

① 관상선

- 단순관상선 : 한선(땀샘, sweat gland)

- 복합관상선 : 누선(눈물샘, lacrimal gland), 혀의 본 에브너선(von Ebner's gland)

② 포상선

- 단순포상선 : 피부의 지선(기름샘)

- 복합포상선 : 이하선(귀밑샘, parotid gland)

③ 관포상선

- 단순관포상선 : 위의 유문부선(pyloric gland)

- 복합관포상선 : 설하선(혀밑샘, sublingual gland), 악하선(턱밑샘, submandibular gland)

(2) 분비물의 화학적 성상에 따른 분류

외분비선은 분비부위의 세포에서 합성되는 분비물의 화학적 성상에 따라 장액선, 점액선, 혼합선의 세 가지 유형으로 분류된다.

① 점액선(mucous gland)

분비물이 당질을 포함하고 있어 점성이 높은 물질을 분비하는 선으로, 구강점막에서는 많은 부분에 점액선이 존재하여 점막의 표면을 촉촉하게 유지시켜 준다. 소타액선인 구개선(palatine gland) 등이 있다.

② 장액선(serous gland)

선의 분비부위가 단백질이 주성분으로 점도가 거의 없어 물과 비슷한 장액을 분비하는 장액세포 (serous cell)만으로 이루어진 선으로, 이하선과 혀의 본에브너선이 전형적인 예이다.

③ 혼합선(mixed gland)

이 선은 분비부위가 점액세포와 장액세포들로 함께 이루어져 있어, 점액과 장액을 모두 분비한다. 대타액선인 설하선, 악하선과 소타액선인 구순선, 협선, 구치선, 설선 등이 전형적인 예이다.

④ 기타

위의 3가지 이외에 다음과 같은 분비선이 있다. 지질을 분비하는 지선(기름샘), 땀을 분비하는 한선(땀샘), 유즙(지방, 카제인, 당질 등을 포함)을 분비하는 유선(젖샘), 눈물을 분비하는 누선(눈물샘), 염산을 분비하는 위의 벽세포 등이다.

Chapter

04

고유결합조직

학습목표

1 결합조직의 구조와 특징을 설명할 수 있다.
2 고유결합조직의 분류를 설명할 수 있다.
3 결합조직을 구성하는 세포를 설명할 수 있다.
4 결합조직을 구성하는 섬유를 설명할 수 있다.
5 결합조직의 세포사이물질의 특징을 설명할 수 있다.

1. 개요

결합조직(지지조직, connective tissue)은 서로 다른 조직 사이를 결합시키는 조직이라는 뜻으로 조직과 조직, 조직과 기관, 기관과 기관을 연결하고 결합하여 지지하는 조직을 말한다(그림 4-1). 좁은 의미의 결합조직, 즉 고유결합조직(proper connective tissue)은 피부의 최외층이나 점막의 형태를 지지하는 섬유성 결합조직을 의미하며, 광의의 의미의 결합조직은 생체를 지지하는 골격계통을 구성하는 골과 연골, 그리고 혈액과 조혈조직 등도 지지조직이다. 이들이 결합조직에 포함되는 이유는 세포간물질의 발달이 좋고, 그 물질을 생성시키는 기본세포의 수가 점차 줄어들어 물질 사이에 산재하게 되는 점에서 유사하기 때문이다.

결합조직은 상피조직과는 달리 결합조직을 이루고 있는 세포뿐만 아니라 세포간질(intercellular substance)로 유형의 섬유성분과 무정형기질(amorphous substance)로 이루어져 있다. 배자(배아)의 중간엽(mesenchymal tissue)로부터 발생한 결합조직은 상피를 받쳐주고 근육과 신경을 얽어 묶는 등의 지지역할을 할 뿐만 아니라, 이 조직을 통하여 여러 가지 물질이 이동함으로써 우리 몸이 정상상태로 안정되도록 항상성 균형을 유지하는 데에 중요한 역할을 한다.

무형질은 수분을 기본 물질로 하고, 그 속에 단백질, 다당류 등이 포함되어 있으며, 여기에 칼슘염과 같은 무기질이 침착되어 있기도 한다. 결합조직에서 액체상태의 무형질을 조직액(tissue fluid)이라 한다.

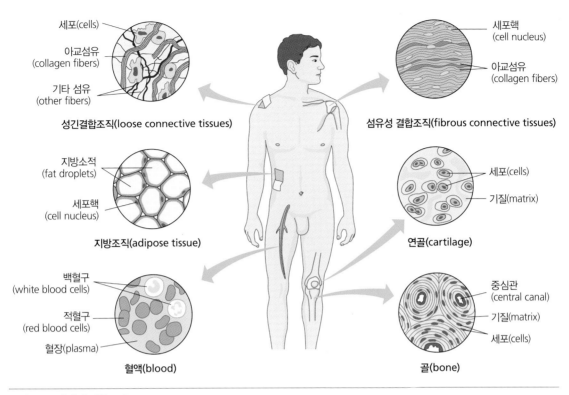

성긴결합조직(loose connective tissues)
세포(cells)
아교섬유(collagen fibers)
기타 섬유(other fibers)

섬유성 결합조직(fibrous connective tissues)
세포핵(cell nucleus)
아교섬유(collagen fibers)

지방조직(adipose tissue)
지방소적(fat droplets)
세포핵(cell nucleus)

연골(cartilage)
세포(cells)
기질(matrix)

혈액(blood)
백혈구(white blood cells)
적혈구(red blood cells)
혈장(plasma)

골(bone)
중심관(central canal)
기질(matrix)
세포(cells)

그림 4-1. 사람의 결합조직.

2. 결합조직의 분류와 기능

결합조직의 형태와 기능은 생체 내의 부위와 세포간질의 섬유 성분(아교섬유, 세망섬유, 탄력섬유), 그리고 무정형기질(단백질과 다당류)에 따라 형태적·기능적으로 다양하므로 몇 가지 범주로 묶어서 뚜렷이 구별하기는 매우 어렵다. 현재에도 학자에 따라 분류 내용이 다소 다르지만 세포와 세포간질의 성분과 양적 비율, 그리고 이들의 분포·배열 양식에 따라 분류할 수 있다.

결합조직은 고유결합조직(connective tissue proper)과 특수결합조직(special connective tissue)으로 구별된다(표 4-1). 고유결합조직은 결합조직을 이루고 있는 세포들이 섬유성분과 무형질로 이루어진 기질 속에 분포되어 있으며 혈관과 신경이 풍부하다. 고유결합조직은 구성성분 중에서 세포와 세포간질의 구성 비율, 세포의 종류, 세포간질의 물리적 성질, 섬유의 종류와 배열상태에 따라 성긴결합조직, 치밀결합조직, 세망조직, 아교조직, 지방조직 등으로 세분화된다. 이 중에서 치밀결합조직은 다시 불규칙성인 것과 규칙성인 것으로 구별된다.

특수결합조직은 고유결합조직과 마찬가지로 배자결합조직(embryonal connective tissue)인 중간엽에서 발생하지만 각기 독특한 기능에 맞도록 발생·분화한다(그림 4-2). 그 중에서도 연골이나 골은 형체를 유지하면서 물리적인 지지기능을 수행할 수 있도록 세포간질이 단단하지만 혈액의 세포간질은 액체상태인 혈장이다.

표 4-1 결합조직의 분류.

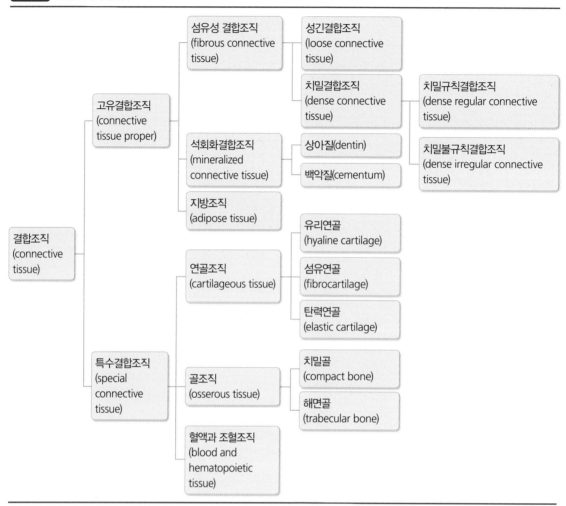

결합조직은 다음과 같은 기능이 있다.

- 생체의 지지 : 골과 연골에 의한 골격 형성
- 장기의 피복과 보호 : 치밀섬유성 결합조직에 의한 장기의 피복과 골에 의한 장기의 보호
- 저장 : 지방세포에 의한 지질의 저장
- 방어 : 대식세포(큰포식세포, macrophage)나 호중성 백혈구에 의한 이물 처리 및 형질세포나 림프구에 의한 항체 생성
- 수복 : 염증과 외상회복 후의 흉터 형성이나 섬유성 피막 형성, 골절이나 발치 후의 골 · 연골 형성, 치아의 손상에 따른 수복상아질이나 백악질 형성
- 운반 : 혈액에 의한 산소, 이산화탄소, 영양소, 호르몬 등의 운반

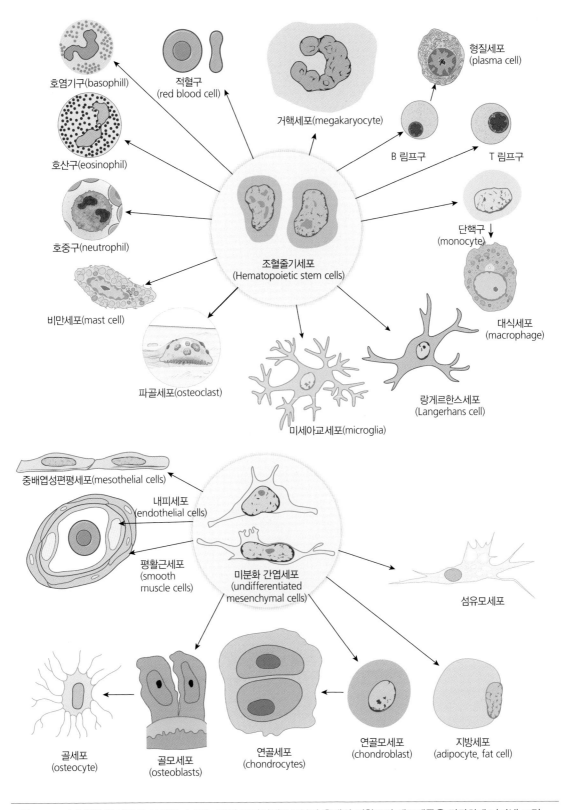

호염기구(basophill)

적혈구
(red blood cell)

거핵세포(megakaryocyte)

형질세포
(plasma cell)

호산구(eosinophil)

B 림프구

T 림프구

호중구(neutrophil)

단핵구
(monocyte)

비만세포(mast cell)

대식세포
(macrophage)

조혈줄기세포
(Hematopoietic stem cells)

파골세포(osteoclast)

미세아교세포(microglia)

랑게르한스세포
(Langerhans cell)

중배엽성편평세포(mesothelial cells)

내피세포
(endothelial cells)

평활근세포
(smooth
muscle cells)

미분화 간엽세포
(undifferentiated
mesenchymal cells)

섬유모세포

골세포
(osteocyte)

골모세포
(osteoblasts)

연골세포
(chondrocytes)

연골모세포
(chondroblast)

지방세포
(adipocyte, fat cell)

그림 4-2. 여러 종류의 세포로 분화할 수 있는 배자 중간엽세포로부터 유래된 결합조직 세포계통을 간단하게 나타낸 그림.

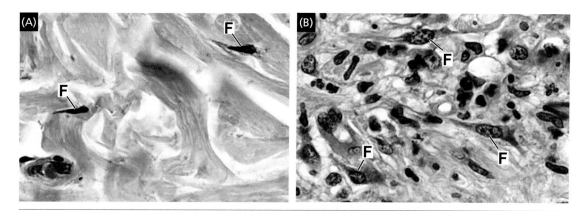

그림 4-3. 결합조직 내 섬유모세포. 글루타르알데하이드(glutaraldehyde)로 고정시켜 플라스틱에 포매한 후 H&E 염색한 결합 조직 사진이다. 섬유모세포(fibroblast: F) 세포질에 있는 가는 가닥이 아교섬유 사이에서 겨우 구별된다. 일반적인 H&E 염색에 서, 파라핀(paraffin)포매 처리를 하면 섬유모세포 세포질이 그대로 보존되기 어려워 아교섬유와 구별하는 것이 거의 불가능하다. 그러나 이 세포들의 핵만은 분명하게 보인다(×500).

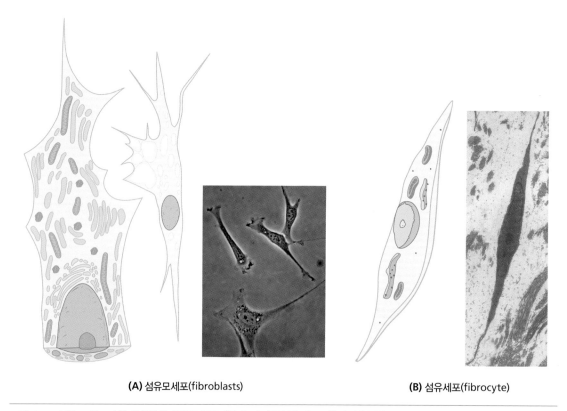

(A) 섬유모세포(fibroblasts) **(B)** 섬유세포(fibrocyte)

그림 4-4. 섬유모세포. (A) 활성기의 섬유모세포, (B) 휴지기의 섬유세포. 합성이 활발한 섬유모세포는 쉬고 있는 섬유세포보다 미토콘드리아, 골지체, 과립소포체가 더 풍부하다.

3. 결합조직의 세포

결합조직의 다양한 기능은 특수화된 여러 세포에 의해 가능해지며(표 4-2), 거기에는 조직 속에 항상 존재하는 고정세포(resident cell)와 일정한 조건하(예를 들면 염증이나 외상)에 혈액 속에서 조직에 이주하는 유주세포(wandering cell)로 나누어진다.

그러나 엄밀한 분류는 어렵다.

1) 섬유모세포

결합조직 세포의 주체는 섬유모세포(fibroblast)이다. 방추형으로 길고 납작하다. 핵은 난원 혹은 길쭉하며, 세포체 중앙에 위치하고 1~2개의 핵소체를 지니고 있다(그림 4-3). 세포질에는 미토콘드리아, 골지체, 중심소체 등이 있고 골지체 주위에는 분비소포들이 존재한다. 교원섬유, 세망섬유, 탄력섬유 생산과 무정형 세포간질(glycosaminoglycan, glycoprotein)의 대사에 관여한다. 섬유세포가 자극을 받아 비대해지면 섬유모세포가 되며, 창상 치유 시 증식이 빨라진다.

이 세포는 합성능력이 활발한 활동기와 쉬고 있는 휴지기의 두 단계로 관찰된다. 합성능력이 활발한 세포는 기질을 합성한 후 쉬고 있는 휴지기의 섬유모세포와 형태학적으로 다르다. 일부 조직학자들은 합성능력이 활발한 세포를 섬유모세포(fibroblast)라 하고, 쉬고 있는 세포는 섬유세포(fibrocyte)라고 하기도 한다(그림 4-4).

표 4-2 결합조직 세포의 기능.

세포 유형	주산물 또는 활성	주기능
섬유모세포 연골모세포 골모세포 상아모세포	결합조직 섬유와 무형질의 생성	구조 형성
형질세포	항체 생성	면역반응
림프구	면역활성이 있는 세포의 생성	면역반응
호산성백혈구	알레르기반응과 혈관활성반응에 참여 비만세포의 활성과 염증반응 중개	면역반응
호중성백혈구	이물질이나 박테리아의 포식작용	면역반응
대식세포	사이토카인과 다른 물질 분비 이물질이나 박테리아의 포식작용 항원을 처리하여 다른 세포에 정보 제공	방어작용
비만세포 호염기성백혈구	약리적 활성이 있는 물질유리 (예 : 히스타민)	방어작용 (알레르기 반응에 관여)
지방세포	중성지방의 저장	에너지장소 열 생성

2) 비만세포

결합조직에 널리 분포하는 비만세포(mast cell)는 세정맥과 모세혈관의 주위에 많이 분포하고 염기성 염료에 특징적으로 염색되는 과립을 가지고 있다(그림 4-6). 핵은 비교적 작은 난원형으로 세포 중앙에 위치하며 세포 표면에는 다수의 미세융모가 있으며 히스타민(histamine), 세로토닌(serotonin, 설치류의 비만세포 분비과립)과 헤파린(heparin)을 함유하고 있다. 만약 세포가 붕괴된다면 세포 안의 물질이 방출되어 조직에 과민반응이 일어난다.

이 세포는 혈액 응고 저지, 혈관의 투과성, 혈압 조절 등에 작용한다고 생각된다.

3) 대식세포(macrophage)

체내 방어 메커니즘에 관계하며 면역을 담당하는 식균세포로, 형태는 불규칙하고 처리해야 할 이물질이 인식되면 위족을 형성시켜 이동한다(그림 4-6). 정상 시 조직 내에 정지하고 있는 대식세포를 흔히 조직구라고 한다. 그러나 염증 등의 자극으로 인하여 대식세포로 분화하게 되면, 매우 활발한 식세포 작용을 하게 된다. 이 세포는 잘 발달된 용해소체(lysosome)를 갖고 있어서 생체에 침입한 이물질이나 세균 생체내의 변성물질을 섭취하여 분해함으로서 방어작용을 하며 섭취한 이물질의 유전정보를 림프

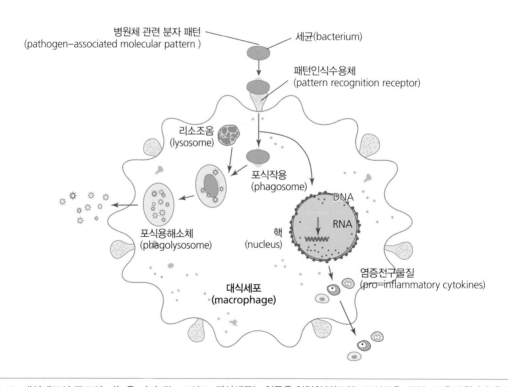

그림 4-5. 대식세포의 구조와 기능을 나타내는 모식도. 대식세포는 이물을 이입하여(고체 : 포식작용, 액체 : 포음작용) (A) 용해소체에서 분해하는 기능, (B) 노화한 세포소기관을 자기포식 소포내에서 처리하는 기능, (C) 용해소체 내의 효소를 방출하는 기능 등이 있다.

구에 전달하는 기능을 한다(그림 4-5).

또한 대식세포는 골수에서 분화하는 단핵구에서 유래되며, 단핵구가 조직 내로 들어오면 조직구라 하고, 활성화되었을 때 비로소 대식세포라 한다(단핵구는 어떤 자극이 가해지면 결합조직 속에서 대식세포로 변형되어 활발한 포식작용과 포음작용을 수행한다).

4) 형질세포

형질세포(plasma cell)는 항체인 면역글로불린(immunoglobulin)을 합성하여 방출함으로써 체액성면역에 관여하는 특수한 세포이다(그림 4-6). 세포는 원형 또는 난원형이며, 핵이 한쪽으로 치우쳐 있고 염색질은 수레바퀴 모양(cartwheel or clock face appearance)을 보인다.

형질세포는 결합조직에 널리 퍼져 있으며, 특히 소화 및 호흡계통의 결합조직에 많고, 또한 림프구와 함께 림프기관에 모여 있으나 혈액 속에는 매우 적다. B림프구로부터 생겨나고 수명은 10~30일이다.

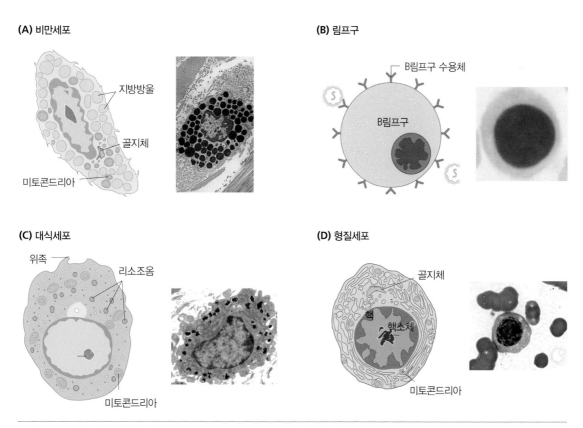

(A) 비만세포
지방방울
골지체
미토콘드리아

(B) 림프구
B림프구 수용체
B림프구

(C) 대식세포
위족
리소조옴
미토콘드리아

(D) 형질세포
골지체
핵
핵소체
미토콘드리아

그림 4-6. 결합조직을 이루고 있는 백혈구

5) 림프구

림프구(lymphocyte)는 현미경으로 보면 핵만 두드러지고 세포소기관은 거의 없는 것처럼 보이는 세포다. 뒤에서 자세히 설명하겠지만 현미경으로 보기 위해 채취한 림프구는 활동하지 않고 쉬는 세포로 휴면 상태의 세포다. 그러나 항원이 들어오면 림프구는 휴식에서 깨어나 분열하면서, 즉 클론(clone)을 만들면서 세포소기관을 형성하여 항원에 대응한다. 즉, 림프구는 백혈구의 일종으로서 면역기능을 담당하는 세포로 림프나 혈액 속에서는 구형이지만 조직 속에서는 부정형으로써 완만한 아메바운동을 한다.

림프구는 B림프구와 T림프구로 나누어진다. T림프구는 흉선(thymus)에서 기원된 것으로 세포성(cell mediated) 면역반응에 관여하며, B림프구는 체액성(humoral) 면역반응에 관여하는데, 사람을 포함한 포유류에서는 B림프구를 분화시키는 기관은 명확하지 않으나 골수인 것으로 짐작되고 있다. 혈액 중에는 T림프구가 75%, B림프구가 25% 존재한다.

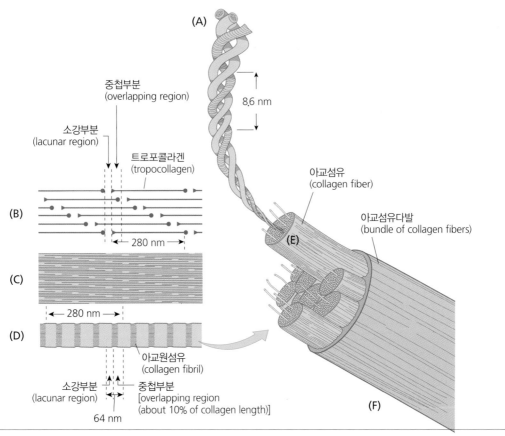

그림 4-7. 아교원섬유, 아교섬유와 다발의 그림. (A) 가장 흔한 아교질인 I형 아교질. 나선 구조가 한바퀴 완전히 도는 거리는 8.6 nm이다. 각 트로포콜라겐 분자의 길이는 280 nm이고 폭은 1.5 nm이다. (B) 아교(교원)섬유, (C) 280 nm 길이의 막대기모양인 트로포콜라겐 분자들이 겹쳐 배열되어 있어, 소강부분(lacunar region)과 중첩부분 (overlapping region)이 교대로 나타난다. (D) 이것은 아교원섬유의 가로무늬를 나타내는 원인이 되며, 전자현미경하에 원섬유는 어두운띠와 밝은띠가 64 nm의 주기를 나타낸다. (E) 아교원섬유는 본래 아교섬유를 형성하고, (F) 아교섬유는 다시 아교섬유다발을 형성한다.

4. 결합조직의 세포간질

결합조직의 세포사이물질은 섬유 성분과 무정형 기질로 나누어진다. 섬유 성분에는 아교섬유(collagen fiber), 세망섬유(reticular fiber), 탄력섬유(elastic fiber)가 있다.

1) 결합조직의 섬유

(1) 아교(교원)섬유

아교섬유는 섬유모세포, 골모세포, 상아모세포, 백악모세포, 민무늬근육세포, 상피세포 등 여러 세포에 의해 생성된다(그림 4-7). 아교섬유는 섬유를 구성하는 분자 형태의 차이를 통해 11종으로 분류된다. 아교는 생체 전 단백질의 약 30%를 차지하며, 구강점막, 피부, 뼈, 연골, 힘줄, 인대, 치아의 주요 섬유 성분이다. 아교는 물에 녹지 않으며, 화학적·물리적으로 안정된 단백질이다. 탄력성은 없지만, 장력에 강하게 저항하는 강인함을 갖고 있어 건이나 인대와 같이 인장력이 작용하는 조직에는 교원섬유가 많다.

전자현미경으로 관찰하면 아교섬유는 아교원섬유(collagen fibril)로 이루어진 다발로서, 그 굵기는 대략 5~15 ㎛이고 길이는 일정하지 않다. 아교원섬유는 아교미세원섬유(collagen microfibril)의 다발로서 직경이 0.3~2 ㎛이며, 같은 다발 속의 미세원섬유는 대체로 비슷한 굵기의 미세원섬유로 이루어져 있다. 아교미세원섬유는 트로포콜라겐(tropocollagen molecule)으로 이루어져 있다. 아교미세원섬유는 굵기에 관계없이 길이 전체에 걸쳐 64 nm의 주기로 횡문(가로무늬근)을 나타내며, 이 횡문은 트로포콜라겐의 독특한 집합에 의하여 형성된다(그림 4-7). 트로포콜라겐의 길이는 약 280 nm이고, 직경은 1.4 nm이다.

(2) 탄력섬유

탄력섬유는 조직의 신축에 관여하는 섬유성 단백질이다(그림 4-8, 9). 신축성이 요구되는 혈관벽(동맥벽), 인대, 탄력연골, 점막하조직이나 피하조직에 많이 포함되며, 피부의 진피나 건(힘줄)에는 적다. 또한 치은을 제외하고, 치아와 치아주위조직에는 존재하지 않는다.

탄력섬유는 미세원섬유(microfibril, 직경 10 nm의 미세섬유)의 미세섬유다발과 그 위에 침착된 균질무구조인 엘라스틴(elastin) 단백질의 집합체(엘라우닌, elaunin)로 구성되어 있다. 양비로는 9:1 비율로 엘라스틴이 많으며, 탄력섬유의 주요 구성요소가 된다.

치주막에는 옥시탈란섬유(oxytalan fiber)라 불리는 특수한 섬유가 존재한다. 이것은 미세원섬유의 집합체이지만, 엘라스틴 분자가 없다. 따라서 엄밀한 의미에서 탄력섬유는 아니다.

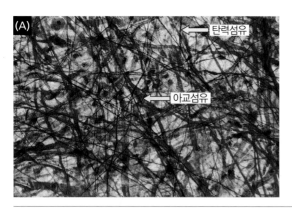

그림 4-8. 현미경으로 관찰한 아교섬유와 탄력섬유. (A) Red picro-sirius에 염색된 아교섬유다발과 orcein에 짙게 염색된 탄력섬유, (B) 같은 표본을 편광현미경으로 관찰한 아교섬유다발.

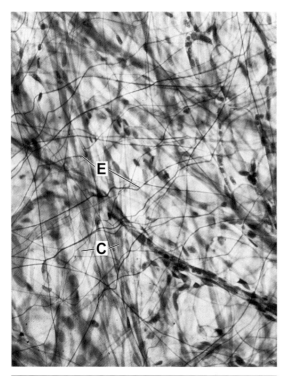
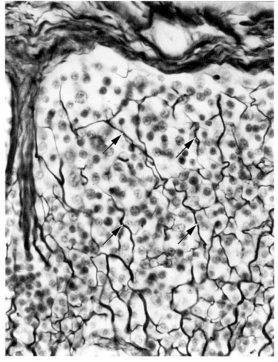

그림 4-9. 아교섬유와 탄력섬유. Resorcin-fuchsin으로 염색한 창자간막 사진이다. 창자간막은 매우 얇아서 펼친 상태에서 조직 전 층을 현미경으로 관찰할 수 있다. 미세한 실처럼 보이는 가지들은 탄력섬유이다(E : elastin). 아교섬유(C : collagen)도 선명하게 보인다. 그러나 이것은 훨씬 두껍고, 서로 교차는 하지만 분지를 내지는 않는다(×200).

그림 4-10. 림프절에 있는 세망섬유. 은염색을 한 림프절 사진이다. 위 부분에는 결합조직 피막이 보이고 왼쪽에는 피막에서 뻗어 나온 잔기둥(trabecula)이 보인다. 세망섬유(화살표)는 불규칙한 그물망을 형성하고 있다(×650).

(3) 세망섬유

세망섬유는 광학현미경으로는 도은염색법(argentation)으로 잘 염색되기 때문에, 은친화성섬유(argyrophilic fiber)라고도 불린다(그림 4-10). 세망섬유의 작은 다발은 성긴결합조직 중에 그물구조 또는 격자상으로 분포한다. 세망섬유가 많이 분포하는 것은 림프절, 편도, 지라, 골수 등의 림프성 및 조혈기관에 분포하므로, 이들을 세망조직(reticular tissue)이라 총칭한다. 세망섬유 그 자체는 아교미세섬유의 작은 다발과 동일하며, 아교섬유로까지 성숙하지 않는 유약형이라 생각된다. 그러나 전형적인 아교섬유와 달리, 섬유 이외의 기질은 주로 하이알루론산 등의 산성점액다당류로 이루어진다.

2) 무정형 기질

결합조직의 세포사이물질에는 상기 단백질 섬유 간에 무정형 기질(ground substance)이 분포한다. 무정형이라 불리지만 구조가 완전히 없는 것은 아니며, 나노미터의 분해능에서는 특유한 구조가 관찰된다. 기질의 주성분은 단백질이나 점액다당류(글리코사미노글리칸, glycosaminoglycan)이다. 점액다당류 중 하이알루론산(hyaluronic acid)은 관절공간 내 윤활액 중에 많이 포함되며, 콘드로이틴 황산(chondroitin sulfate)은 유리연골에 많이 포함된다. 대개의 점액다당류가 단백질과 결합하여 당단백질 복합체의 프로테오글리칸(proteoglycan)으로써 존재한다. 프로테오글리칸은 진피, 연골, 골, 인대, 치아의 상아질이나 백악질에 많이 포함되어 다양성이 풍부하다.

5. 고유결합조직

고유결합조직은 세포간질의 종류 및 양과 배열상태, 구성성분인 섬유의 종류 등에 따라 여러 가지로 구분된다(그림 4-11 C, D). 세포외기질이 주로 콜라겐(아교질, collagen)과 엘라스틴(탄력소, elastin) 등 섬유성 단백질로 구성된 섬유성 결합조직과 특수한 세포와 기질로 이루어진 특수한 형태의 고유결합조직(지방조직, 세망조직, 아교조직)으로 나누어진다.

1) 섬유성 결합조직

섬유성 결합조직은 세포 성분과 섬유 성분의 비율에 따라 성긴결합조직(소성결합조직, loose connective tissue)과 치밀결합조직(dense connective tissue)으로 분류된다. 상대적으로 섬유성분이 많고 세포성분이 적은 고유결합조직이 치밀결합조직이며, 섬유성분이 적고 세포성분이 많은 고유결합조직은 성긴결합조직이다. 치밀결합조직은 다시 섬유성분의 배열에 따라 치밀규칙결합조직(dense regular connective tissue)과 치밀불규칙결합조직(dense irregular connective tissue)으로 나누어진다.

(1) 치밀(섬유성) 결합조직

치밀결합조직은 성긴결합조직과는 달리 다량의 결합조직섬유가 치밀하게 배열해 있는 조직으로서 세포성분 뿐만 아니라 섬유 사이의 무형질도 적다. 이 결합조직을 이루고 있는 섬유는 주로 아교섬유로서 흔히 굵은 다발을 이루고 있으며, 약간의 탄력섬유도 있다. 이 조직은 아교섬유의 배열방식에 따라 다시 두 가지로 분류된다.

- 치밀규칙섬유성(유형) 결합조직 : 아교섬유다발이 일정 방향 규칙적으로 배열하여 한 방향으로 가해지는 강한 장력에 저항하는 것으로, 대표적으로 건(힘줄, tendon)이 있다.
- 치밀불규칙섬유성(교차) 결합조직 : 아교섬유는 여러 방향 부착하여, 여러 방향으로부터 가해지는 장력에 저항한다(아교섬유는 큰 다발을 형성하되 불규칙한 양상으로 치밀하게 배열). 근막 등은 아교섬유가 2차원적으로 부착하지만, 피부의 진피, 소화관의 점막고유층, 치은의 점막고유층, 치주인대에서는 3차원적으로 교차 · 부착하여, 이들 조직에 가해지는 여러 방향으로부터의 압축, 견인의 압력에 대응한다.

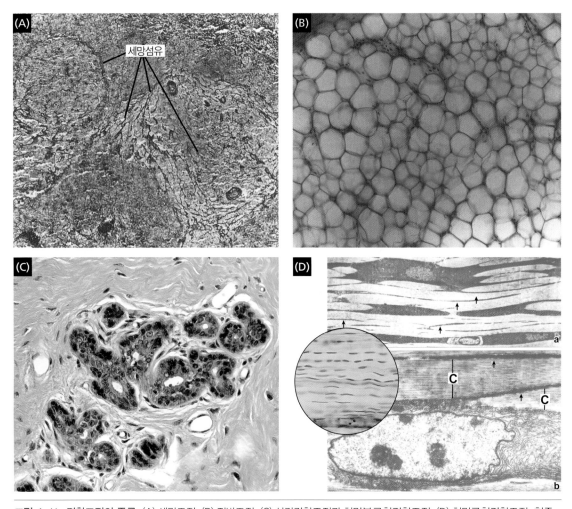

그림 4-11. 결합조직의 종류. (A) 세망조직, (B) 지방조직, (C) 성긴결합조직과 치밀불규칙결합조직, (D) 치밀규칙결합조직-힘줄.

(2) 성긴(섬유성) 결합조직

온 몸 장기에 널리 분포하며, 피하조직, 점막하조직 외에 근육조직, 신경조직, 혈관벽, 실질성 기관의 사이질에 보인다. 조직 중에는 섬유성분에 비하여 여러 가지 세포와 무형질이 많다. 세포성분으로는 섬유모세포 이외에 가끔 지방세포도 있으며, 여러 가지 유주세포인 조직구, 림프구, 단핵구, 형질세포, 비만세포, 호산성백혈구 등도 나타난다. 섬유 중에는 아교섬유가 가장 많고 탄력 및 세망섬유는 적다.

2) 특수한 형태의 고유결합조직

(1) 지방조직

지방조직(adipose tissue)은 지방세포(adipocyte)의 집합체이다(그림 4-11 B). 지방세포는 지방을 저장하는 세포로서 필요한 때에 지방을 방출하는 능력을 가지고 있으며 단독 또는 소집단으로 결합조직 내에 보이는 경우도 있지만, 대개의 경우는 지방조직으로써 피하조직에 존재한다.

지방의 기능은 영양 저장(중성지방을 에너지원으로 함), 수분 보존, 보온, 기관 보호 등이 있다. 지방조직량은 평균적인 체중의 성인에서 남성의 경우는 체중의 15~20%, 여성은 체중의 20~25%에 해당한다.

(2) 세망조직

세망조직(reticular tissue)은 세망세포와 세망섬유에 의해 구성되며, 림프절, 편도, 지라, 골수와 같은 림프성 기관과 조혈 기관에 존재한다(그림 4-11 A). 세망세포는 가늘고 긴 세포돌기를 늘여서 인접하는 세포와 접촉한다. 세망섬유는 세망세포 주위에 그물코 형상으로 분포한다.

(3) 아교조직

아교조직(gelatinous tissue or mucous tissue)은 태아의 결합조직으로 기질에 점액질(산성점액다당류)을 많이 포함한다. 전형적인 예는 탯줄의 결합조직으로 이것을 와튼아교질(Wharton's jelly)이라고 한다.

Chapter
05

특수결합조직

1. 연골조직

1) 연골의 개념

연골(cartilage)은 다른 결합조직과 같이 세포와 세포외기질로 구성되어 있지만, 고유결합조직과는 달리 단단하면서도 어느 정도 유연성이 있는 기질을 함유한 특수한 결합조직이다.

대부분의 세포는 연골세포 한 가지로 구성되어 있으며, 세포간질은 섬유와 무형질로 나누어진다. 섬유성분은 대부분 아교질(type II collagen)로 구성되어 있으나, 일부 연골에는 탄력섬유(elastic fiber)가 있다. 무형질은 주로 황산화글리코사미노글리칸(sulfated glycosaminoglycan)으로 구성되어 있는 단백당(proteoglycan)이 주성분을 이루고 있다. 연골기질에서는 많은 수의 단백당 분자가 글리코사아미노글리칸의 하나인 하이알루론산(hyaluronic acid)에 연결단백질(link protein)에 의해 연결되어 거대분자(macro-molecule)를 이룬다. 이 거대분자는 아교섬유와도 결합되어 있다. 단백당 분자는 무형질의 당단백질(glycoprotein)인 콘드로넥틴(chondronectin)에 의해 아교섬유에 부착되어 있다.

다른 결합조직과는 다른 연골만의 뚜렷한 특징은 혈관, 림프관, 신경 등이 존재하지 않는다는 점이다. 또한 장골은 성장기에는 연골이 존재하며(골단연골), 이 연골이 후에 뼈로 바뀐다. 즉, 뼈의 성장을 관장하고 있다. 연골조직에는 혈관이 없기 때문에 대개의 경우 그 부근의 혈관으로부터 영양분의 확산에 의해 기질을 거쳐 세포에 전달된다.

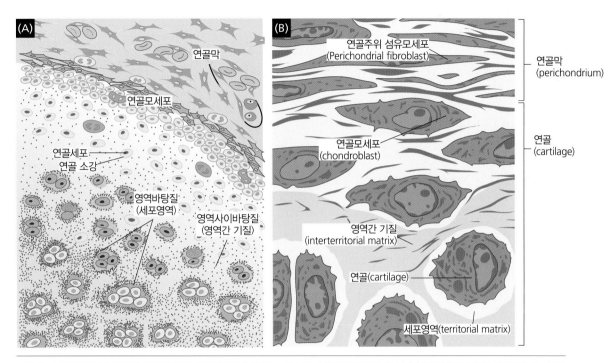

그림 5-1. 연골세포의 형성과 연골세포의 미세구조를 나타내는 모식도. (A) 연골바탕의 형성, (B) 연골세포의 형성. 연골세포는 세포영역(영역바탕질)을 생성한다.

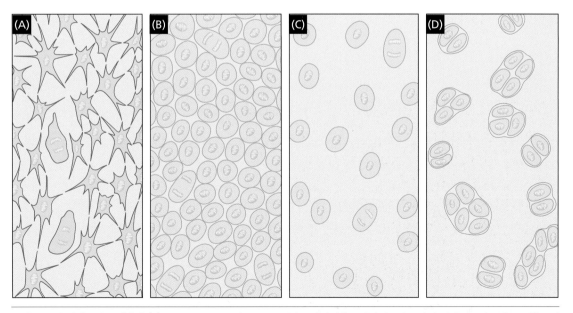

그림 5-2. 유리연골의 조직발생. (A) 모든 유형의 연골의 전구 조직인 중간엽, (B) 중간엽세포의 분열에 의해 세포성분이 풍부한 조직이 형성된다. (C) 연골모세포는 많은 양의 기질을 형성하여 서로 분리된다. (D) 연골세포가 증식하여 동형세포집단을 형성한다. 각 연골세포는 응축된 영역기질에 의해 둘러싸여 있다.

연골은 중간엽에서 기원한다(그림 5-2). 변형과정 중 첫 번째로 관찰되는 것은 중간엽세포의 돌기가 없어져 세포모양이 둥글게 변하는 것이다. 이와 같은 세포들은 빠르게 증식하여 연골세포가 될 중간 엽세포 집단을 형성한다. 이렇게 중간엽세포가 직접 분화하여 형성된 세포를 연골모세포 (chondroblasts)라 하며, 이들 세포의 세포질에는 리보솜이 풍부하여 염기호성을 나타낸다. 기질이 생성 되고 침착되면서 연골모세포는 다른 연골모세포와 분리되기 시작한다. 연골의 분화는 중심부로부터 바깥쪽으로 일어나며 따라서 주변부에 있는 세포들은 전형적인 연골모세포인데 반해 중심부에 위치한 세포들은 연골세포의 특징을 갖는다. 가장 바깥쪽의 중간엽조직은 연골막으로 분화한다.

2) 연골의 구성

연골은 혈관과 림프관이 없어 연골막의 혈관으로부터 영양을 공급받고 있어 대사율이 낮고 대사물 질의 회전이 늦다.

(1) 연골세포

연골은 그 기질 속에 세포를 수용하는 구멍이 있다. 이것을 연골소강(연골세포방)이라고 한다(그림 5-3). 연골소강 내의 세포, 즉 연골세포는 약간 둥그스름하고, 핵은 구형 또는 타원형이며, 복수의 핵 이 존재할 때도 있다. 1~2개의 핵소체를 가지고 있으며, 세포질에는 소수의 작은 미토콘드리아가 산재 해 있고, 골지체와 조면소포체가 잘 발달되어 있다.

연골세포는 기질의 무형질 뿐만 아니라 결합조직섬유를 형성할 물질을 합성하여 분비한다. 또한 연 골세포들은 서로 떨어져 위치하기도 하고, 작은 세포무리, 즉 동형세포군(isogenic cell, cell nest)을 이 루기도 한다(그림 5-2).

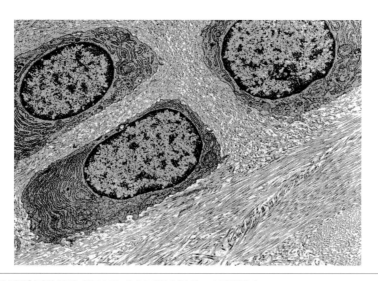

그림 5-3. 유리연골의 전자현미경 사진. 연골소강 내에 3개의 연골세포가 관찰된다.

(2) 연골기질

무구조이며 섬유를 함유하고 있다. 연골기질은 염기성 염료에 독특한 친화력이 있어, 완성된 연골을 hematoxylin으로 염색하면 연골소강에 직접 접촉하는 기질은 짙게 염색되는데, 이것을 세포영역(영역바탕질, territorial matrix)이라 한다. 세포영역과 연골세포를 가진 연골소강을 합하여 연골단위라고 정의한다(그림 5-1). 세포영역과 세포영역의 중간 부분은 염색성이 약하며, 이것을 영역간기질(영역사이바탕질, interterritorial matrix)이라 한다.

연골기질에 분포해 있는 결합조직섬유의 종류와 배열상태는 연골의 종류에 따라 다르다. 유리연골과 섬유연골의 기질에는 아교섬유만이 있고(연골에 가해지는 물리적 힘의 방향에 맞추어 다발을 이루고 있음), 탄력연골에는 다량의 탄력섬유와 약간의 아교섬유가 섞여 있다.

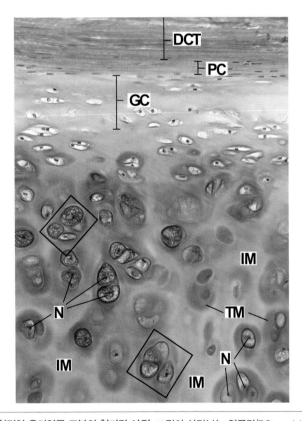

그림 5-4. H&E로 염색된 전형적인 유리연골 표본의 현미경 사진. 그림의 상단부는 연골막(PC: perichondrium)을 덮고 있는 치밀결합조직(DCT: dense connective tissue)을 보여주며, 연골막에서 새로운 연골세포들이 유래한다. 연골막 아래의 약한 호염기성인 성장 중인 연골(GC: growing cartilage)의 층에는 연골모세포와 미성숙연골세포들이 위치하는데, 이 세포들은 빈 연골소강 내에 위치한 핵과 기타 세포질로 나타난다. 이 층은 새로운 연골이 기존의 유리연골의 표면에 부가되는 것(부가성장)을 나타낸다. 명확한 핵(N: nucleus)을 가진 성숙한 연골세포들은 연골소강 내에 위치하며 이 표본에서는 잘 보존되어 있다. 이 세포들에서 연골소강을 둘러싸는 짙게 염색된 피막 또는 영역기질(TM: territorial matrix)을 나타내는 연골기질이 생산된다. 영역사이기질(IM: interterritorial matrix)은 연골세포의 인접부위로부터 떨어져 있으며 연하게 염색된다. 동일세포유래무리(사각형으로 표시)를 형성하는 연골세포의 짝 또는 무리를 통해서 영역사이기질성장(사이질성장)이 일어남을 볼 수 있다(×480).

(3) 연골막

연골막(perichodrium)은 연골을 둘러싸고 있는 치밀결합조직으로 혈관이 풍부하다(그림 5-4). 연골막은 섬유연골에는 없으며, 유리연골로 된 관절연골의 표면에는 이루어져 있지 않다.

연골막은 외층과 내층의 두층으로 구별된다. 외층은 아교섬유가 치밀하게 배열한 섬유층이며, 내층은 섬유가 적고 중간엽세포에서 유래한 많은 연골모세포가 있는 연골발생층(chondrogenic layer)으로서, 이 층에 있는 연골모세포가 연골세포로 분화하여 연골을 형성한다. 그러나 연골의 발생은 점진적으로 일어나기 때문에 연골막과 연골의 경계를 구분할 수는 없다. 연골 자체에는 혈관이 없기 때문에 연골은 연골막의 혈관으로부터 기질을 통한 확산에 의하여 영양분과 산소를 공급받고 있다.

3) 연골의 종류

연골조직은 연골의 세포외기질에 포함되어 있는 아교섬유와 탄력섬유의 상대적인 양을 기준으로 초자연골(hyaline cartilage), 탄력연골(elastic cartilage), 섬유연골(fibrous cartilage)로 나눈다. 초자연골과 탄력연골에는 그 겉에 치밀결합조직으로 이루어진 연골막(perichondrium)이 형성되어 있으나 섬유연골에는 이루어져 있지 않다.

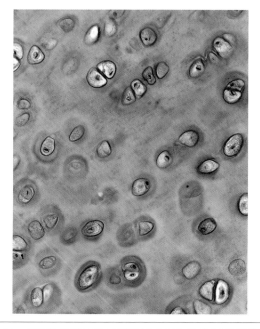

그림 5-5. 유리연골의 일반적 구조. 본 그림은 통상적인 H&E 염색법 처리를 한 유리연골의 일반적인 특성을 나타낸다. 산재한 연골세포군들 사이에 광범위하게 분포한 세포외기질에 주목(×450)

(1) 초자(유리)연골

초자연골에서는 기질이 반투명하고 언뜻 보아 균일하며 무구조로 보이지만(소량의 아교섬유만이 존재), 수분이 많고(60~80%), 황산콘드로이틴을 가지는 복합단백질(뮤코이드)을 포함한다(그림 5-4, 5).

교원섬유를 함유하고 있기 때문에 장력에 대해서도 저항성이 있는 조직으로 알려져 있다. 즉, 이들 성분을 함유하기 때문에 연골은 특유의 연골성 경도를 갖는다.

태아에서는 일시적으로 몸의 뼈대를 이루고 있고, 성체에서는 관절연골(articular cartilage), 늑연골(costal cartilage), 비연골(nasal cartilage), 기관연골(tracheal cartilage) 등 인체의 연골은 대부분이 초자연골이다. 초자연골은 다른 연골과 마찬가지로 혈관이나 림프관 뿐만 아니라 신경섬유도 없으며 유주세포들도 존재하지 않는다.

(2) 섬유연골

섬유연골은 다른 연골에 비해 무형질이 적고, 아교섬유가 많아 다른 연골보다 단단하다(섬유가 굵은 다발형성). 이들 섬유는 대부분 일정한 방향으로 배열되어 있다(그림 5-6). 섬유연골은 힘줄 또는 인대와 함께 무게나 힘을 지탱하는 역할을 하는데, 독자적으로 존재하지 않고 유리연골, 인대 또는 힘줄에 이어져 있으며, 특징적으로 연골막이 없다. 주로 척추사이원반(intervertebral disc), 관절원반, 치골결합 등에 분포한다.

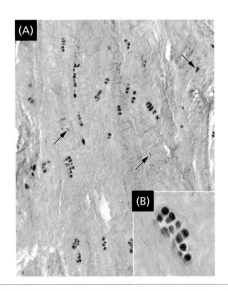

그림 5-6. 척추사이원반과 섬유연골 현미경 사진. (A) 이 고모리 트라이크롬 표본(Gomori trichrome preparation)에서 콜라겐섬유는 녹색으로 염색된다. 조직의 모양은 섬유모양이며, 짙고 둥그런 핵을 가진 많은 수의 연골세포 뿐만 아니라 길쭉한 핵(화살표)을 가진 상대적으로 적은 수의 섬유모세포들이 포함되어 있다. 연골세포는 가깝게 무리를 이루며, 콜라겐섬유 사이에 줄을 짓거나 동일세포유래무리로 배열되어 있다(×60). (B) 한 동일세포유래무리의 고배율 사진. 연골세포는 연골소강 내에 들어 있다. 전형적으로, 연골세포들을 둘러싸고 있는 연골기질은 거의 없다(×700).

(3) 탄력연골

탄력연골의 조직학적 구조는 유리연골과 비슷하나 기질에 탄력섬유가 다량 분포되어 있고, 생체에서 노란색(황색)을 띠고 있다(그림 5-7). 탄력연골세포는 유리연골세포보다 크기가 작고, 연골소강(lacuna) 내에 위치하며, 탄력섬유로 형성된 그물 구조 사이에 위치한다. 탄력연골은 탄성이 많이 요구되는 부위에 분포하며, 유리연골과는 달리 나이가 들어도 거의 석회화(calcification) 되지 않는다. 귓바퀴, 외이도, 후두개에서 볼 수 있다.

4) 연골의 성장과 변화

(1) 발생과 성장

연골발생이 일어날 장소에는 중간엽조직이 증식·분화하여 연골모세포(chondrocyte)가 되면 이러한 조직을 전연골(precartilage, 풋연골조직)이라 한다. 이들 연골모세포는 계속해서 기질을 분비하고 연골모세포 자신이 그 기질에 묻히게 되며 계속 만들어지는 세포간질로 말미암아 세포들이 서로 멀어지게 된다. 이러한 과정을 거쳐 연골모세포는 성숙한 연골세포로 변형된다. 이후 연골성장은 부가성장(appositional growth)과 사이질성장(interstitial growth)에 의하여 이루어진다.

부가성장은 연골막의 내층인 연골발생층의 연골모세포들이 분열하고 이들이 연골세포로 분화하여 그 자신의 주위로 기질을 축적함으로써 일어나는 성장이며, 사이질성장은 연골의 기질 속에 있는 연골세포가 유사분열하여 증식하고 이들이 새로운 기질을 만들어서 연골 자체가 확장되어가는 현상이다. 그러나 성인에서는 연골성장은 거의 일어나지 않는다.

(2) 퇴행성 변화

연골은 손상을 받거나 나이가 듦에 따라 기질 내에 무기물 특히 칼슘염이 축적됨으로써 단단해지고 불투명해진다. 이런 상태에 이르면 영양분 및 노폐물의 확산이 방해를 받아 점진적으로 연골세포가 죽어간다. 이러한 퇴행성 변화는 탄력연골에는 거의 일어나지 않으며 유리연골에서 흔히 발생한다.

이러한 퇴행성 변화는 정상적인 골 발생과정에서도 볼 수 있다. 유리연골의 연골내골형성(endochondral bone formation)과정에서 연골세포의 증식, 성숙 및 비대, 세포간질의 석회화, 그리고 연골세포의 죽음 등의 현상이 나타나고 이어서 골 형성이 이루어지고 있다.

성인에게 있어서 연골이 심하게 손상을 받을 경우에는 손상된 부위를 메우고 있는 결합조직에서 연골의 재생이 일어나지 않고 영구히 섬유조직으로 남아 있게 된다. 그러므로 심하게 상해를 받거나 결손되었을 때 이식을 시행하게 되는 것이다(자가이식 혹은 동종이식).

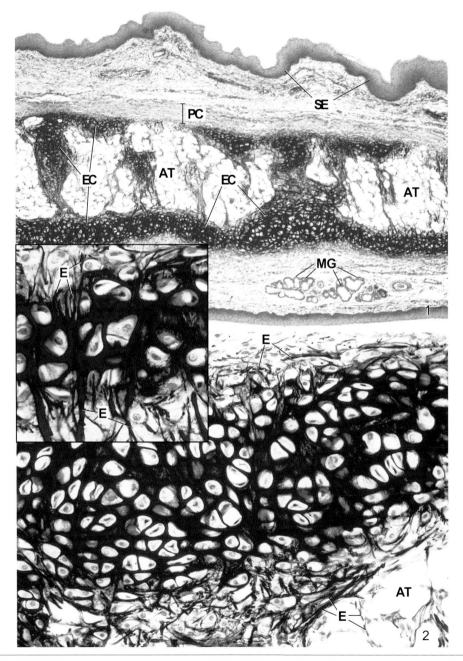

그림 5-7. 탄력연골(후두덮개)사진. 리소리신(resorcin)으로 염색한 연골세포는 염색되지 않는다[AT: adipose tissue (지방조직), EC: elastic cartilage (탄력연골), E: elastin (탄력섬유), MG: mucous gland (점액선), PC: perichondrium (연골막), SE: stratified squamous epithelium (중층편평상피)].

2. 골조직

1) 골의 개요

인체는 약 206개의 뼈가 일정한 배열을 하여 기본적인 구조를 이룬다. 뼈가 일정한 배열을 하여 인체의 기본적인 구조를 이루는 것을 골격이라 한다. 골격은 뼈, 연골, 인대 등으로 구성되며, 뼈 및 연골은 관절의 형태로 서로 연결되어 있으며, 인대가 이들 관절을 지탱해준다.

골조직은 특수한 형태의 결합조직으로써, 다른 결합조직과 마찬가지로 세포성분과 세포가 만들어낸 물질로 이루어져 있다. 즉, 기질에 석회염인 하이드록시아파타이트(hydroxyapatite) 결정이 함유되어 다른 결합조직에 비해 경도가 더욱 증가하면 골조직이 되는 것이다(그림 5-8).

골은 생체의 지지기관임과 동시에 체액의 항상성을 조절하는 기관으로 역할은 다음과 같다.

- 저장기능 : 칼슘, 인 등의 무기질이나 염화물을 저장하고, 필요에 따라 혈액에 방출한다.
- 조혈기능 : 장골의 골단, 편평골, 단골 등의 해면질에 있는 적색골수에서는 활발한 조혈이 이루어진다.
- 보호기능 : 뇌, 내장, 척수, 안구 등의 내부 장기를 보호한다.
- 지지기능 : 코 등의 연조직을 형태적으로 지지하고, 추골과 하지골은 체중을 지지한다.

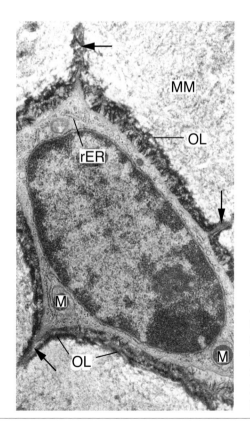

세포가 사실상 골소강을 채운다 화살표들은 세포질돌기들이 골세관으로 뻗치는 곳을 표시한다. 수산화인회석 결정들이 무기질화된 기질(MM: mineralized matrix)로부터 제거되었으나 일부는 남아 세포주위 공간들을 채우고 있다. 수산화인회석 결정들 때문에 세포주위 공간의 다른 물질들이 모호하게 보인다. 골소강의 경계를 표시하는 어두운 띠는 오스미움 친화성 뼈층판(OL: osmium lamella)이다(×25,000).

그림 5-8. 적은 수의 과립소포체(rER)과 미토콘드리아(M)를 포함한 휴지기 골세포.

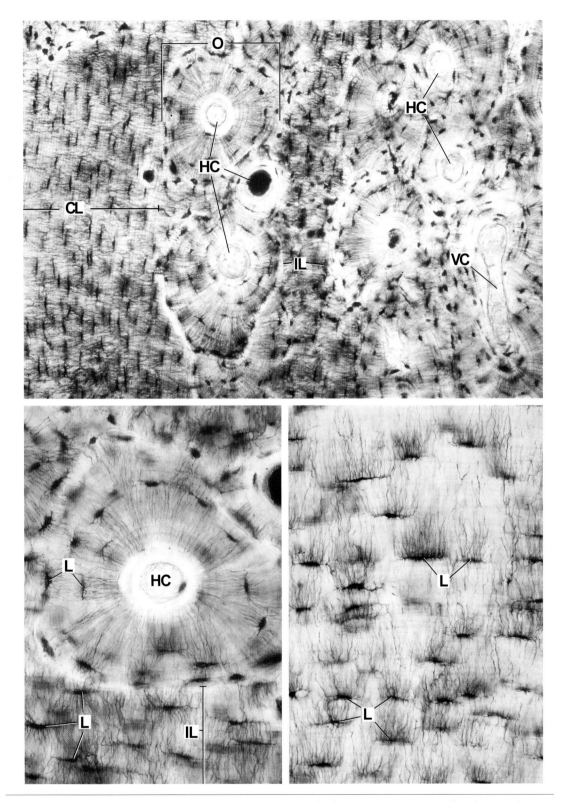

그림 5-9. 골의 사진. O(osteon, 골단위), HC(Harversian's canal, 하버스관), IL(interstitial lamellae, 개재층판), VC(volkmann's canal, 볼크만관), L(lacunae, 골소강), CL(circumferential lamellae, 주위층판)

2) 골의 세포

골조직은 평생 동안 흡수(파괴)와 부가(apposition)라고 하는 길항적 과정을 통해서 끊임없이 개조되고 새롭게 형성되는 대사가 활발한 조직이다(그림 5-8, 9).

(1) 골모세포(osteoblast)

뼈를 형성하는 세포를 골모세포라고 한다. 세포의 모양은 입방형 또는 다면체형이며 표면에는 약간의 세포질돌기가 형성되어 있다. 이러한 세포질돌기는 골모세관 속에서 다른 골세포의 돌기와 서로 만나 교통연접을 이루고 있다.

보통 골질 표면에 존재하고, 자신의 주위에 골기질을 분비한다(특히 분비활동이 활발한 골모세포에서는 기질 속의 석회화방해인자를 파괴하여 석회화에 중요한 작용을 나타내는 알칼리성 포스파타제(alkaline phosphatase)의 활성도가 강하다). 그 결과, 세포가 들어갈 수 있을 정도의 작고 긴 구멍, 즉 골소강(뼈방, lacuna of bone)에 세포가 들어 있고, 주위는 모두 기질로 둘러싸이게 된다. 이런 상태의 세포를 골세포라고 한다. 인접한 골소강의 열과 열 사이의 부분을 골층판이라고 한다.

(2) 골세포(osteocyte)

골모세포가 뼈를 형성하는 도중에 자신이 만든 골기질에 둘러싸여 세포가 들어갈 정도의 작고 긴 구멍을 형성하게 될 때 골세포라 한다. 분열능력이 없는 골세포의 핵은 난원형이고 미토콘드리아, 골지체, 조면소포체, 용해소체 등 대다수 세포소기관들이 잘 발달되어 있다. 골세포는 연골세포와는 달리 다수의 돌기를 내어 불규칙한 형태가 된다. 골기질에도 이 돌기를 수용하는 긴 관이 만들어지는데, 이를 골세관(bone canaliculus)이라고 한다.

골세포체와 골소강 벽의 사이 그리고 세포질돌기와 골모세관 벽의 사이에는 소량의 석회화되어 있지 않은 기질이 존재하며, 이곳을 통하여 혈관과 골조직 사이의 물질이동이 일어나고 있다.

(3) 파골세포(osteoclast)

뼈가 성장하는 과정에서 불필요하게 된 뼈조직을 파괴 또는 흡수하는 대형의 다핵세포이다. 이 세포의 기원에서도 다른 골세포와는 다른데, 다른 골조직 내 세포들의 기원이 간엽성인데 반해, 파골세포는 골수 내에서 분화되는 조혈성이다.

3) 골의 구조

뼈는 골막, 골질, 골수 등으로 구성되어 있다(그림 5-10).

(1) 골막(periosteum)

섬유성의 골막은 치밀결합조직의 막으로 거의 모든 뼈의 표면을 싸고 있으며, 혈관과 신경이 많이 분포되어 있어 ① 영양 공급 ② 보호기능 ③ 재생에 중요한 역할을 한다. 또한 골막의 섬유가 뼈(외기초층판)에 들어가서 ④ 골막과 뼈의 결합을 강화하고 있는 교원섬유를 샤피섬유(Sharpey's fiber)라고 한다.

(2) 골질(osteoid)

외부에 있는 치밀질은 골세포와 기질로 치밀하게 구성되어 단단하며, 신경과 혈관이 주행하는 관인 하버스관(Harversian's canal, 중심관)과 볼크만관(Volkmann's canal)을 가지고 있어 그 자체에서 영양을 공급받는다. 하버스관은 긴 관상뼈에서는 뼈의 장축을 따라 주행하며, 볼크만관은 하버스관에 대해 직각 방향으로 주행한다.

내부의 골질인 해면질은 스펀지처럼 구멍이 많은 골소주들이 서로 얽혀 있는 망상 구조로 되어 있으며, 그 속에 조혈기관인 골수가 있다.

① 치밀골

치밀골(compact bone)은 층판들이 매우 조밀하게 이루어져 있되 뼈에 작용하는 물리적 힘의 방향, 혈관의 주행 방향, 그리고 골의 부위에 따라 층판의 배열 양상이 독특하게 조직화되어 있다. 치밀골은 다음과 같이 4종의 층판계로 분류한다(그림 5-9, 10).

- 하버스층판 : 뼈의 장축에 평행하게 주행하는 혈관 구멍인 하버스관을 중심으로 하여 동심원상으로 형성된 4~7층의 층판 구조를 하버스층판(harversian's lamellae)이라고 하며, 하나의 하버스관 주위에 있는 층판계를 골단위(osteon) 혹은 하버스계통이라고 총칭한다(그림 5-12). 하버스관의 내벽은 1층의 골모세포층으로 덮이며, 그 내부는 동맥과 정맥(또는 모세혈관)과 신경섬유를 포함하는 성긴섬유성 결합조직으로 채워진다.

- 개재층판 : 골단위 사이를 주행하면서 인접하는 골단위를 결합시키는 층판을 개재층판(사이층판, interstitial lamellae)이라고 한다. 개재층판은 불규칙한 형태를 취한다. 하버스층판 사이 그리고 하버스층판과 개재층판 사이에는 무기질로만 이루어진 결합선(cement line)이라고 하는 얇은 층이 형성되어 있어 각 층판계통의 경계가 되고 있다. 결합선은 정지선(arrest line)과 반전선(reversal line)으로 구별된다. 정지선은 골형성이 중단되었다가 다시 진행된 후에 생겨난 것으로서 윤곽이 매끄러운데 반하여 반

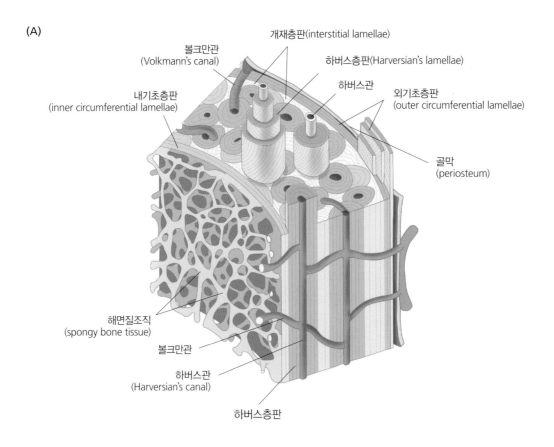

(A)

개재층판(interstitial lamellae)

볼크만관
(Volkmann's canal)

하버스층판(Harversian's lamellae)

하버스관

외기초층판
(outer circumferential lamellae)

내기초층판
(inner circumferential lamellae)

골막
(periosteum)

해면질조직
(spongy bone tissue)

볼크만관

하버스관
(Harversian's canal)

하버스층판

(B)

그림 5-10. 골의 구조. (A) 골층판, (B) 골의 입체 구조. 해면골을 이루는 골소주(trabecula)도 골층판으로 구성되어 있지만, 그 내부에 혈관이 없으며, 따라서 골원도 관찰할 수 없다. 해면골의 더욱 안쪽, 즉 골의 중심부는 골소주도 거의 없는 공간으로 되어 있는데, 이를 골수강이라고 한다. 생체에서 골수강을 채우고 있는 것은 골수이며, 여기서 혈액이 만들어진다.

전선은 골흡수 후에 골형성이 이루어진 부위에서 나타나는 것으로 윤곽이 불규칙하다.

• 기초층판 : 긴 관상뼈를 가로로 절단했을 때, 뼈의 몸통을 동심원상으로 둘러싸는 외측의 여러층의 외기초층판(바깥주위층판, outer circumferential lamellae)과 골수강에 면하는 내기초층판(속주위층판, inner circumferential lamellae)으로 나누어진다. 모두 평행으로 주행하는 층판계이다. 하버스계통과는 달리 층판의 중심에 혈관을 포함하는 관이 없기 때문에 골흡수가 잘 일어나지 않는다.

② 해면골

해면골(sponge bone)은 골소주(뼈잔기둥, bone trabecula)들이 엉성하게 서로 붙어 입체적인 망을 이루고 있다(그림 5-11). 장골의 경우에는 뼈 끝에 있고, 단골, 편평골, 불규칙골에는 뼈 속의 골수공간에 형성되어 있다. 이 해면골은 바깥쪽의 치밀골과 연결되어 있으며, 골소주의 사이는 골수로 차 있다. 또한 혈관이 없어 치밀골에 형성되어 있는 골단위(osteon)와 같은 규칙적인 모습의 층판계통은 이루어져 있지 않다.

해면골을 이루는 골소주(trabecula)도 뼈층판으로 구성되어 있지만, 그 내부에 혈관이 없으며, 따라서 골원도 관찰할 수 없다. 해면골의 더욱 안쪽, 즉 뼈의 중심부는 골소주도 거의 없는 공간으로 되어 있는데, 이를 골수강이라고 한다. 생체에서 골수강을 채우고 있는 것은 골수이며, 여기서 혈액이 만들어진다.

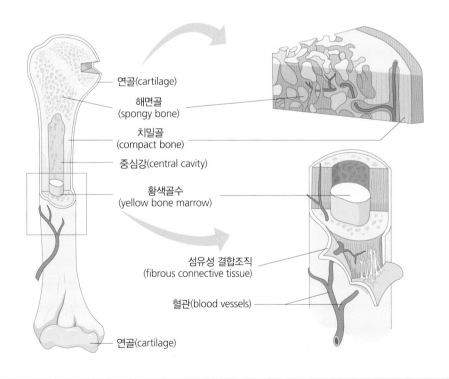

연골(cartilage)
해면골 (spongy bone)
치밀골 (compact bone)
중심강(central cavity)
황색골수 (yellow bone marrow)
섬유성 결합조직 (fibrous connective tissue)
혈관(blood vessels)
연골(cartilage)

그림 5-11. 장골의 구조.

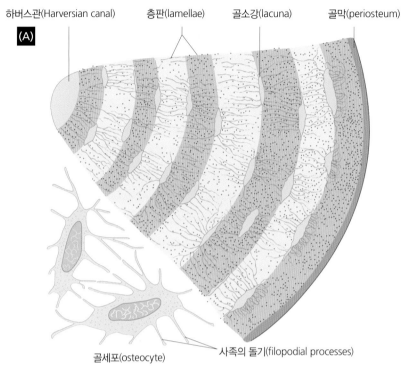

하버스관(Harversian canal)　　층판(lamellae)　　골소강(lacuna)　　골막(periosteum)

(A)

골세포(osteocyte)　　　　사족의 돌기(filopodial processes)

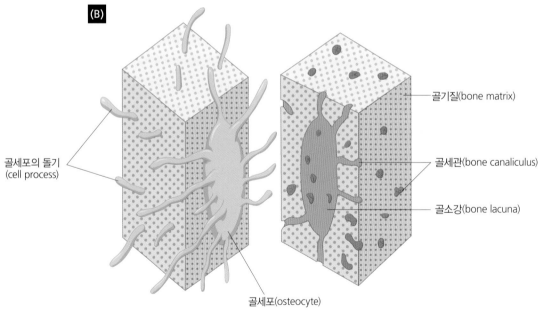

(B)

골세포의 돌기
(cell process)

골기질(bone matrix)

골세관(bone canaliculus)

골소강(bone lacuna)

골세포(osteocyte)

그림 5-12. 골세포(A)와 골단위(B)의 간단한 그림으로 나타낸 두 골세포와 하버스계통의 일부. 인접한 층판의 아교섬유들은 서로 다른 방향으로 배열되어 절단면이 다르게 나타난다. 골소강과 하버스관 사이의 교통을 담당하는 수많은 골세관들이 뚜렷하게 나타난다. 단순화한 그림에서는 나타나지 않지만, 각 층판은 실제로 세로방향으로 배열된 여러 층의 아교섬유로 구성되어 있다. 인접한 층판에 있는 아교섬유는 각 층판마다 서로 방향이 다르다. 서로 다른 방향성을 갖는 섬유를 포함하는 수많은 층판이 존재하기 때문에 뼈의 무게는 가볍지만 큰 힘을 지탱할 수 있다.

(3) 골수(bone marrow)

골수는 골 속의 골수공간과 해면골의 골소주 사이의 공간에 들어 있는 혈관이 풍부한 세망조직으로서 발생 5개월부터 출생후 평생 동안 혈구형성에 관여하는 주된 조혈조직이다(그림 5-11). 골수에는 적색골수와 황색골수가 있다. 적색골수는 조혈작용을 하며, 황색골수는 적색골수의 조혈작용이 중지되어 주로 지방으로 대치된 상태로 성인에서 볼 수 있다.

4) 골의 성장

성인과 같은 골격의 형성은 이미 태생기에 마련된다. 임신 3개월의 태아시기에 앞으로 뼈가 될 부위는 매우 부드러운 연골상태로 형성된다(그림 5-13). 발육과정을 거치면서 이곳에 뼈를 만드는 골세포가 침입하여 점차로 본격적으로 뼈를 만들게 된다. 이런 과정을 골화라고 한다.

골화는 일생 동안 계속 이루어진다. 출생 시부터 약 25년 동안 거의 모든 뼈가 완성되고, 그 후에는 극히 제한적으로 이루어진다. 그러나 사고로 인해 뼈가 부러지게 되면 국소적인 골화 과정이 다시 발생한다(그림 5-14). 이런 과정을 통해 단절되었던 뼈가 다시 붙고 원형대로 복원된다.

골의 발생은 태아의 원시결합조직인 중간엽조직에서 직접 뼈가 생겨나는 막성골발생과 이미 중간엽조직에서 생겨난 유리연골로부터 골이 발생하는 과정인 연골성골발생에 의해 이루어진다.

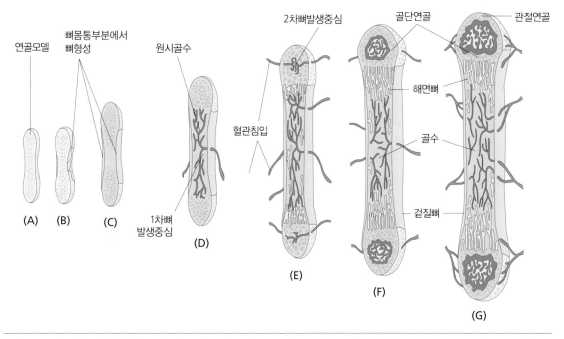

그림 5-13. 연골내골화의 과정을 보여주는 모식도. (A~C) 연골주형(cartilage model)의 뼈몸통부분에서 골막 뼈띠(bony band)가 발생한다. (D) 골간(뼈몸통) 가운데 있는 석회화된 연골속으로 결합조직세포들과 혈관들이 성장하여 들어간다(1차 뼈발생중심 형성). (E) 연골속에서 뼈발생이 진행되면서 골수공간이 형성되고, 양쪽 골단(뼈끝)의 석회화된 연골속으로 혈관이 다시 성장하여 들어간다(2차 뼈발생중심 형성). (F~G) 골간과 2차 뼈발생중심에서의 뼈발생이 더욱 진행된다.

(1) 길이 성장(연골성 골발생, intracartilagenous bone formation)

초기에 엄마의 뱃속에서 이루어지는 골화 과정은 뼈의 중앙부에서 이루어진다. 점차 어느 정도의 길이가 형성되면, 골화 중심은 자연스럽게 양쪽의 끝 모서리로 이동된다. 마치 하나의 생명체가 둘로 나누어져 각기 다른 방향으로 뻗어가는 모습을 이룬다고 볼 수 있다.

이런 과정이 어느 정도 완성되면 골간(뼈몸통, diaphysis)과 골단(뼈끝, epiphysis) 사이에는 연골이 남게 된다. 이 연골이 바로 성장의 비밀을 가지고 있는 성장판이라고 불리는 골단연골(뼈끝연골, epiphyseal cartilage)이다.

이 연골이 증식하고 분열하면서 길이로 성장하게 되고, 그 뒤쪽 부분은 단단한 골조직으로 변화되기 시작한다(그림 5-13). 성장판 연골이 증식하고 분열하는 과정이 석회화되는 과정보다 빠르거나 동등하게 이루어지면 계속적으로 성장을 하게 되는 것이다. 대다수의 몸통뼈와 팔다리뼈가 이와 같은 방법으로 생겨난다.

석회화 과정이 더 빠르게 진행되면, 곧 성장이 둔화되고 마침내는 멈추게 되는 것이다. 따라서 성장판 연골이 점차 석회화되는 과정은 25세쯤이면 종료되어, 마침내 성장판이 닫히게 된다.

(2) 굵기 성장(막성 골발생, intramembranous bone formation)

뼈의 굵기 성장은 골막의 작용에 의존한다. 골막은 외층의 피막층(섬유층)과 내층의 형성층으로 구분된다. 피막층은 골에 대하여 보호적으로 작용하기 때문에 교원섬유를 주체로 하는 치밀결합조직이지만, 형성층은 세포 성분을 주체로 한다. 형성층의 골에 접하는 면에는 골모세포가 배열되어 있어 골이 생성됨으로써 골의 굵기가 증가한다(막성 뼈 발생은 짧은 뼈 성장에도 기여를 한다).

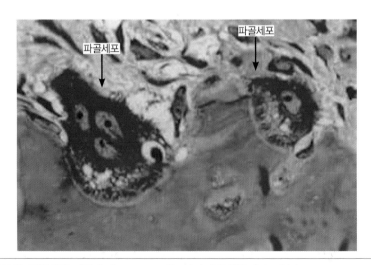

그림 5-14. 파골세포의 현미경적사진. 파골세포(O, osteoclast)는 여러 개의 핵을 가지고 있다.

3. 혈관과 림프관

순환기 계통은 혈관 계통과 림프관 계통으로 구성되어 있다. 혈관 계통은 심장, 동맥, 모세혈관 및 정맥으로 이루어져 있다(그림 5-15, 16). 심장은 혈액을 순환시키는 펌프작용을 한다. 일련의 원심성 혈관인 동맥은 분지함에 따라 직경이 점점 작아지며, 영양분과 산소를 혈액과 함께 조직까지 운반하는 기능을 한다.

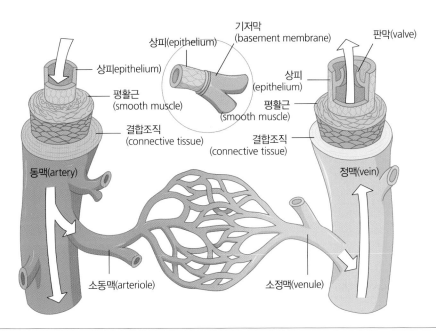

그림 5-15. 혈관의 구조.

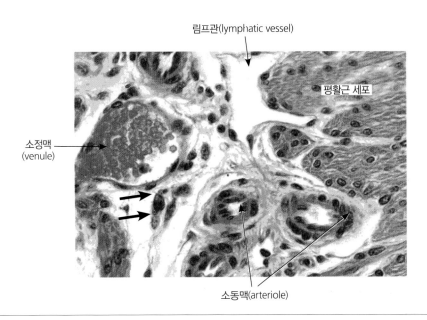

그림 5-16. 결합조직에 의해 둘러싸인 미세혈관. 화살표가 가르키는 것은 섬유모세포이다.

직경이 가장 작은 모세혈관은 넓게 퍼져 복잡한 그물 구조를 이루는 가느다란 세관으로 그들의 벽을 통해 혈액과 조직 사이에서 물질교환이 일어난다. 모세혈관은 정맥으로 혈관이 모이게 되며, 이 혈관은 직경이 점차 커져 심장에 이르고 이곳에서 혈액은 다시 동맥으로 분출되어 나간다.

림프 계통은 끝이 막혀 있는 림프모세관에서 시작하며, 이들은 점차 연결되어 직경이 큰 림프관을 형성한 후, 혈관 계통으로 이어져 심장 근처의 커다란 정맥으로 들어간다. 림프관 계통은 조직 사이 공간에 있는 조직액을 혈액으로 되돌려 보내는 기능을 한다. 혈관 계통과 림프관 계통의 내강은 내피라고 하는 한 층의 편평상피에 의해 둘러싸여 있다.

1) 개요

생체 내의 세포 사이에 있는 액을 체액이라고 한다. 체액에는 혈관 속을 흐르는 혈액, 림프관을 흐르는 림프액과 조직 중의 세포사이물질인 조직액이 있다. 이들 체액은 생체의 내부환경을 형성하며, 이것을 항상 일정하게 유지함으로써 세포의 안정된 생명활동을 도와 생체 내의 항상성을 유지하고 있다.

혈액은 풍부한 세포성분과 액체성분의 세포사이물질로 이루어지는 특수결합조직이다. 혈액세포에는 적혈구, 백혈구, 혈소판의 3종류가 있으며, 세포성분을 제외한 액체성분을 혈장이라고 한다. 혈장에서 피브리노겐을 제외한 것은 혈청과 거의 같다(그림 5-17).

혈액의 중요 기능은 호르몬을 운반하고, 혈액 내 들어 있는 여러 물질들의 양을 조절하면서 삼투압, 혈당량, pH 등을 조절한다. 또한 혈관을 수축시키거나 이완시켜 체온을 조절할 뿐만 아니라, 식균작용이나 세포성·체액성 면역에 의한 생체 방어기전을 담당한다.

2) 혈관의 구조

(1) 모세혈관

모세혈관은 혈액과 조직 간에 물질교환이 일어나는 전달망으로, 이러한 기능에 적합하도록 모세혈관은 얇은 외막에 둘러싸인 단층의 편평상피세포(내피세포, endotherial cell)로 이루어진 매우 얇은 관이다(직경 4~12 ㎛)(그림 5-18). 내피에는 기저막이 있고 기저막의 바깥은 아교섬유와 세망섬유로 된 성긴결합조직이 둘러싸고 있으며(그림 5-19), 그 속에 자율신경종말이 분포하고 있다.

내피의 외표면에는 미분화간엽세포가 있는데, 이는 결합조직의 다양한 세포로 분화하는 능력을 가진 세포로 생각되고 있다. 모세혈관의 내면은 부드러워 혈구세포가 순환계를 통과할 때 상처를 입지 않도록 보호한다.

많은 모세혈관의 경우 혈관주위세포(pericyte) 또는 루제세포(Rouget's cell)라고 하는 납작한 별 모양의 세포가 둘러싸고 있기도 한다.

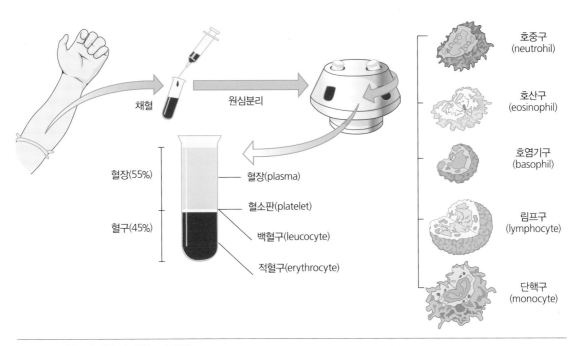

그림 5-17. 혈액의 성분 및 백혈구의 종류.

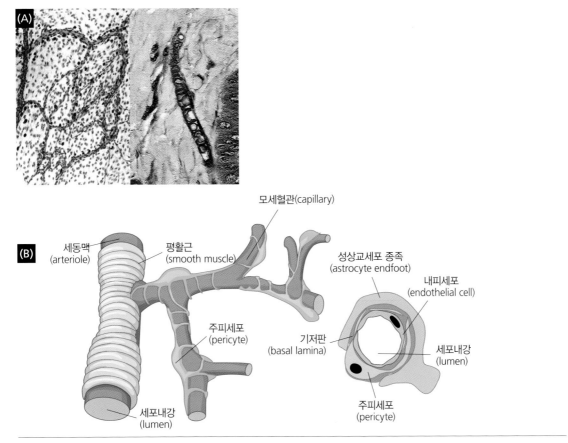

그림 5-18. 모세혈관의 구조. (A) 모세혈관의 현미경적 구조, (B) 혈관주위세포의 입체적 구조.

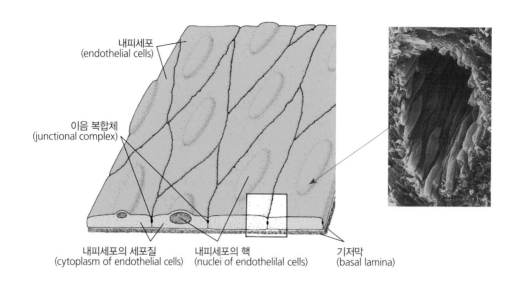

내피세포
(endothelial cells)

이음 복합체
(junctional complex)

내피세포의 세포질
(cytoplasm of endothelial cells)

내피세포의 핵
(nuclei of endothelilal cells)

기저막
(basal lamina)

그림 5-19. 내피의 그림과 주사전자현미경 사진. 내피세포들은 혈액의 흐름을 따라 장축으로 길다랗다. 내피세포의 핵 역시 장축을 따라 길다랗다. 오른쪽 사진은 소정맥의 주사현미경 사진으로 내피세포를 보여주고 있는데 세포들은 혈관에 평행으로 달리며 장축으로 방추모양을 나타낸다(×1,100).

(2) 동맥

동맥과 정맥은 모세혈관에 비해 벽이 두꺼운데, 이 벽은 모세혈관에서와 같은 상피로 이루어져 있지만, 세 겹(외막, 중막, 내막)의 조직층으로 두껍게 덮여 있다(그림 5-20). 헤모글로빈이 산소와 결합한 혈액은 선명한 붉은 색을 띤다. 이렇게 산소를 많이 포함한 혈액을 동맥혈이라 하고, 산소와 결합하지 않아 어두운 붉은 색을 나타내는 혈액을 정맥혈이라 한다.

동맥은 심장의 강한 수축으로 밀려 나온 혈액의 압력을 견딜 수 있게 근육이 발달되어 있고 탄력성도 크다. 통상적으로 동맥은 탄력동맥(elastic artery), 근육동맥(muscular artery), 소동맥(small artery), 세동맥(arteriole)으로 구분하나 여기에서는 탄력동맥과 근육동맥에 대해서 알아보기로 하자.

① 탄력동맥

탄력동맥(전도동맥)은 우리 몸에서 가장 굵은 동맥으로 직경이 1 cm 이상이며 다량의 탄력섬유를 가지고 있다. 내막, 중간막 및 외막의 구조를 가지고 있다(그림 5-21).

내막은 내피(모세혈관과 동일)와 내피하층으로 이루어진 약 150 μm 두께 층으로 내피하층에는 아교섬유와 탄력섬유가 얽혀 있다. 내피하층에는 내탄성판(속탄력막)이 형성되어 있지 않다.

중막은 두께가 2 nm에 이르는 매우 두꺼운 중간층으로서 평활근육세포와 30~75개의 탄력층이 동심원상으로 배열해 있고, 이들 사이는 탄력섬유를 가진 성긴결합조직으로 채워져 있다.

외막은 성긴결합조직층으로서 중간막에 비해 훨씬 얇고, 그 속에 가는 탄력섬유망이 성글게 이루어져 있다. 별도의 외탄성판(바깥탄력막)이 형성되어 있지 않다.

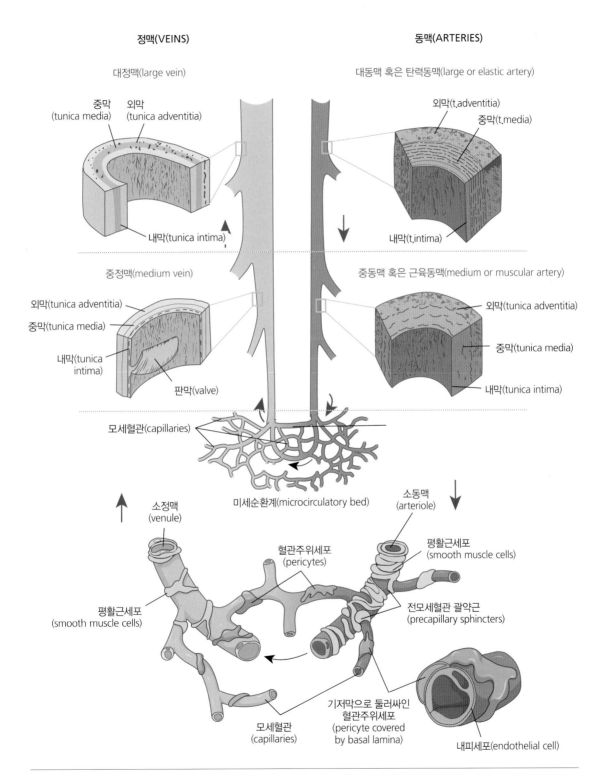

그림 5-20. 혈관의 주요구조. 위의 두 부분은 혈관의 층을 나타낸 그림이다. 가장 아래는 미세순환계통 그림으로 동정맥 연결도 나타나 있다. 혈관주위세포 바깥에 기저막이 있다.

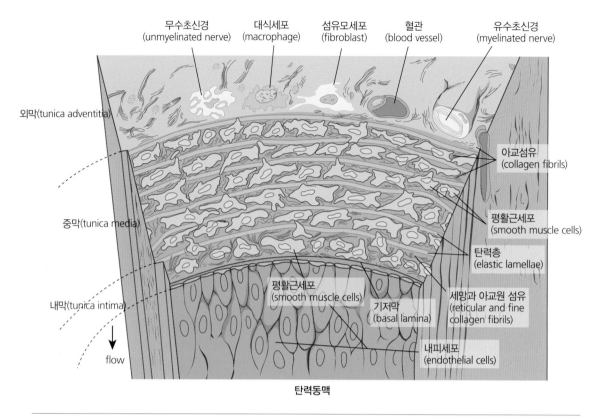

무수초신경 (unmyelinated nerve)
대식세포 (macrophage)
섬유모세포 (fibroblast)
혈관 (blood vessel)
유수초신경 (myelinated nerve)

외막(tunica adventitia)

아교섬유 (collagen fibrils)

중막(tunica media)

평활근세포 (smooth muscle cells)

탄력층 (elastic lamellae)

내막(tunica intima)

평활근세포 (smooth muscle cells)

기저막 (basal lamina)

세망과 아교원 섬유 (reticular and fine collagen fibrils)

내피세포 (endothelial cells)

flow

탄력동맥

그림 5-21. 탄력동맥에 나타나는 세포와 세포밖성분.

② 근육동맥

근육동맥은 탄력동맥에 이어진 동맥(중간크기 이하의 동맥)으로서 특징적으로 평활근육이 잘 발달해 있다(그림 5-22). 2~100 mm인 것까지의 동맥이 여기에 속한다.

탄력동맥과 근육동맥이 이행하는 부위의 경계는 명확하지 않으나 이행부위에서 근육동맥쪽으로 갈수록 탄력성분이 감소하는 대신에 평활근육세포가 많아지고 있다. 그리고 내막과 중막 사이, 중막과 외막 사이에 탄력동맥에 비해 내탄성막과 외탄성막이 뚜렷하다.

(3) 정맥

일반적으로 정맥은 동행하고 있는 동맥에 비하여 직경이 크고 속공간은 넓지만 벽의 두께는 얇다(혈관벽에 미치는 압력이 약함). 정맥벽의 기본구조는 동맥과 같이 내막, 중막, 외막으로 이루어져 있으나 각 층의 경계가 뚜렷하지 않으며, 대부분의 정맥에서는 외막이 중막보다 더 발달되어 있다(그림 5-23).

또한 정맥에는 근육과 탄력성분이 동맥에 비해 훨씬 적다. 그래서 탄력성도 적다. 또한 혈액의 속도가 느리므로 혈액이 거꾸로 흐를 수 있기 때문에 그것을 방지하는 판막이 있다(그림 5-24). 상처가 나기 쉬운 몸의 표면에는 정맥이 분포하고, 몸 안 깊은 곳에 동맥이 분포하는데, 이는 동맥 혈압이 강하여 작은 상처에도 많은 혈액양이 배출되기 때문이다.

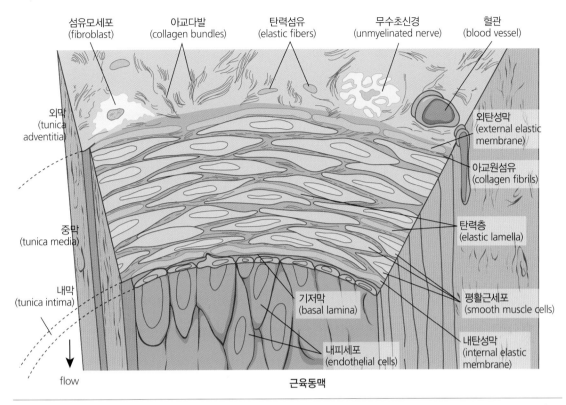

섬유모세포 (fibroblast) 아교다발 (collagen bundles) 탄력섬유 (elastic fibers) 무수초신경 (unmyelinated nerve) 혈관 (blood vessel)

외막 (tunica adventitia)

중막 (tunica media)

내막 (tunica intima)

flow

외탄성막 (external elastic membrane)

아교원섬유 (collagen fibrils)

탄력층 (elastic lamella)

평활근세포 (smooth muscle cells)

내탄성막 (internal elastic membrane)

기저막 (basal lamina)

내피세포 (endothelial cells)

근육동맥

그림 5-22. 근육혈관의 개념도. 세포성 및 비세포성 구성성분들이 표시되어 있다. 외탄성과 내탄성막의 위치에 주목하도록 한다. 특정 부위에서 혈관중간막의 근육세포들은 세포간의 틈새이음을 나타내기 위해 인접해서 위치한 것으로 그려졌다.

(4) 림프관

림프관은 구조적으로 정맥과 비슷하여 림프관의 벽에 얇고 많은 판막을 가지고 있다(그림 5-25, 26). 동맥을 통해서 신체의 각 장기로 들어간 혈액은 그 일부가 조직세포 사이로 들어가서 조직의 대사물과 혼합되어 조직액을 형성한다. 대부분의 조직액은 다시 모세혈관에 흡수되어 정맥으로 들어가나, 일부는 림프관이라는 별개의 통로에 의해서 운반된다. 림프관 속을 흐르는 액체를 림프라 하며, 림프관이 진행하는 도중에 독특하게 형성된 림프절이 존재하며, 림프가 림프절을 지나는 동안 림프 속의 입자성 물질이 대식세포에 의하여 제거되고 림프절에서 생산된 림프구가 림프에 첨가된다.

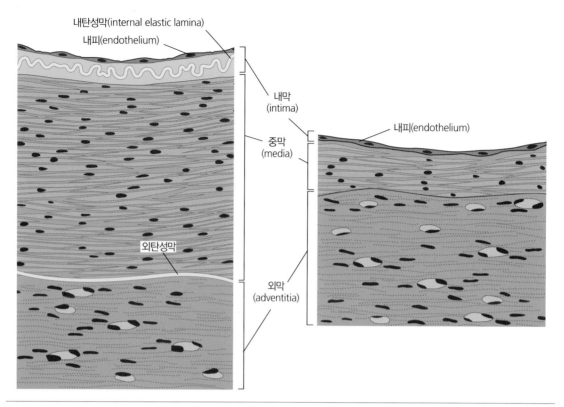

그림 5-23. 근육동맥(왼쪽)과 이에 동반되는 정맥(오른쪽)의 구조를 비교한 그림. 동맥에는 내막과 중(간)막이 매우 발달되어 있다.

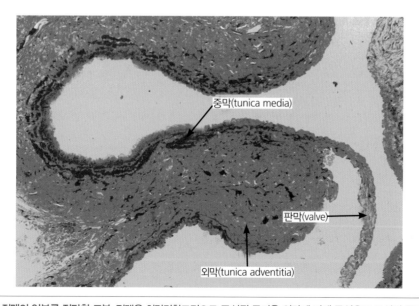

그림 5-24. 큰 정맥의 일부를 절단한 표본. 정맥은 치밀결합조직으로 구성된 두꺼운 외막에 비해 근섬유로 구성된 중간층은 매우 얇다.

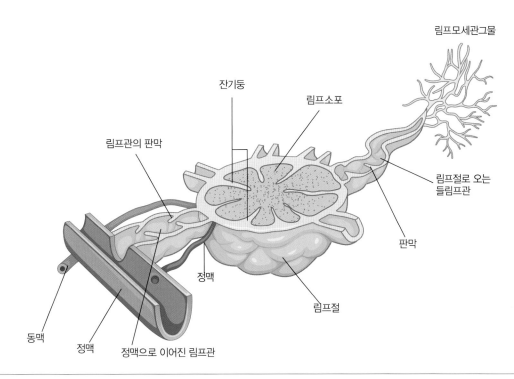

그림 5-25. 전자현미경에서 관찰할 수 있는 모세림프관의 구조. 림프관의 그 구조가 정맥과 유사하나, 벽이 정맥보다 더 얇고, 세층(내·중·외막)이 명확하게 구분이 되지 않으나 림프관에도 수많은 판막이 존재한다.

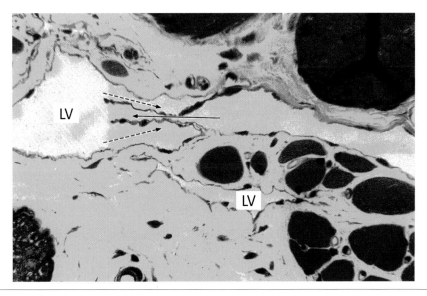

그림 5-26. 두 개의 림프관. 연속선으로 표시된 화살표는 림프 흐름의 방향을 나타내고 점선으로 표시된 화살표는 판막이 어떻게 림프의 역류를 막아주는가를 나타낸다(LV: lymphatic valve, 림프관).

Chapter
06

근육조직

▪▪▪▪ 학습목표

1 근육조직의 정의를 설명할 수 있다.

2 근육조직의 형태와 기능에 따라 분류하고 설명할 수 있다.

3 골격근, 심장근, 평활근의 차이를 설명할 수 있다.

1. 개요

생체 내의 모든 세포에는 고유의 운동성이 있으며, 독특한 세포형태를 유지하고 있다. 예를 들면 대식세포나 백혈구의 유주성, 상피세포에서의 미세융모나 섬유모세포의 긴 세포돌기의 형태유지 등이 대표적이다. 수축 운동을 위해 특수하게 분화된 중배엽 기원의 근육세포는 가늘고 긴 세포체를 가지며, 세포질은 세포체의 운동방향으로 배열하는 섬유성단백질로 채워진다.

근조직은 신체운동에 관여하는 조직으로, 수축과 이완을 할 수 있도록 고도로 분화된 가늘고 긴 세포 또는 섬유로 구성되어 있다. 이러한 근육의 구조적 단위를 근세포(muscle cells) 또는 근섬유(muscle fiber)라 한다. 즉, 근육은 수축할 수 있도록 특수화된 가늘고 긴 세포 또는 섬유로 만들어져 있으므로, 근육의 단위인 세포는 근섬유(muscle fibril)라고도 한다. 근섬유는 단백질인 미오신과 액틴으로 된 근원섬유(myofibril)로 이루어져 있다(그림 6-1).

근원섬유는 가는 세사와 굵은세사가 규칙적으로 배열되어 있어서 밝은띠와 어두운띠가 교대로 나타나는 가로무늬를 관찰할 수 있다. 어두운띠는 편광현미경에서 복굴절성으로 나타내므로 A띠(anisotropic band)라고 하며, 밝은띠는 단굴절성을 나타내므로 I띠(isotropic band)라고 한다. 밝은띠의 가운데에는 Z선(Z line)이라는 가늘고 짙은선이 있으며, Z선과 Z선 사이를 근육의 가장 작은 수축단위인 근절(근육원섬유마디, sarcomere)이라고 한다.

근절은 구조적으로 2개의 Z라인 사이의 어둡고 좁은 영역이며, 기능적으로는 근육원섬유에서의 수축장치이고 근육섬유의 기본단위이다.

근육세포들이 많이 집합되면 근육이라는 조직이 만들어지고, 여기에 연결되어 있는 구조물(뼈, 피부, 점막)이 움직여진다. 근육조직은 근육세포에 산소와 영양소를 공급하는 혈관, 근육세포의 운동성을 조절하는 운동신경, 근육세포를 보호하고 그 수축력을 다른 조직에 전달하는 결합조직으로 구성된다. 근육조직에는 수 개로부터 수십 개의 근육세포가 집합하여 근육다발을 형성한다. 근육다발 내에는 아교섬유, 탄력섬유, 섬유모세포, 혈관·신경으로 이루어지는 얇은 결합조직이 분포하며, 이를 근섬유막(endomysium)이라고 한다. 근육다발주위에는 근육다발막(perimysium)이라는 두꺼운 결합조직으로 덮여 있으며, 그 위에 근 전체를 근육바깥막(epimysium)이라는 치밀섬유성결합조직이 둘러싼다.

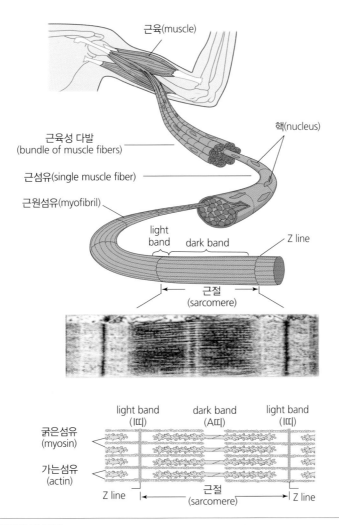

그림 6-1. 근섬유, 근원섬유 및 근절.

2. 분류

기능적으로 근육은 의지대로 움직일 수 있는 수의근(voluntary muscle)과 뜻대로 움직일 수 없는 불수의근(involuntary muscle)으로 되어 있으며, 구조적으로는 근원섬유에 무늬가 없는 평활근(smooth muscle)과 가로무늬가 있는 횡문근(striated muscle)으로 되어 있다(그림 6-2).

이를 근거로 다음과 같이 3종류로 나누어진다(표 6-1). 첫째, 내장벽이나 혈관벽과 같은 평활 불수의근, 둘째 심장을 이루는 심근(cardiac muscle) 또는 횡문 불수의근, 셋째 몸통이나 팔다리를 이루는 근육인 골격근(skeletal muscle) 또는 횡문 수의근이다.

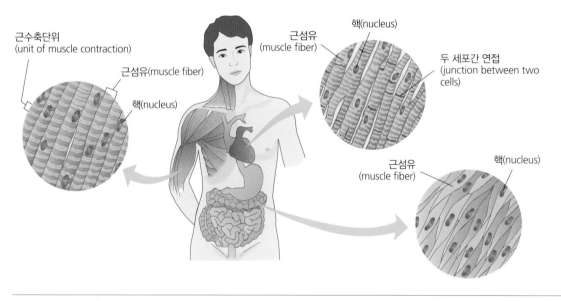

그림 6-2. 근육조직(골격근, 심근, 평활근).

표 6-1 **평활근, 골격근 및 심장근의 비교.**

구분	평활근	골격근	심근
세포의 형태	긴 방추형	긴 원주형	부정형(가지를 침)
핵	1개(중심에 위치)	다핵(주변에 위치)	1~2개(중심에 위치)
재생능력	있음	있음	없음
가로무늬	없음	있음(가늘다)	있음(굵다)
수축	불수의적	수의적	불수의적(자발적)
지배신경	자율신경	체신경	자율신경

1) 평활근

평활근은 근육 중에서 가로무늬가 없는 근으로 척추동물의 심장근을 제외한, 즉 소화·비뇨·생식·순환·호흡계통 등 대부분의 내장기관을 구성하는 데 관여하고 있어 내장근육(visceral muscle)이라고도 한다(그림 6-3). 수축 속도는 느리지만, 쉽게 피로를 느끼지 않는 성질을 가진 불수의근이다. 이 근육의 세포는 가늘고 긴 방추형이며, 드물게는 다핵인 것도 있으나 보통 중앙부에 타원형의 핵이 1개 있다. 평활근 세포는 다른 근육의 수축보다 느리고 에너지 소비는 거의 없지만 오랫동안 수축을 지탱할 수 있다. 평활근은 심장을 제외한 내장 운동을 담당하는 불수의근으로 혈관계, 소화계, 호흡계, 생식계 등의 관상구조(tubular structure)에서 관찰된다.

2) 골격근

골격근(뼈대근)은 주로 뼈와 관련이 있으며 인체에서 체중의 40% 이상을 차지하는 것으로서, 구조상으로는 가로무늬가 있어서 횡문근이라 부른다(그림 6-4). 또한 중추신경계 및 말초신경계에 의해 자신의 의지에 따라 수축할 수 있으므로 수의근이라고 한다. 골격근세포는 납작한 끈 모양으로 주변의 근세포와 나란히 배열되어 있으며, 긴 타원형의 핵이 근세포의 가장자리에 위치하고 있다. 강력하고 빠르게 그리고 수의적으로 수축할 수 있도록 고도로 분화된 긴 원주형의 다핵세포이며, 세포의 크기는 근육의 종류에 따라 또한 근육에서도 세포에 따라 차이가 많다.

3) 심근

심장을 구성하는 근육은 골격근처럼 횡문근이지만, 심근섬유의 형태와 기능은 골격근섬유와 다른 점이 많다. 상피세포와 결합조직으로 이루어진 얇은 외막과 내막으로 구성되어 있다(그림 6-5). 율동적인 수축운동을 하는 심장근육은 발생 3주부터 수축을 시작하여 평생동안 잠시도 쉬지 않고 지속되며 성인에서 심장박동수는 1분당 60~100회이다.

심근은 골격근과 내장근의 특징을 모두 갖추고 있다. 구조상으로 볼 때, 심근은 횡문근으로 골격근섬유와 같은 구조이나 기능상으로는 불수의 근으로 자율신경계의 지배를 받는다. 그러나 자동능을 갖고 있어 중추신경이 차단되더라도 자동적으로 수축할 수 있다.

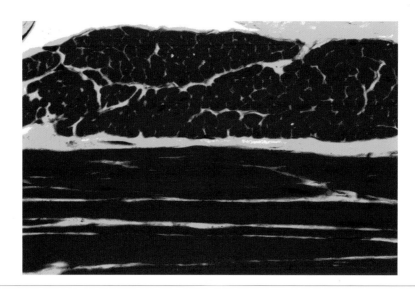

그림 6-3. 평활근의 가로단면(위)과 세로단면(아래)의 사진. 세포의 중앙에 핵이 있으며, 단면에서는 여러 세포들에서 핵이 나타나지 않는 경우가 있다.

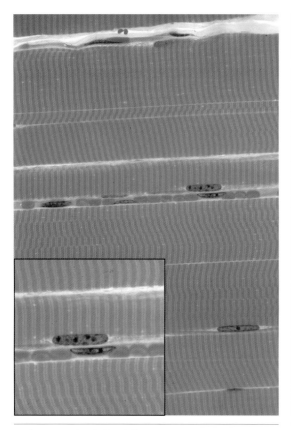

그림 6-4. 골격근의 세로단면.

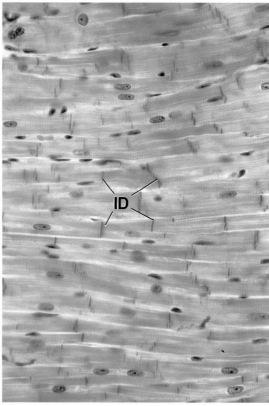

그림 6-5. 심장근의 사진. 가로무늬와 사이원반(ID: intercalated disc)이 관찰된다.

3. 운동뉴런과 근육수축

근섬유의 근원섬유마디는 반드시 운동뉴런에 의해 자극을 받아야만 수축하게 된다. 전형적인 운동뉴런은 많은 가지를 가지고 있어서, 하나 이상의 근섬유를 자극할 수 있다. (그림 6-6)에서 보는 바와 같이, 하나의 뉴런과 뉴런이 조절하는 여러 개의 근섬유로 구성되어 있는 운동단위(motor unit)를 볼 수 있다.

운동뉴런은 중추신경계에 수상돌기와 세포체를 가지고 있으며, 축삭은 근섬유와 함께 시냅스를 형성하는데, 이를 신경-근 접합(neuro-muscular junction, 신경근육연결)이라고 한다. 운동뉴런이 활동전위를 보내면, 시냅스 끝은 신경전달물질인 아세틸콜린을 분비하여 아세틸콜린이 신경근육연결을 가로질러 근섬유로 확산되면, 운동단위의 모든 섬유가 동시에 수축하게 된다. 각각의 뉴런과 근육세포가 운동단위가 되어 근육활동을 조절한다.

자극의 시작은 신경계에서 두 뉴런 사이의 시냅스에서 자극이 전달되는 기전과 같다. 아세틸콜린이 근섬유를 자극하면 근섬유의 원형질막의 투과성에 변화가 일어난다. 이 변화는 활동전위를 일으키고 근육세포막을 따라 전달되며, 활동전위는 원형질막으로부터 안쪽으로 접혀진 관을 따라 근육세포 내로 깊이 전달된다. 세포안에 활동전위가 전달되면 소포체에서 세포질 내로 칼슘이 분비되며, 칼슘에 의해 미오신과 액틴이 결합되고 활주를 시작한다. 근육이 이완될 때는 이 과정이 반대로 되는데, 즉 운동뉴런은 활동전위를 근육섬유로 보내는 것을 멈추고 소포체는 세포질 내의 칼슘을 흡수하여, 근절(근육원섬유마디)은 수축을 멈춘다.

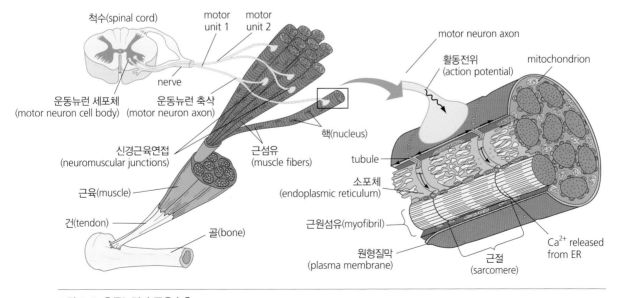

그림 6-6. 운동뉴런과 근육수축.

Chapter 07

신경조직

학습목표
1 신경계통의 구조를 이해할 수 있다
2 근육조직의 형태와 기능에 따라 분류하고 설명할 수 있다.
3 신경세포의 구조 및 특징을 설명할 수 있다.

모든 동물은 생존하고 종족을 번식시키기 위하여 환경의 자극에 대하여 적절하게 반응해야 한다. 대부분의 동물은 두 조정계, 즉 내분비계와 신경계를 가지고 있다. 이 두 조정계는 서로 협동하여 자극에 대한 반응을 나타낸다. 우리 몸도 호르몬과 신경신호의 상호작용에 의하여 위험이나 스트레스에 대한 일종의 방어반응을 나타낸다. 그러나 우리 몸은 신경계 단독으로 섬세한 운동을 정확히 조절할 수 있다. 신경조직은 인체의 신경계를 구성하며 신경은 전기적 활동전위에 기초한 자극(impulse)을 전달하는 기능을 한다.

1. 개요

경조직은 자극감지와 자극전달의 기능을 수행하기 위하여 특수화된 것이다.

신경계의 구조적, 기능적 단위는 뉴런(신경원, neuron)인데(그림 7-1), 이는 핵과 세포소기관을 갖는 세포체(cell body)와 세포체로부터 뻗어 나오는 두 가지 형태의 섬유(돌기)가 있다. 그 중 하나가 나뭇가지와 같은 수상돌기(가지돌기, dendrite)로, 길이가 짧고 그 수가 많으며, 가지 끝으로부터 뉴런의 다른 부분으로 신호를 전달한다. 다른 하나의 신경섬유는 아주 긴 축삭돌기(axon)로 대부분 단일섬유이며, 다른 뉴런이나 근육세포 같은 효과기로 신호를 전달한다.

뉴런에 따라서는 축삭돌기의 겉을 수초(말이집, myelin sheath)라는 여러 겹의 막이 싸고 있으며, 이

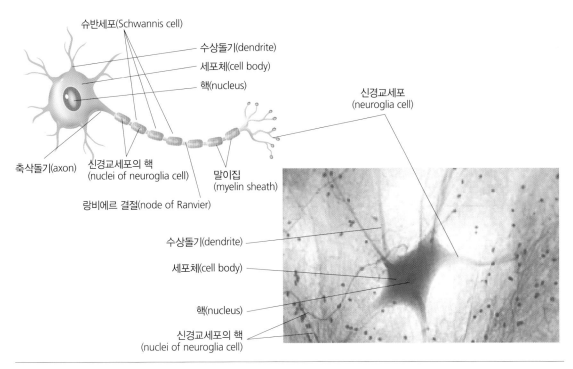

그림 7-1. 운동뉴런의 구조.

수초 밖에는 투명한 엷은 막인 슈반세포(Schwann's cell)로 덮여 있어 뉴런을 보호, 절연, 강화시키고 있다. 그리고 슈반세포와 슈반세포 사이의 공간을 란비에르마디(신경섬유마디, nodes of Ranvier)라 하며, 축삭에서 신호가 전달되는 유일한 부위이다.

1) 세포체(cell body)

핵주위부(perikaryon)라고도 하는 세포체는 신경세포의 일부로 세포돌기를 제외한 핵과 주위의 세포질을 말한다(그림 7-2). 이 부분은 자극을 수용하는 기능도 하지만 1차적인 기능은 세포의 영양을 담당하는 것이다. 대부분의 세포체에는 다른 신경세포에서 생성된 흥분성 또는 억제성 자극을 전달하는 수많은 신경종말이 분포해 있다.

대부분의 신경세포의 핵은 둥글고 크기가 매우 크며 진정염색질형(옅게 염색되는)이고 뚜렷한 핵소체(nucleolus)가 있다. 염색질은 고르게 분산되어 있어 세포의 합성활동이 활발하다는 것을 나타내준다.

세포체를 적절하게 염색해주면 과립소포체와 그 사이에 위치한 리보솜은 광학현미경에서 염기호성 과립부위로 관찰되며, 이 구조를 니슬소체(Nissl body)라고 한다.

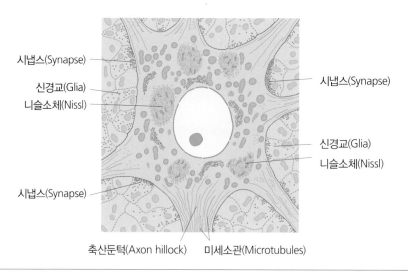

시냅스(Synapse)
신경교(Glia)
니슬소체(Nissl)
시냅스(Synapse)
시냅스(Synapse)
신경교(Glia)
니슬소체(Nissl)
축산둔턱(Axon hillock) 미세소관(Microtubules)

그림 7-2. 신경원(neuron)의 미세구조. 신경원의 표면은 신경원의 시냅스 종말(S)과 교원세포의 돌기(G)에 의해 둘러싸여 있다.

2) 수상돌기(가지돌기, dendrites, 구심성신경통로)

수상돌기는 대부분 짧고 나뭇가지와 같이 분지되어 있다. 대부분의 신경세포에는 여러 개의 수상돌기가 있으며, 세포의 수용면적을 증가시키는 역할을 한다. 수상돌기는 나뭇가지 모양으로 뻗어 있어 하나의 신경원이 여러 다른 신경세포에서 기원된 수많은 축삭종말로부터 들어오는 정보를 수용하고 종합할 수 있다.

3) 축삭(axons, 원심성 신경통로)

거의 모든 신경원에는 단 하나의 축삭이 있으며, 아주 드물게는 축삭이 없는 경우도 있다. 축삭은 원통형의 돌기로 신경원의 종류에 따라 그 길이와 직경이 다르다. 일부 신경원에는 짧은 축삭이 있는 경우도 있지만, 대부분의 축삭은 매우 긴 돌기이다. 세포체에서 다른 신경원으로 전기적 활동전위를 전달하고 활성화한다(신경전달물질 함유).

4) 수초(말이집)

많은 축삭들은 지질이 풍부한 수초(말이집, myelin sheath)에 덮여 있다. 신경세포는 축삭의 수초 유무에 따라 유수신경과 무수신경으로 나뉘는데, 수초는 신경초세포(슈반세포)에 의해 형성된다. 수초와 수초 사이에는 일정 간격으로 신경섬유마디가 존재하며, 신경신호는 신경섬유마디를 뛰어 넘어 축삭을 따라 전도되기 때문에 유수신경 자극전도 속도는 무수신경의 자극전도 속도보다 훨씬 빠르다.

5) 신경아교세포

신경조직은 약 100억 개 정도의 신경세포와 이의 약 5~50배로 추산되는 신경아교세포로 구성되어 있다. 신경세포는 신호 전달 등 신경조직의 본질적인 기능을 담당하고, 신경아교세포는 혈관과 신경세포 사이에 위치하여 신경세포의 지지와 결합, 신경세포로의 영양 공급과 노폐물 제거 같은 물질 교환 등의 기능을 하여 신경세포의 기능을 보조해 주는 역할을 한다.

6) 시냅스와 신경전달물질

시냅스(신경연접, synapse)는 신경세포 사이에서 신경전달이 일어나는 부위이다. 한 신경세포의 축삭이 또 다른 신경세포의 수상돌기에 접촉하는 접합부위를 시냅스라고 한다. 시냅스에서는 신호를 전달하기 위해 신경전달물질을 포함하고 있는 시냅스소포가 있는데 신경세포에서 흥분이 전도되어 시냅스에 도달하면 시냅스소포가 터지면서 신경전달물질이 시냅스 틈으로 분비된다. 시냅스 후 신경세포로 신경전달물질이 결합되면 이 세포로 흥분 전달이 이루어진다. 신경전달물질에는 아세틸콜린, 노르에피네프린, 에피네프린, 아드레날린, 글루타민산, 도파민, 세로토닌 등의 물질이 있다.

2. 분류

신경계는 두 가지로 분류한다. 중추신경계(central nervous system)는 뇌와 척수로 구성되어 있으며, 말초신경계(peripheral nervous system)는 대부분이 신경이라는 전달라인으로 이루어져 있어 중추신경계와 신호를 연결한다. 신경은 경섬유(수상돌기와 축삭)의 무리로서 결합조직에 의하여 단단히 둘러싸여 있다. 말초신경계는 신경절을 포함하는데, 이는 뉴런의 신경세포체들의 집합체이다.

뉴런은 세 가지 기능적인 형태로 존재하는데, 바로 이것이 신경계의 세 가지 주요한 기능에 해당한다(그림 7-3). 감각뉴런(sensory neuron)은 감각을 입력하는 기능을 한다. 즉, 피부와 같은 감각수용기로부터 중추신경계로 정보를 전달한다. 감각뉴런의 수상돌기는 신호를 감각수용기로부터 그 세포의 축삭으로 전달하며, 축삭은 신호를 중추신경계로 전달한다.

두 번째 형태의 사이뉴런(inter neuron)은 거의 대부분이 중추신경계 내에 존재한다. 감각뉴런으로부터 자료를 통합하여, 세 번째 형태의 신경세포인 운동뉴런(motor neuron)으로 적당한 신호를 중계한다. 운동뉴런의 축삭은 신호를 중추신경계로부터 근육세포 같은 효과기세포로 전달하여 반응을 일으킨다.

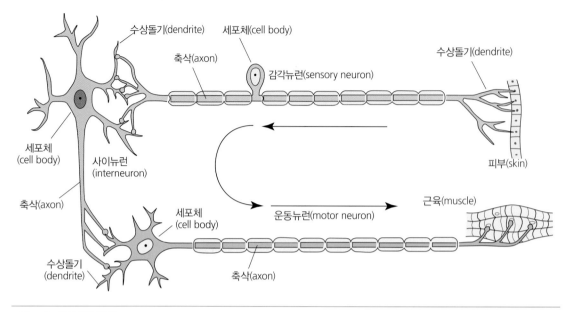

그림 7-3. 신경계의 분류.

1) 중추신경계

편의상 뇌와 척수로 구분하는 중추신경계 기능의 특징은 반사와 통합기능이다. 반사란 말초의 자극이 수용기를 흥분시키면 구심신경을 따라 중추신경에 도달하며, 그 곳에서 정보를 분석하여 그에 적절한 반응을 원심신경을 통해 신체 각 부분에 보내어져 효과기에서 신체반응을 나타낸다. 통합이란 반사에 의한 운동반사와 학습과 기억처럼 고등한 정신기능의 연합에 의해 이해, 언어, 상상, 이성, 인격 등의 기능을 통합하여 무엇인가를 인식하게 하는 총괄적 기능을 의미한다.

일반적으로 뇌는 대뇌(cerebrum; 대뇌피질, 기저핵, 변연계), 뇌간(brain stem; 간뇌, 중뇌, 뇌교, 연수)과 소뇌(cerebellum)로 구분할 수 있다. 뇌는 척수와 같이 반사중추역할도 하여 운동, 감각, 조건반사에도 관여할 뿐 아니라 기억, 사고, 정서, 판단, 감정 등의 정신기능도 아울러 수행하고 있다. 척수는 가장 저위 수준에 있으며, 연수, 중뇌, 시상하부, 시상 및 대뇌피질 순으로 기능이 고위화되어 있다.

2) 말초신경계

말초신경계는 그 기능에 따라 체성신경계(somatic nervous system)와 자율신경계(automatic nervous system)로 나눌 수 있다.

(1) 체성신경계

대뇌의 지배를 받는 신경으로, 뇌에서 나온 12쌍의 뇌 신경 중 8쌍과 척수에서 나온 31쌍의 척수 신경 중 28쌍이 체성신경이다. 체성신경에는 감각기관에 분포하여 감각기로부터 오는 흥분을 감각기로 보내는 감각신경과 몸통과 팔다리의 골격근에 분포하여 중추에서 반응기로 보내는 운동신경이 연결되어 있다.

(2) 자율신경계

자율신경계는 체성신경계와 달리 대뇌피질의 직접적인 지배를 받지 않고 독자적인 작용을 하는 신경이다(그림 7-4). 자율신경은 뇌에서 나온 것, 척수의 흉부 및 요부에서 나오는 것, 척수의 최하단부에서 나오는 것 등이 있다.

자율신경계는 목적장소까지 가는 도중 반드시 신경연접을 하고 있으며, 이 연접부위는 신경세포가 모여 신경절(ganglion)을 형성하고 있다. 경절의 위치에 따라 자율신경계를 교감신경계와 부교감신경계로 나눈다. 교감신경과 부교감신경은 서로 길항적으로 작용하며 부교감신경이 흥분하면 휴식이나 평화적인 상태로 나타나고, 교감신경이 흥분하면 전투상태를 나타낸다.

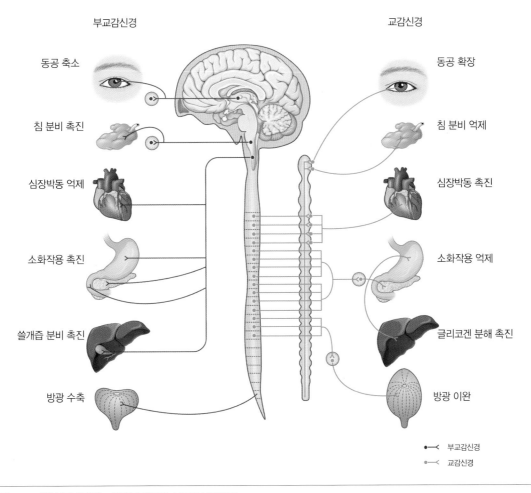

그림 7-4. 자율신경계통의 교감신경세포와 부교감신경세포.

① 교감신경

신경절이 척추 근처에 있으며 절전 섬유가 짧고, 절후 섬유가 길다. 절전 섬유 끝에서는 아세틸콜린이 분비되고 절후 섬유 끝에서는 아드레날린(에피네프린)이나 노르아드레날린(노르에피네프린)이 분비된다. 척수의 흉수와 요수에서 나와 교감신경간(신경절의 집단)을 거쳐 나간다.

② 부교감신경

절전 섬유가 길고, 절후 섬유가 짧다. 절전, 절후 섬유 끝에서 모두 아세틸콜린이 분비된다. 중뇌, 연수 및 척수의 선수에서 나온다.

3. 신경섬유의 종류

해부학적으로 신경섬유는 축삭 주위를 둘러싸는 수초와 신경초(슈반세포체)의 존재 유무에 따라 4종류로 나뉜다.

(1) 유초유수섬유

축삭이 수초로 둘러싸이고 다시 그 주위가 신경초로 싸인 신경섬유로 뇌척수신경의 대부분이 여기에 속한다.

(2) 무초유수섬유

수초만 갖는 신경섬유로 중추신경내 백질을 통과하는 신경섬유 대부분이 여기에 속한다.

(3) 유초무수섬유

단순히 무수섬유라고 불리며, 자율신경계 중 교감신경 대부분이 여기에 속한다.

(4) 무초무수섬유

축삭이 노출된 것으로 중추신경의 회백질에서 흔히 볼 수 있다.

PART

3

발생학

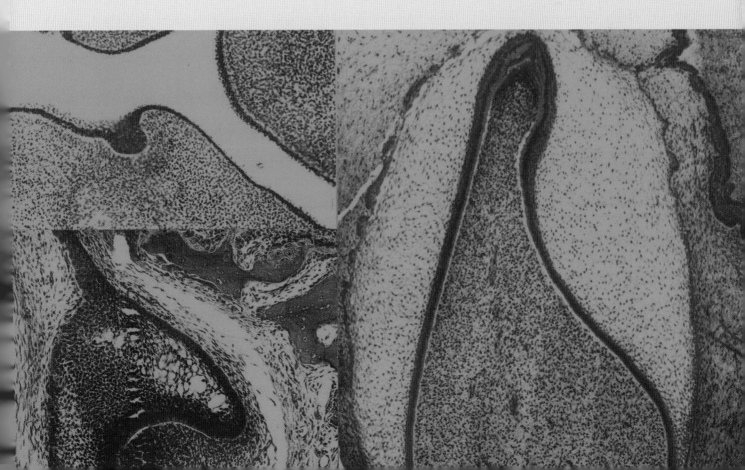

Chapter 08

인체의 발생

학습목표
1. 수정과 착상과정을 설명할 수 있다.
2. 이배엽성 배반의 구조와 형성과정을 설명할 수 있다.
3. 삼배엽성 배반의 구조와 형성과정을 설명할 수 있다.
4. 신경능선세포의 중요성을 이해할 수 있다.

인체의 발생은 수정으로부터 시작된다. 남성의 정자(sperm)와 여성의 난자(ovum)가 결합하여 수정란(fertilized ovum)을 형성하고, 수정과 함께 시작된 인간의 발생은 세포의 증식(proliferation), 성장(growth), 분화(differentiation) 및 통합(integration) 등의 과정에 의해 성숙한 개체로 태어나게 된다. 이와 같은 수정에서부터 시작하여 출생 이전까지의 발달과정을 연구하는 학문을 발생학 혹은 태생학이라고 한다.

출생 전의 발생은 일련의 세 단계로 구분된다. 첫째 단계는 수정부터 4주 정도까지의 발생이다. 이 시기에는 주로 세포증식과 이동이 일어나며, 일부 세포군의 분화도 동반된다. 이 시기에 선천성기형이 생기는 경우는 거의 없다. 왜냐하면 장애가 심할 경우 배자 전체가 소실되기 때문이다. 둘째 단계는 발생 5~8주에 해당하며, 모든 중요한 외부 구조물과 내부 구조물들이 분화되는 것(형태발생, morphogenesis)이 특징이다. 이 시기는 매우 복잡한 배자발생과정을 포함하고 있기 때문에 특히 손상받기 쉬운 시기이며, 따라서 많은 선천성기형이 이 시기에 발생된다. 셋째 단계는 8주말에서 임신말기까지로 주로 성장(growth)과 성숙(maturation)이 일어난다.

첫째 단계와 둘째 단계를 합하여 배자기(배아기, embryonic period)라 하고, 셋째 단계를 태아기(fetal period)라 한다. 이때 형성 중에 있는 개체를 그 발생시기에 따라서 각각 배자(배아, embryo)나 태아(fetus)라고 부른다(그림 8-1).

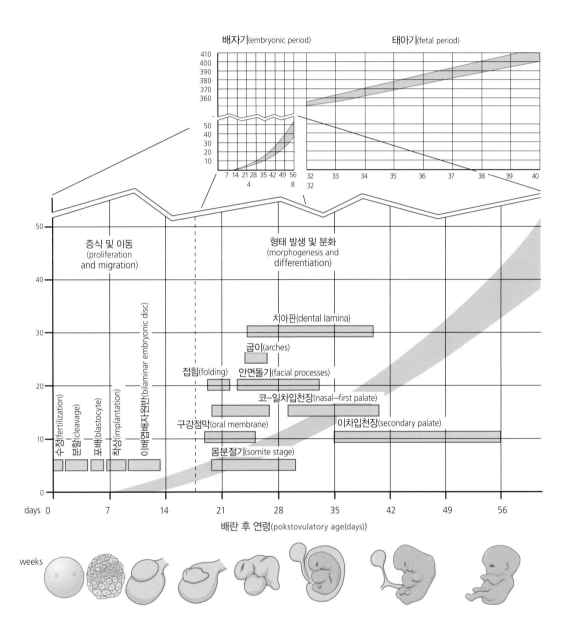

그림 8-1. 출생 전 발생순서. 위 그림은 배자기와 태아기를 구분하여 보여주고 있다. 배자기 그림의 진한부분을 아래 그림에 확대하고 증식, 이동, 형태발생 및 분화단계를 구분하여 표시하였다.

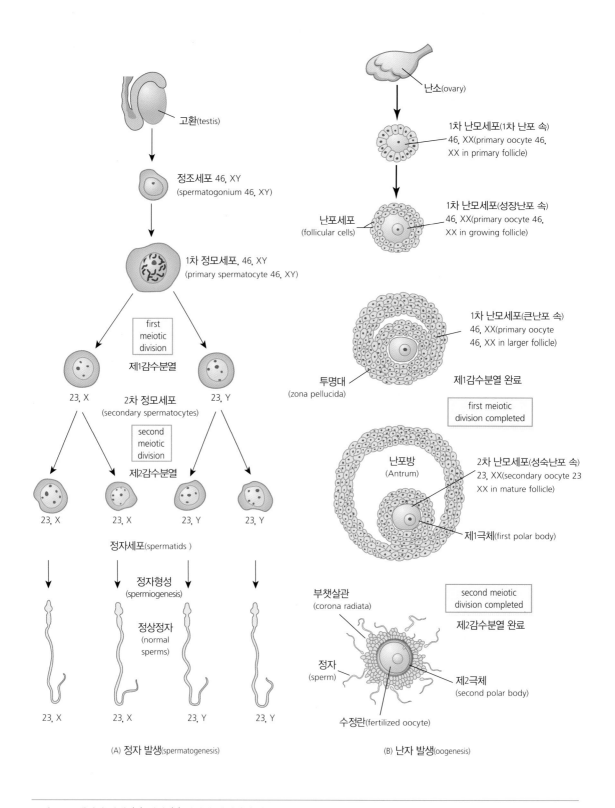

고환(testis)

정조세포 46, XY
(spermatogonium 46, XY)

1차 정모세포, 46, XY
(primary spermatocyte 46, XY)

first
meiotic
division

제1감수분열

2차 정모세포
(secondary spermatocytes)

23, X   23, Y

second
meiotic
division

제2감수분열

23, X   23, X   23, Y   23, Y

정자세포(spermatids)

정자형성
(spermiogenesis)

정상정자
(normal
sperms)

23, X   23, X   23, Y   23, Y

(A) 정자 발생(spermatogenesis)

난소(ovary)

1차 난모세포(1차 난포 속)
46, XX(primary oocyte 46,
XX in primary follicle)

난포세포
(follicular cells)

1차 난모세포(성장난포 속)
46, XX(primary oocyte 46,
XX in growing follicle)

1차 난모세포(큰난포 속)
46, XX(primary oocyte
46, XX in larger follicle)

투명대
(zona pellucida)

제1감수분열 완료

first meiotic
division completed

난포방
(Antrum)

2차 난모세포(성숙난포 속)
23, XX(secondary oocyte 23
XX in mature follicle)

제1극체(first polar body)

second meiotic
division completed

제2감수분열 완료

부챗살관
(corona radiata)

정자
(sperm)

제2극체
(second polar body)

수정란(fertilized oocyte)

(B) 난자 발생(oogenesis)

그림 8-2. 생식자 발생. (A) 정자, (B) 난자의 생식자의 발생.

1. 생식자 발생

고도로 분화된 성세포인 정자와 난자를 생식자(gamete)라고 한다. 생식자 발생(gametogenesis)은 생식의 첫 단계이며, 남성에게는 정자, 여성에게는 난자가 형성되는 과정이다. 남성의 생식기와 여성의 생식기는 성세포를 만들어내는 성선, 형성된 성세포의 수정을 돕고 수정란의 착상 및 발달과 관계되는 생식관, 생식과정과 관련된 분비물을 만들어내는 부생식선, 그리고 성교와 관계되는 외부생식기 등으로 이루어진다.

정자의 발생은 고환(testis)의 정조세포(spermatogonia)가 정자(sperm)로 발생되는 일련의 과정으로, 이 과정은 사춘기에 시작되어 평생동안 지속된다(그림 8-2 A).

한편 난자(ovum)의 발생은 난소(ovary)에서 난조세포(oogonia)가 난자(ovum)로 발생하는 일련의 과정을 말한다(그림 8-2 B). 이는 출생 전부터 시작되어 출생 후 일단 중지되었다가 사춘기에 다시 진행되어 갱년기(폐경기, menopause)에 끝난다.

사람의 일반 세포는 46개의 염색체(chromosome, 44XX 혹은 44XY)를 가지고 있다(그림 8-3). 그러나 정자와 난자의 염색체 수는 일반세포의 반수인 23개로, 정자는 22+X 또는 22+Y의 염색체를, 난자는 22+X의 염색체를 가진다. 따라서 X 염색체를 가진 정자와 난자가 수정(fertilization)되면 여성(XX), Y 염색체를 가진 정자와 난자가 수정되면 남성(XY)이 된다.

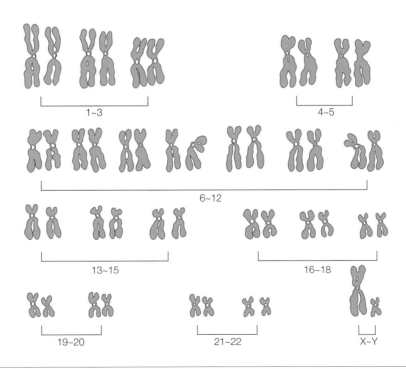

그림 8-3. 상염색체와 성염색체. 염색체 번호 22까지 44개의 염색체를 상염색체라 한다. 남은 2개, 즉 XX 또는 XY를 성염색체라 한다.

2. 수정 및 분할 – 발생 1주

인체의 발생은 난자와 정자가 수정되면서부터 시작된다. 수정(fertilization)이란 정자와 난자의 결합을 의미하며, 난관팽대부에서의 수정 결과 새로운 수정란 혹은 접합자(zygote)를 형성한다. 정자는 성교를 통해 여성생식도로 운반되어 여성에서 난소의 벽을 뚫고 빠져나온 난자와 난관의 팽대부에서 수정되어 수정란을 형성한다(그림 8-4).

정자와 난자는 생체에서 약 1~2일 간을 살며, 왕성한 활동을 할 수 있는 시간은 12시간 이내이다. 정자와 난자가 결합하여 수정이 완료되면 염색체수는 46개로 되며, 남성 혹은 여성이 되기 위한 성(sex)이 결정된다.

수정란은 유사분열 과정을 통해 빠른 속도로 분할(난할, cleavage)하여 2세포기, 4세포기 등을 거쳐 수정 후 약 3일 자궁강에 이른다. 이때의 모양이 오디(뽕나무 열매)와 비슷하여 오디배(상실배, 16세포기, morula)라고 한다(그림 8-5).

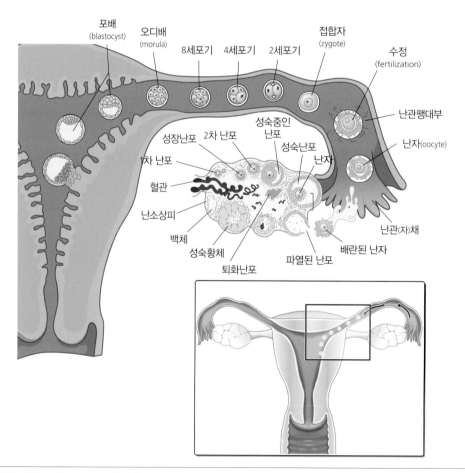

그림 8-4. 발생 1주의 요약. 난자는 포착되어 난관으로 들어가고, 난관팽대부에서 수정된다. 수정란은 곧 세포분열을 시작하고, 2세포기, 4세포기, 8세포기를 거쳐 16세포기(모시배, 오디배)에 자궁 내로 들어가 포배가 되어 자궁내막에 착상한다.

자궁강 내에 도달한 오디배는 세포분열을 계속하며, 자궁강의 액체가 침투해 들어와 발생 4일경 오디배를 이루는 세포들 사이에 작은 강이 출현한다. 액체가 증가하면서 내부의 세포집단이 한쪽으로 모이며, 하나의 큰 공간인 포배강(주머니배공간, blastocyst cavity)을 형성한다. 이 시기를 포배(주머니배, blastocyst)라고 부른다(그림 8-6).

오디배는 포배강의 형성으로 인하여 표면에 배열된 세포층인 영양막(trophoblast)과 내부세포집단(inner cell mass)인 배자모체(embryoblast layer)로 나뉘게 된다.

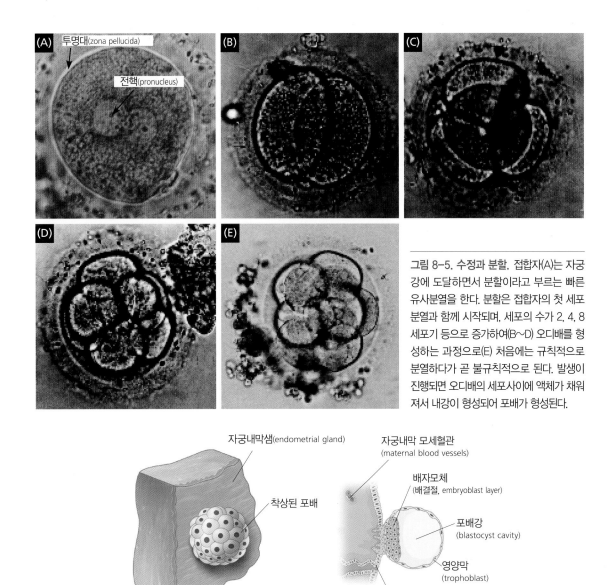

(A) 투명대(zona pellucida)
전핵(pronucleus)

(B)

(C)

(D)

(E)

그림 8-5. 수정과 분할. 접합자(A)는 자궁강에 도달하면서 분할이라고 부르는 빠른 유사분열을 한다. 분할은 접합자의 첫 세포분열과 함께 시작되며, 세포의 수가 2, 4, 8 세포기 등으로 증가하여(B~D) 오디배를 형성하는 과정으로(E) 처음에는 규칙적으로 분열하다가 곧 불규칙적으로 된다. 발생이 진행되면 오디배의 세포사이에 액체가 채워져서 내강이 형성되어 포배가 형성된다.

자궁내막샘(endometrial gland)
착상된 포배
자궁내막 모세혈관 (maternal blood vessels)
배자모체 (배결절, embryoblast layer)
포배강 (blastocyst cavity)
영양막 (trophoblast)
자궁상피 (uterine epithelium)

그림 8-6. 착상을 시작하는 포배. 발생 5~6일에 포배의 배자모체쪽이 자궁내막상피와 접촉한 후, 영양막의 세포가 상피세포사이로 들어가서 착상(implantation)이 시작된다.

영양막층은 태아막 및 태반으로 될 부분이고, 내부세포집단은 후에 배자로 될 부분이다. 발생 1주 말이 되면, 포배는 이동을 멈추고 자궁내막 상피에 착상(implantation)을 시작한다(그림 8-6).

3. 이배엽성 배반(이층배자원반)의 형성 – 발생 2주

발생 2주에는 발생 1주 말에 시작된 착상이 완료되고, 착상된 포배의 배자모체는 분화되어 양막공간으로 향하는 배자외배엽(embryonic ectoderm)과 포배의 내강으로 향하는 배자내배엽(embryonic endoderm)의 이층배자원반(배반, embryonic disc)을 형성한다(그림 8-7).

배자외배엽인 위판은 긴 원주세포로 이루어진 두꺼운 층으로 외배엽과 영양막 사이에 형성된 공동인 양막강과 접하고 있고, 배자내배엽인 아래판은 작은 입방형의 세포로 아래판의 주변으로부터는 포배의 내강을 싸는 세포층이 뻗어 나온다. 아래판과 여기서 뻗어나온 상피로 쌓인 주머니를 1차 난황낭(primary yolk sac)이라고 한다.

발생 2주 말경에는 배자내배엽은 휴저막을 따라 증식하고, 후에는 공간 내벽에서 떨어져 포배강보다 작은 2차 난황낭을 형성한다. 이때 1차 난황낭이었던 부분은 이후 배외체강(extraembryonic coelom)이라고 한다(그림 8-8).

4. 삼배엽성 배반(삼층배자원반)의 형성 – 발생 3주

발생 3주는 월경을 거른 첫 주에 해당하는 시기로 삼배엽층이 형성되고 중요한 세 구조인 원시선(primitive streak), 척삭(notochord) 및 신경관(neural tube)이 형성된다.

1) 장배형성(gastrulation)

세포의 이동에 의해 이층배자원반이 삼층배자원반으로 변화하는 과정을 장배형성이라 한다. 이 과정을 통해 각 세포들이 장기라던가 근육같은 것 등이 결정되는 것이다.

장배형성은 원시선의 형성과 함께 시작되며 이 시기의 배자를 장배(낭배, gastrula)라 한다. 장배형성 과정 중 원시선, 척삭 및 중배엽층의 형성이 주요 발생과정이다.

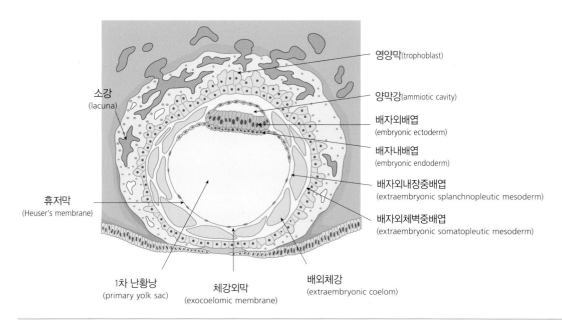

영양막(trophoblast)
양막강(ammiotic cavity)
배자외배엽
(embryonic ectoderm)
배자내배엽
(embryonic endoderm)
배자외내장중배엽
(extraembryonic splanchnopleutic mesoderm)
배자외체벽중배엽
(extraembryonic somatopleutic mesoderm)
소강
(lacuna)
휴저막
(Heuser's membrane)
1차 난황낭
(primary yolk sac)
체강외막
(exocoelomic membrane)
배외체강
(extraembryonic coelom)

그림 8-7. 발생 2주 중간(발생 약 12일)의 포배. 배자외배엽과 영양막 사이에 공동이 형성되고, 액체가 가득차게 되는데 이를 양막강이라 하고, 그 내강을 채우는 액체를 양수라 한다. 결국 발생이 진행되면서 양수는 태아를 완전히 감싸게 된다. 이때의 포배강을 1차 난황낭이라 한다.

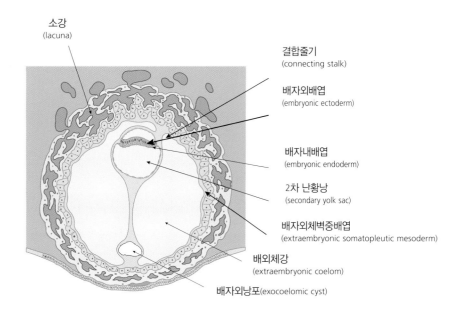

소강
(lacuna)
결합줄기
(connecting stalk)
배자외배엽
(embryonic ectoderm)
배자내배엽
(embryonic endoderm)
2차 난황낭
(secondary yolk sac)
배자외체벽중배엽
(extraembryonic somatopleutic mesoderm)
배외체강
(extraembryonic coelom)
배자외낭포(exocoelomic cyst)

그림 8-8. 발생 2주 말(발생 5기 말에서 발생 6기로 이행되는 배자, 발생 약 13일)의 인간 낭포배. 자궁태반순환이 시작되며 2차 난황낭이 형성되어 있다. 1차 난황낭의 표면은 휴저막(Heuser's membrane)이라는 세포로 덮이고 이 휴저막을 따라 내배엽의 세포가 증식하여 점차 자궁벽에서 박리되어 2차 난황낭(secondary yolk sac)을 형성한다. 난황낭은 태아의 영양에 관여하지만 후에는 흡수되어 소화기(위, 장)의 원기가 되며 결합줄기는 제대(탯줄)을 형성한다.

(1) 원시선의 형성

발생 초의 배자에는 머리와 몸통, 사지를 구분할 만한 어떠한 구조가 없다. 이런 상태에서 처음 출현한 것이 바로 원시선이다. 원시선의 출현으로 머리와 꼬리, 복측면과 배측면, 좌우를 구별할 수 있다(그림 8-9).

원시선은 발생 3주 초에 배자원반 위판(배자외배엽)의 꼬리쪽이 선상으로 두꺼워져 발생한다. 원시선은 처음에는 단순한 세포의 밀집에 불과하고 희미하게 구별되지만 곧 외배엽 세포가 이동하기 시작하면서 양측이 약간 융기되어 좁은 홈인 원시구(primitive groove)를 형성한다. 원시선의 머리 쪽 끝은 증식하여 약간 융기된 부분을 원시결절(primitive node)이라 부르고, 원시결절 위치에 해당하는 오목하게 들어간(원시구) 부분을 원시오목(primitive pit)이라 한다. 원시선의 미측부로 외배엽 세포가 계속 추가되면서 원시선은 점차 길어진다.

(2) 중배엽의 형성

원시선과 원시결절 부위에서 외배엽 세포들이 내부로 이동하면서 외배엽과 내배엽 사이에 새로운 세포층을 형성하게 되는데(그림 8-10), 이 세포층을 배자내 중배엽(intraembryonic mesoderm)이라 부른다(그림 8-11).

이렇게 형성된 3층의 세포들은 나중에 각각 고유의 장기들로 분화된다. 외배엽에서는 주로 신경조직, 피부조직(표피), 피부의 부속기관 및 감각기관의 주요부분으로 분화된다. 따라서 뇌, 척수, 귀, 눈, 코, 피부 등이 여기에서 유래한다. 그리고 중배엽은 결합조직성분, 즉 골, 지방, 연골, 근육, 피부의 진피, 순환기계통 등을 생성하며, 내배엽은 소화기관(간과 췌장 포함), 호흡기관, 배설기관에 해당하는 조직인 간, 허파, 방광, 이자 등을 만들어낸다.

(3) 척삭의 형성

외배엽의 세포는 원시선을 향해 이동하고, 원시선에서 밑으로 내려가서 중배엽세포가 되며, 외배엽과 내배엽 사이에서 여러 방향으로 나아간다. 단, 정중선상으로 머리쪽을 향해 나아가는 세포는 척삭이라는 조직을 형성한다(그림 8-12).

발생 3주 초에 원시결절의 세포들은 배자내 중배엽 조직 사이의 정중부에서 머리 쪽의 척삭전판(prochordal plate, 배자의 머리쪽의 외배엽과 내배엽이 밀착되어 중배엽의 진입을 막고 있는 부분)쪽으로 연장되어 척삭돌기(notochordal process)를 형성한다. 이 돌기는 내배엽과 외배엽이 단단히 붙어 있는 척삭전판에서 이동이 정지된다.

척삭돌기가 발달하면서 원시오목이 돌기 속으로 뻗어 발생 3주 중간에 척삭관(notochordal canal)이 형성된다. 그 후 척삭돌기는 바닥이 복측의 내배엽과 합쳐지며, 이 부위가 퇴화되면서 척삭돌기의 바

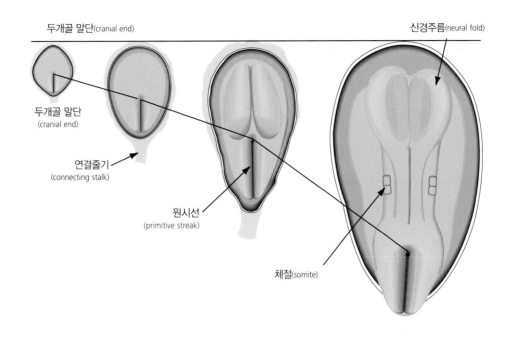

그림 8-9. 발생 2주 말에서 3주 말까지의 배자원반의 외형 변화. 원시선조와 척삭은 계속 길어지지만, 원시선조는 배자원반의 다른 부분이 빠르게 성장하므로 뚜렷하지 않게 된다. 왼쪽부터 발생 2주 말(발생 6기), 발생 3주 초(발생 7기), 발생 3주 중간(발생 8기), 발생 3주 말(발생 9기).

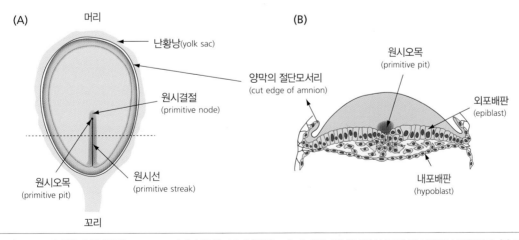

그림 8-10. 장배(창자배) 형성(gastrulation). (A) 발생 3주 초(발생 7기) 배자의 배측면 원시선조와 원시결절이 관찰된다. (B) 배자 미측부를 잘라낸 후의 배자원반. 외포배판세포들이 화살표(노란색) 방향으로 원시선조를 따라 합입되고 원시결절이 관찰된다. (A) 점선을 따라 절단한 단면이 그림 (B)이다.

닥에 척삭관과 난황낭을 연결시키는 구멍이 형성된다. 이 구멍들은 빠르게 합쳐져서 척삭관의 바닥이 소실되면서 원시오목은 신경장관(neurenteric canal)으로 된다. 이어 내배엽층에 끼어 있는 척삭돌기의 부분은 편평한 척삭판(notochordal plate)을 형성하며, 척삭판은 세포가 증식되면서 휜다. 이와 함께 머리 쪽에서부터 내배엽과 점차 분리되어 발생 4주 중간에 완성척삭(definitive notochord)을 형성하며, 내배엽은 척삭의 복측에서 다시 연속된 층으로 된다(그림 8-12).

척삭 주위에는 척주가 형성되는데, 척추체가 발생하는 곳에서는 척삭이 퇴행되어 없어지지만 척추골 사이원반 위치에서는 수핵(nucleus pulposus)으로 남는다. 척삭에서 유래한 세포들은 소아기 초에 퇴행되어 수핵은 인접 중배엽세포로 대치된다.

척삭동물에서는 척삭이 골격의 역할을 담당하지만 인간배자에서는 척삭돌기에서 발달해 배자의 정중 축을 형성하는 세포띠에 불과한 것이다.

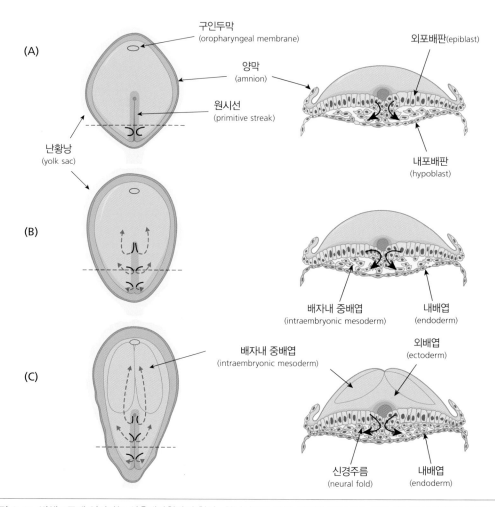

그림 8-11. 발생 3주에 일어나는 삼층배자원반의 형성. 원시선조를 따라 함입된 외포배판 세포들은 내포배판을 밀어내고 내배엽을 형성하여 중포배판(mesoblast)을 형성해 이층배자원반을 삼층배자원반으로 발생시킨다. 왼쪽 그림에 표시된 선을 지나는 단면을 오른쪽에 나타냈다.

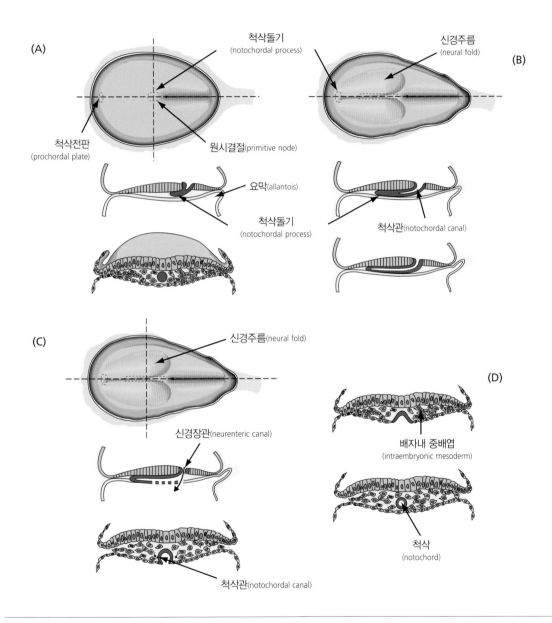

그림 8-12. 척삭의 발생. (A) 발생 3주 초(발생 7기) 배자의 배측면 및 표시된 선을 지나는 종단면과 횡단면. 발생 3주 초에 중배엽이 형성되는 평면을 따라 정중선상에 척삭돌기가 형성된다. (B) 발생 3주 중간(발생 8기 초) 배자의 배측면 및 표시된 선을 지나는 종단면. 척삭돌기가 길어지면서 원시와가 연장되어 척삭관이 형성된다. (C) 발생 3주 중간(발생 8기 말) 배자의 배측면 및 표시된 선을 지나는 종단면과 횡단면. 척삭관의 복측부가 퇴화되어 양쪽 내배엽 사이에 끼어 있는 척삭판이 형성되며, 일시적으로 양막강과 난황낭을 연결하는 신경장관이 형성된다. (D) 발생 3주 말(발생 9기) 및 발생 4주 초 배자의 횡단면. 척삭판은 휘고 속이 차게 되어 완성 척삭이 형성된다.

2) 신경배 형성

　신경판, 신경주름 및 신경관이 형성되는 일련의 과정을 신경배형성(neurulation)이라 하며 이 시기의
배를 신경배(neurula)라 한다.

　장배형성이 끝나면, 3층의 배자 꼬리 쪽 원시선이 있는 반대편인 머리 쪽 부분의 외배엽의 세포들이
두꺼워지면서 신경판(neural plate)을 형성하게 되는데, 신경판의 등장이 신경관(neural tube) 형성단계
의 시작을 알리는 신호이다. 신경판은 수정 후 3주 말 즈음에 관찰된다(그림 8-13). 이렇게 신경판이 형
성되기 전에 신경판 아래에는 중배엽에서 유래된 척삭이 신경관 형성단계에서 신경판을 형성하는데 기
여하게 된다.

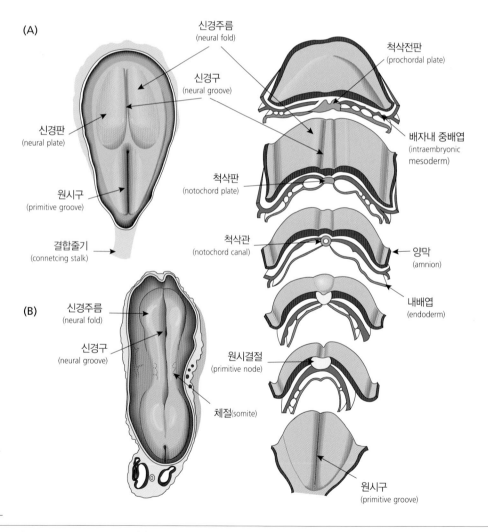

그림 8-13. 발생 3주 중간 및 말의 배자. (A) 발생 약 18일(발생 8기)의 배자. 배자 두측부에서 신경주름(neural fold)이 관찰된다. (B) 발
생 3주 말(발생 9기) 배자. 양쪽 신경주름 사이의 신경구(neural groove)가 뚜렷하며, 체절(somite)이 형성되기 시작한다.

(1) 신경판의 발생

태생 3주에는 척삭 발생과 함께 이를 덮는 외배엽은 두꺼워지기 시작하여 긴 슬리퍼 모양의 신경판 (neural plate)으로 된다. 신경판의 외배엽은 신경외배엽(neuroectoderm)이라 하고, 뇌와 척수로 구성되는 중추신경계(central nerve system, CNS)를 형성한다. 신경판은 원시결절 두측의 척삭돌기와 주변 중배엽의 배부에서 처음 형성된다. 척삭돌기가 길어지면 신경판은 넓어져 결국 머리쪽으로 구강인두막까지 뻗는다. 발생 18일 정도가 되면 신경판은 중앙축을 따라 함몰되어 세로로 신경구(신경고랑, neural groove)가 형성되며, 신경구의 면을 신경주름(neural fold)이라 부른다. 발생 3주말(20일 경)에는 양쪽 신경주름 사이의 신경구가 뚜렷하며 체절(somite)이 형성되기 시작한다(그림 8-13).

(2) 신경관의 발생

신경관 형성은 향후 목 위치가 되는 제4체절(4th somite) 부위에서 시작되어 머리 쪽과 꼬리쪽으로 진행되면서 형성된다. 즉, 발생 3주 말에 양쪽의 신경주름이 더욱 두꺼워지면, 정중선을 향해서 서로 접근 및 융합하여 중추신경계의 원기가 되는 신경관(neural tube)을 만들며, 양막강의 밑면을 형성하고 있는 외배엽과 신경관 사이에 중배엽이 끼어듦에 따라 신경관은 외배엽으로부터 분리된다.

그러나 양쪽 신경 주름이 만나 관 모양의 신경관이 형성되어야 정상인데, 일부 부위에서 신경 주름이 열려 관을 형성하지 못하게 되어 신경관 결손 기형을 형성할 수 있다(그림 8-14).

(A) 무뇌아
(anencephaly)

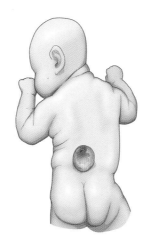

(B) 척추 이분증
(spina bifida)

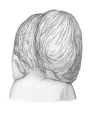
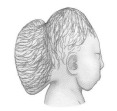

(C) 뇌탈출증
(encephalocele)

그림 8-14. 신경관 결손 기형의 종류.

(3) 신경능선의 발생

신경주름이 융합하여 신경관이 형성될 때, 양쪽 신경주름의 능선을 따라 있는 일부 신경외배엽세포들은 신경관 형성에 관여하지 않고 신경관과 표면외배엽사이에 신경능선(neural crest)을 형성한다. 이 신경능선은 곧 좌·우로 분리되어 신경관의 배외측으로 이동하여 뇌신경과 척수의 감각신경절의 기원이 된다(그림 8-15).

신경능선 세포들은 신경절을 형성하는 것 외에 중간엽조직 속에 흩어져 분포하며, 여러 가지 조직을 만들며 얼굴과 입안의 결합조직을 형성하는 데 관여한다. 뿐만 아니라 상아질, 백악질, 치주인대, 치조

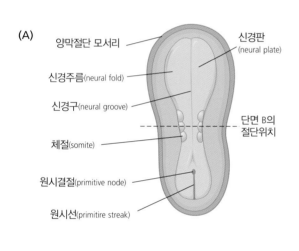

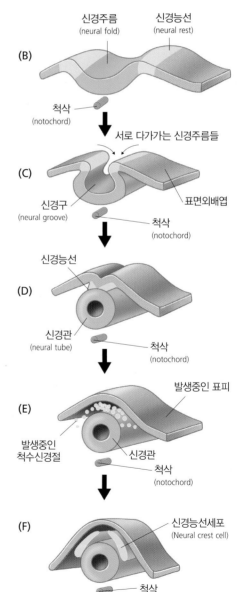

그림 8-15. 신경계통의 초기발생. (A) 신경관이 형성되면서 신경능선이 분리되어 배자속으로 퍼진다. (B) 신경주름의 변연부위에는 특별한 세포가 모여 있으며, 이를 신경능선이라 한다. (C~E) 신경구와 신경관이 형성됨에 따라 신경능선은 일체화된다. (F) 일체화된 신경능선의 일부가 다시 좌우로 나누어져 척수신경절을 형성한다. 기타의 신경능선 세포는 전신에 분포한다.

골의 일부를 형성하는 데도 관련되어 있다. 이처럼 머리부위에서 신경능선세포는 매우 중요한 역할을 한다. 즉, 이들은 발생중인 배자에서 광범위하게 분화되어 뇌감각신경절 및 머리에 존재하는 결합조직의 대부분을 형성한다. 배자의 다른 부위에 존재하는 결합조직은 중배엽 파생물 중의 하나인 중간엽(간엽, mesenchyme)에 의하여 형성되지만, 머리의 결합조직은 신경능선으로부터 유래된 외배엽성중간엽(외배엽성간엽, ectomesenchyme)에 의하여 형성된다. 신경능선세포의 기여는 광범위하고 중요하기 때문에 많은 발생학자들은 이를 네번째 배자층으로 간주해 왔다. 치과영역에서 신경능선세포의 올바른 이주(migration)는 안면과 치아발생에 필수적이며, 법랑질을 제외한 치아조직(상아질, 백악질) 및 치아주위조직은 신경능선세포로부터 직접 유래된다.

신경능선에서 유래한 중간엽을 때로 외배엽성 중간엽(ectomesenchyme)이라 한다.

> **— TIP**
>
> 중간엽(mesenchyme)은 기원에 관계없이 느슨하게 구성된 배자의 결합조직을 말하며, 젤라틴성의 세포외지질과 이에 떠 있는 느슨하게 배열된 중간엽세포로 구성된다. 중간엽세포는 별 모양이며, 활발히 포식작용을 한다. 많은 세포질돌기는 인접 세포에서의 돌기와 접촉되어 망을 형성한다. 이것은 주로 중배엽성 기원이지만 신경능선의 외배엽, 척삭전판의 내배엽은 머리의 중간엽을 형성한다. 중간엽세포들은 원래의 부위에서 다른 부위로 이동해 섬유모세포(fibroblast), 골모세포(osteoblast) 및 연골모세포(chodroblast) 등의 고정 결합조직세포들로 분화하는 다능력을 갖고 있다.

3) 배자중배엽의 발달

척삭과 신경관이 형성되면서 중배엽이 분화하여 여러 부분으로 나뉜다(그림 8-16). 정중선 양쪽 부분은 두꺼워져 축방중배엽(축옆중배엽, paraxial mesoderm)을 형성한다. 축방중배엽은 중간중배엽(intermediate mesoderm)과 연결되고, 중간중배엽은 외측중배엽(가쪽중배엽, lateral mesoderm)과 연결된다. 외측중배엽은 난황낭과 양막을 덮고 있는 중배엽과 연결되어 있다.

발생 3주 말 축방중배엽은 분화되어 쌍을 이루는 입방형 몸체인 체절(몸분절, somite)로 나누어지기 시작한다. 체절은 척삭의 머리 쪽에서 꼬리 쪽으로 순차적으로 나타나며 발육중인 중추신경계의 양쪽에 위치한다. 발생 20일부터 분명해지며 체절의 발생으로 배자의 외형은 크게 변하며, 배자의 나이를 결정하는데 있어 좋은 기준이 되므로 발생 20~30일 사이를 체절기(몸분절 발생기, somitic stage)라 한다(그림 8-17). 체절기 동안에 약 38쌍의 체절이 만들어지며, 5주말까지는 42~44쌍이 존재한다. 각각의 체절은 두 인접한 척추뼈(vertebrae)와 척추원반(disk)을 구성하는 골격분절(sclerotome), 해당부의 근육를 형성하는 근육분절(myotome), 체절을 감싸는 피부의 결합조직을 구성하는 피부분절(dermatom)로 구성되어 있다.

축방중배엽보다 바깥쪽에 존재하는 중간중배엽은 얇은 상태를 유지하는데 이 중배엽은 나중에 비

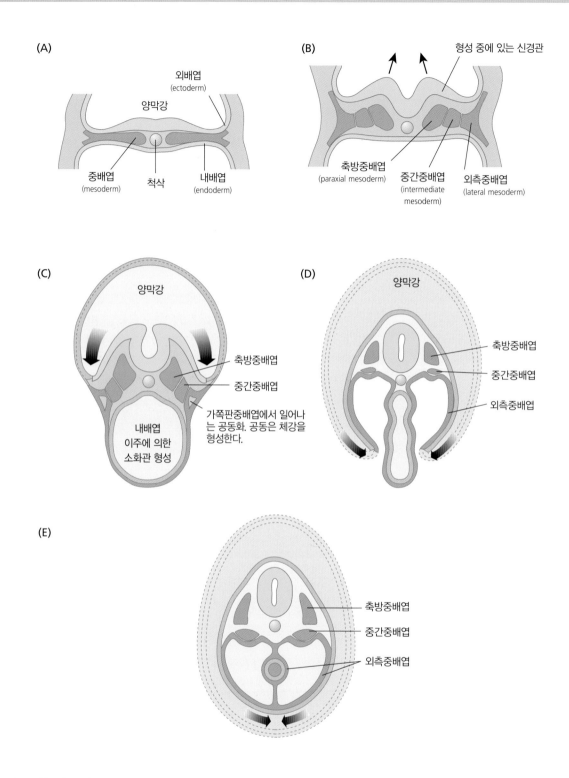

그림 8-16. 중배엽의 분화. (A) 삼층배자원반에서 외배엽과 내배엽 사이에 위치한 중배엽, (B) 축방중배엽, 중간중배엽, 외측중배엽 등 세부분으로 분화된 중배엽, (C~E) 배자의 외측접힘에 따라 양막강이 배자를 둘러싸게 되고, 양막강의 바닥에 있는 외배엽이 표면 상피를 형성한다. 축방중배엽은 신경관 가까이에 남아 있고, 중간중배엽은 재배치되어 배뇨생식기를 형성한다. 외측중배엽은 후에 체강(coelom)으로 전환되는 공동(cavity)이 형성되고, 이를 둘러싸고 있는 중배엽조직은 소화관(gut) 및 복강(abdomal cavity)의 장 액막(serous membrane)을 형성한다.

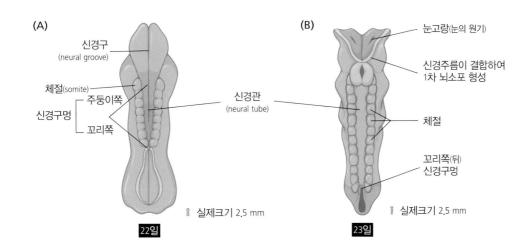

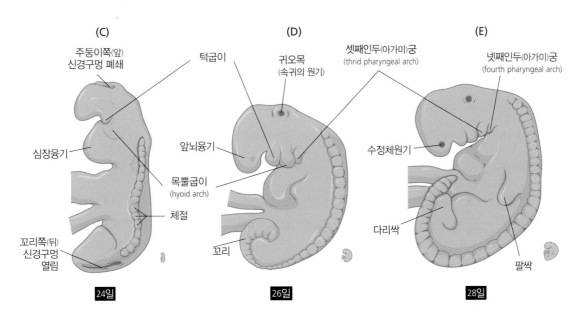

그림 8-17. 발생 4주초 배자의 등쪽 그림. (A) 8쌍의 체절이 있는 발생 22일째 배자, (B) 12쌍의 체절이 있는 발생 23일째 배자, (C) 16쌍의 체절이 있는 발생 24일째 배자, (D) 27쌍의 체절이 있는 발생 26일째 배자, (E) 33쌍의 체절이 있는 발생 28일째 배자.

뇨생식기(urogenital system)를 형성한다. 배자의 중심선에서 가장 바깥쪽으로 위치한 중배엽은 두꺼워져서 외측중배엽을 형성하는데 이 중배엽은 나중에 근육 및 내장의 결합조직, 흉막(pleura), 심장막(pericardium) 및 복막(peritoneum)의 장액막(serous membrane), 혈구 및 림프세포, 비장(spleen), 부신피질(adrenal cortex), 심장혈관계와 림프계를 형성한다.

5. 기관발생기

발생 4~8주까지의 시기를 배자기(embryonic period) 또는 기관형성기(organogenetic period)라고 한다. 이 시기에 모든 주요 기관 및 계통의 원기가 배자를 이루는 삼층배자원반으로부터 형성된다(그림 8-18). 각 배엽층의 세포들은 기관형성(organogenesis) 시에 엄격한 틀에 따라 분열하고, 이동하여 군집을 이루며 분화한다. 중요 배엽층 파생물은 다음과 같다.

외배엽에서는 신체 외부와 접촉을 유지하는 기관 및 구조들이 발생한다. 외배엽은 표면외배엽(surface ectoderm)과 신경외배엽(neuroectoderm)으로 나눌 수 있고, 신경외배엽은 다시 신경관(neural tube)과 신경능선(neural crest)으로 나눌 수 있다. 표면외배엽으로부터는 피부의 표피, 털, 손(발)톱, 한선, 피지선 및 유선의 상피세포, 뇌하수체 전엽, 구강, 뺨, 구강저의 일부, 구강점막 및 선의 상피, 치아의 법랑질, 비강 및 부비동의 상피, 비뇨생식계통 종말부분의 상피 등이 발생한다. 신경관으로부터는 눈의 망막, 뇌 및 척수, 모양체돌기 및 홍채의 상피, 뇌하수체후엽, 시신경, 척수신경의 운동신경근, 뇌신경의 운동신경, 홍채의 근육 등이 발생한다. 신경능선으로부터는 척수신경절, 뇌신경의 감각신경절, 신경초세포, 색소세포, 갑상선의 calcitonin 분비세포, 부신 수질, 척수신경의 감각신경근, 뇌신경의 감각신경, 자율신경절, 인두궁의 근육, 결합조직, 연골, 수막 등이 발생한다.

내배엽으로부터는 위와 창자와 호흡기의 상피, 편도와 갑상선과 부갑상선, 흉선, 간, 췌장의 실질, 방광과 요도의 상피, 고실과 꼭지방과 귀인두관의 상피가 형성된다.

중배엽은 축방중배엽(축엽중배엽, paraxial mesoderm), 중간중배엽(intermediate mesoderm), 외측중배엽(가쪽중배엽, lateral mesoderm)으로 나눌 수 있으며, 축방 중배엽으로부터는 몸통의 근육, 두개골을 제외한 골격, 진피 및 결합조직 등이 발생한다. 중간중배엽으로부터는 중간신장, 후신장, 요관, 신우, 집합요세관, 성선, 생식관 및 부생식선 등을 포함한 비뇨생식계통 등이 발생하며, 외측중배엽에서는 내장과 사지의 결합조직 및 근육, 심장외막, 흉막 및 복막 등의 장막, 부신피질, 성선의 표면상피, 혈구, 비장, 심장근육층, 심장내막, 내피 등이 발생한다.

기관형성기(organogenetic period)가 끝날 무렵, 모든 주요 기관계통(organ system)이 발달하기 시작했지만, 심혈관계통을 제외한 나머지 장기의 기능은 미약하다. 장기가 형성되면서 배자의 모양은 변하게 되고, 발생 8주 말이 되면 배자의 모습은 사람의 모습과 아주 비슷해진다.

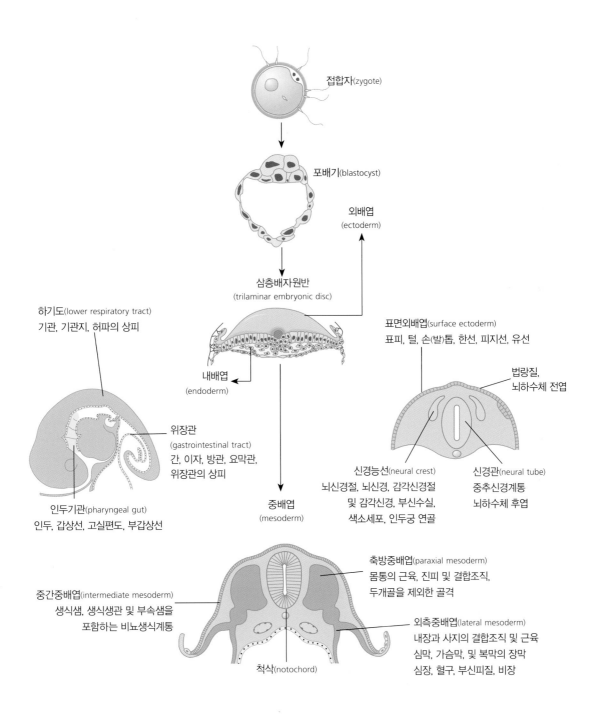

접합자(zygote)

포배기(blastocyst)

외배엽
(ectoderm)

삼층배자원반
(trilaminar embryonic disc)

하기도(lower respiratory tract)
기관, 기관지, 허파의 상피

표면외배엽(surface ectoderm)
표피, 털, 손(발)톱, 한선, 피지선, 유선

법랑질,
뇌하수체 전엽

내배엽
(endoderm)

위장관
(gastrointestinal tract)
간, 이자, 방관, 요막관,
위장관의 상피

신경능선(neural crest)
뇌신경절, 뇌신경, 감각신경절
및 감각신경, 부신수질,
색소세포, 인두궁 연골

신경관(neural tube)
중추신경계통
뇌하수체 후엽

인두기관(pharyngeal gut)
인두, 갑상선, 고실편도, 부갑상선

중배엽
(mesoderm)

축방중배엽(paraxial mesoderm)
몸통의 근육, 진피 및 결합조직,
두개골을 제외한 골격

중간중배엽(intermediate mesoderm)
생식샘, 생식생관 및 부속샘을
포함하는 비뇨생식계통

외측중배엽(lateral mesoderm)
내장과 사지의 결합조직 및 근육
심막, 가슴막, 및 복막의 장막
심장, 혈구, 부신피질, 비장

척삭(notochord)

그림 8-18. 삼층배자원반의 기원 및 유도 구조.

발생 4주 초에 정중면을 기준으로 머리주름(head fold)과 꼬리주름(tail fold) 및 수평면을 기준으로 외측주름(lateral fold) 형성이 일어나, 편평했던 삼층배자원반은 원통 모양이 됨으로써 배자의 형태를 갖추게 된다(그림 8-19). 이때 머리주름은 구와(구강오목, stomatodeum, 원시구강, primitive oral cavity)의 형성에 중요하다. 머리주름의 형성과정을 통해 외배엽이 구와를 덮게 되고, 구와는 협인두막(볼인두막, buccopharyngeal membrane)에 의하여 소화관과 분리되기 때문이다. 배자의 외측부는 빠르게 성장하는 체절 때문에 굽어 왼쪽과 오른쪽에 외측주름을 형성한다(그림 8-20). 이때 각 외측 체벽은 정중선을 향해 전내측으로 접히며, 배자원반의 주변부가 복측으로 접혀 대체로 원통형인 배자가 형성된다. 외측주름형성에 따라 양막강의 바닥에 있는 외배엽이 배자를 둘러싸게 되어 배자의 표면상피를 형성하게 된다. 축방중배엽은 신경관과 척삭 주위에 그대로 존재한다. 외측중배엽은 공간을 만들어 체강(coelom)을 형성하며, 체강을 둘러싸고 있는 중배엽은 체벽(body wall)과 소화관을 덮는다. 중간중배엽은 체강의 등쪽 벽위로 재배치된다. 내배엽은 소화관을 형성한다. 소화관이 발육되는 동안 4쌍의 주머니가 인두를 덮고 있는 가쪽벽에서 돌출되는데 이를 인두낭(인두주머니 또는 아가미낭, pharyngeal arch)이라 한다. 발생 4주째에 원시눈, 귀, 코, 구강 및 턱부위와 함께 얼굴과 목이 발생된다.

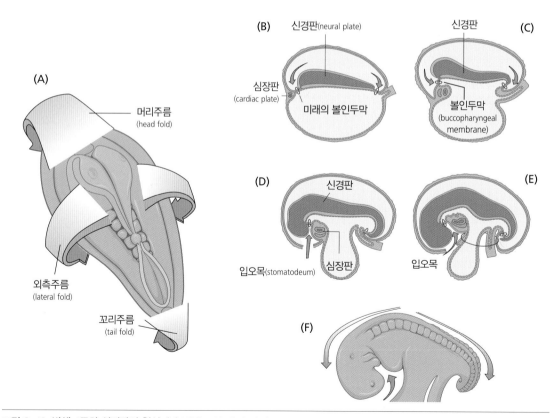

그림 8-19. 발생 4주차 신경판의 형성. (A) 발생 21일 배자. 화살표는 주름형성이 일어나는 부위를 가리킨다. (B~F) 머리 및 꼬리주름형성의 결과를 나타내는 배자의 단면.

배자기에는 성장이 빠르며, 모체 및 태반과의 관계가 정립된다. 배자기에 얼굴이 발달하기 시작하며 눈, 코 및 귀가 나타난다. 또한 사지가 형성되고 손가락과 발가락도 발생하여, 발달하면서 배자의 모습은 변화하여 사람 모습을 띠게 된다. 삼층배자원반은 여러 가지 조직 및 기관으로 분화하여 배자 말기에 모든 주요 장기의 원기가 형성된다.

배자의 외형은 뇌, 심장, 간, 체절, 팔다리, 눈, 코 및 귀의 형성에 의해 큰 영향을 받으며, 이런 구조

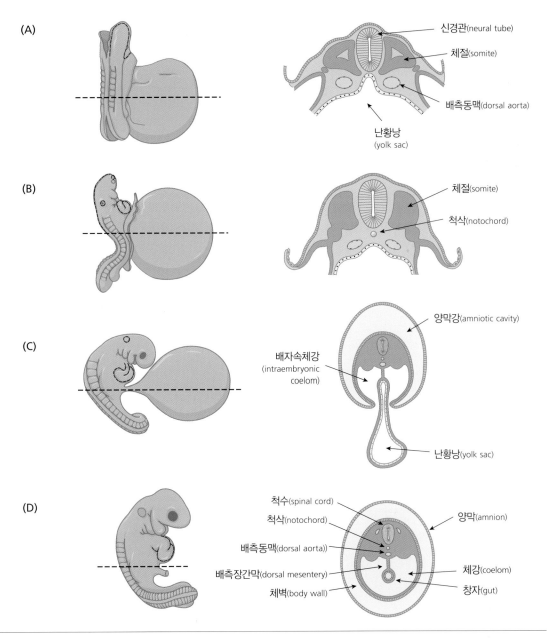

그림 8-20. 횡주름의 형성. 왼쪽은 배자를 우측에서 본 것이며, 점선으로 표시된 부위의 단면도는 오른쪽에 나타냈다(A. 발생 약 22일 배자, B. 발생 약 24일 배자, C. 발생 약 26일 배자, D. 발생 약 28일 배자).

가 발달하면서 배자의 모습은 변화하여, 발생 8주 말에는 사람 모습을 띠게 된다.

　주요 기관 및 계통의 원기가 발생 4~8주 동안 형성되므로, 전체 발생과정 중에서 이때가 가장 중요한 시기이다. 기형유발물질에 가장 민감하므로, 이 시기 동안 발생이 방해받으면 선천성 기형이 유발된다. 출생 시에 관찰되는 대부분의 선천성 기형은 배자기 중의 발달이상에 의한 것이다.

6. 태아기

　태아기는 발생 9주부터 출생 전까지의 기간을 태아기(fetal period)라고 한다. 태아기에서는 배자기에 발생이 시작된 여러 조직과 기관이 성장하고, 신체가 빠르게 성숙한다. 태아기 중 여러 구조들의 원기가 성숙되고 구조들의 상대적 위치관계가 재구성되면, 필요에 따라 여러 기관들이 기능을 시작한다. 이 시기는 신체의 급속한 성장을 특징으로 한다. 신장의 증가는 9~12주 사이에 현저하며, 체중의 증가는 만삭이 가까워질수록 현저해진다. 또 하나의 현저한 양상은 신체의 다른 부위에 비해 머리의 성장이 크게 감소되는 것이다.

　태아기의 변화는 배자기에서 일어나는 변화만큼 극적이지는 않지만, 매우 중요하다. 이 시기에 선천성기형은 거의 일어나지 않지만 약물, 바이러스 및 방사선 등의 기형유발인자의 요인에 의해 성장 및 정상기능발달의 장애, 특히 뇌와 눈에 장애가 나타날 수 있다. 또한 혈액공급 차단으로 태아가 죽거나 유산될 수 있다.

09 인두기관 및 얼굴의 발생

ⅢⅢ 학습목표
① 안면을 형성하는 돌기를 열거할 수 있다.
② 안면을 형성하는 돌기의 발육단계를 설명할 수 있다.
③ 일차 및 이차구개를 설명할 수 있다.
④ 구순열과 구개열의 정의 및 발생원인을 설명할 수 있다.

1. 인두기관

얼굴과 연관된 조직의 발생은 발생 4주째의 배자기에서 시작된다. 발생 4주가 되면 사람 배자의 머리와 목 부위에 인두기관(아가미기관, pharyngeal apparatus)이 형성된다. 인두기관은 인두궁(인두굽이 또는 아가미궁, pharyngeal arch), 인두낭(인두주머니 또는 아가미낭, pharyngeal arch), 인두구(인두고랑 또는 아가미구, pharyngeal groove), 인두막(아가미막, pharyngeal membrane)으로 이루어지며 얼굴, 목, 비강, 구강, 후두 및 인두 등 두경부의 발생과 밀접한 관계가 있다.

1) 인두궁

인두궁(인두굽이 또는 아가미궁, pharyngeal arch)은 발생 4주 초에 두경부가 발생될 원시인두 외측벽으로 신경능선세포가 이동하면, 두측에서 미측의 순서로 형성된다. 발생 4주 말이 되면 4쌍의 인두궁이 배자 표면에서 뚜렷하게 관찰된다(그림 9-1). 다섯째와 여섯째 인두궁은 발육이 불완전하여 배자 표면에서 관찰되지 않는다. 인두궁은 미측으로 갈수록 작으며, 양측의 궁이 복측의 중앙에서 만나는 부위는 잘록하다.

제1인두궁은 복측의 큰 하악돌기(mandibular arch)와 눈 밑으로 뻗는 작은 상악돌기(maxillary prominence)로 이루어지며, 구와(구강오목 또는 입오목)를 둘러싼다. 하악돌기로부터 하악골이 형성되며, 상악돌기로부터 상악골, 권골, 구개골, 측두골의 일부가 형성된다. 또한 제1인두궁에서 저작근, 측두근, 내측 및 외측익돌근, 악이복근 전복, 악설골근 등의 근육이 발생한다. 제1인두궁의 상악돌기에는 3차신경의 상악신경(maxillary nerve)이, 하악돌기에는 하악신경(mandibular nerve)이 각각 분포한다.

제2인두궁은 설골 소각(lesser cornu of hyoid bone), 측두골의 경상돌기(styloid process) 및 등자골(stapes)을 형성하며, 안면표정근(muscles of facial expression), 경돌설골근(stylohyoid muscle), 악이복근 후복(posterior belly of digastric muscle) 및 등자근(stapedius muscle) 등을 형성한다. 제2인두궁에는 안면신경(facial nerve)이 분포한다.

제3인두궁은 설골체 및 대각(body and greater cornu of hyoid bone)과 경돌인두근(stylopharyngeus muscle)의 형성에 관여하며, 설인신경(glossopharyngeal nerve)이 분포한다.

제4인두궁과 제6인두궁은 합쳐져서 후두연골(laryngeal cartilages)을 형성하며, 미주신경(vagus nerve)의 지배를 받는다.

2) 인두낭

원시인두(primitive pharynx)는 머리 쪽으로 점차 넓어지면서 구와와 연결되어 있고, 꼬리 쪽으로는 좁아지면서 식도와 연결되어 있다. 인두낭(인두주머니 또는 아가미낭, pharyngeal pouch)들은 머리 쪽에서 꼬리 쪽으로 인두궁과 인두궁 사이에 좌우 하나씩 한 쌍이 발생된다(그림 9-2). 4쌍의 인두낭은 잘 구별되며, 제5인두낭은 없거나 흔적으로 존재한다.

인두낭의 내배엽은 인두구의 외배엽과 함께 인두막(아가미막, pharyngeal membrane)을 형성한다. 제1인두낭은 고실(tympanic cavity), 유돌동(mastoid antrum), 중이관(auditory tube)을 형성하며, 제2인두낭은 구개편도(palatine tonsil)의 발생과 관계가 있다. 제3인두낭은 하부갑상선(inferior parathyroid gland)과 흉선(thymus)을 형성하고, 제4인두낭은 상부갑상선(superior parathyroid gland)과 아가미끝소체(ultimobranchial body)를 형성한다.

3) 인두구

배자 외면에서 인두궁 사이에 위치하는 홈을 인두구(인두고랑 또는 아가미구, pharyngeal groove)라고 한다(그림 9-3). 4쌍의 인두구 중 제1인두구의 배측부만이 계속 발달해 성인의 외이도(external acoustic meatus)가 되고, 나머지 인두구는 제2인두궁의 성장에 의해 덮여 없어진다.

4) 인두막

인두막(아가미막, pharyngeal membrane)은 인두구의 상피와 인두낭의 상피가 붙어서 형성된다. 4쌍의 인두막은 일시적인 구조로, 제1인두막만이 성인에서 고막(tympanic membrane)으로 남는다.

(A)

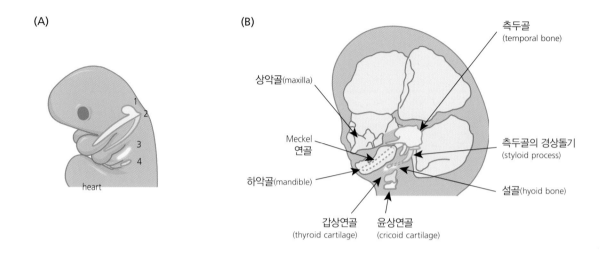

(B)

측두골
(temporal bone)

상악골(maxilla)

Meckel
연골

측두골의 경상돌기
(styloid process)

하악골(mandible)

설골(hyoid bone)

갑상연골
(thyroid cartilage)

윤상연골
(cricoid cartilage)

heart

(C)

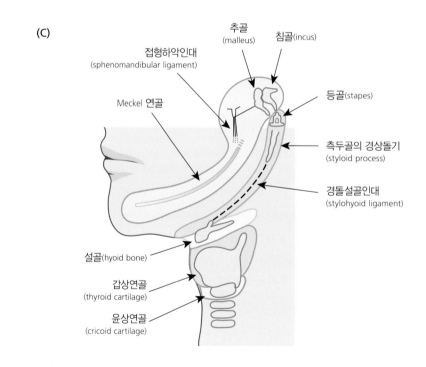

추골
(malleus)

침골(incus)

접형하악인대
(sphenomandibular ligament)

등골(stapes)

Meckel 연골

측두골의 경상돌기
(styloid process)

경돌설골인대
(stylohyoid ligament)

설골(hyoid bone)

갑상연골
(thyroid cartilage)

윤상연골
(cricoid cartilage)

그림 9–1. 각 인두궁에서 발생하는 골격성분. (A) 인두궁과의 관계를 나타내기 위해 골격 성분을 발생 4주 말 배자의 외측면에 표시한 모식도. 실제로 골격 성분은 발생 6주 이후에 발생한다. (B) 인두궁은 아라비아 숫자로 나타냈으며, 각 궁의 연골은 다른 색으로 표시하였다. 태아에서의 발생. 연골 성분의 일부는 뼈로 발생하지만, 일부는 없어지거나 연골성으로 남는다. (C) 하악돌기(멕켈연골)는 대부분 흡수되어 연골막의 일부에서 막내골화에 의해 하악골이 발생된다. 성인에서의 인두궁 연골 성분.

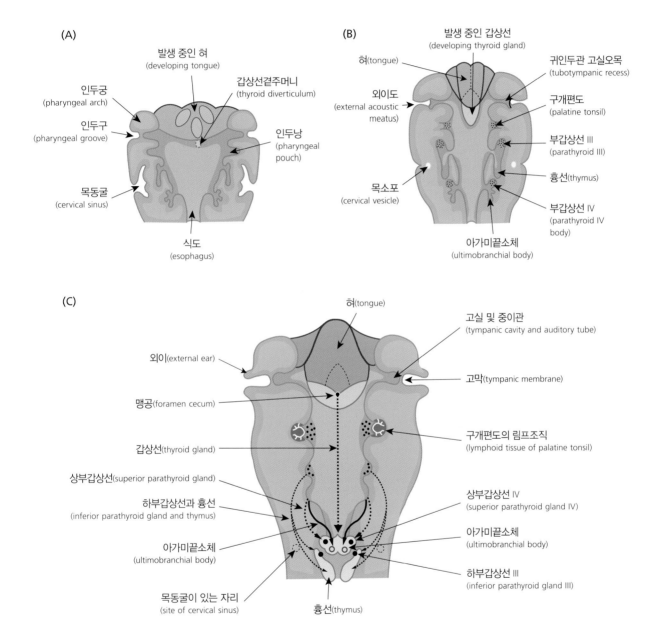

그림 9-2 인두낭의 발생. (A) 발생 5주, (B) 발생 6주, (C) 발생 7주.

2. 혀의 발생

발생 4주 말 인두바닥에 삼각형 모양의 융기인 정중혀싹(median lingual bud)이 형성되며, 곧 정중혀싹의 좌우 양쪽에 타원형의 외측혀융기(lateral lingual swelling)가 발생한다. 이 세 융기는 제1인두궁이 복내측부의 중간엽조직이 증식하여 형성된다. 외측혀융기는 급속히 성장하여 정중혀싹을 덮으며, 서로 병합되어 혀 앞쪽 2/3인 설체를 형성한다.

혀의 뒤쪽 1/3인 설근은 제3인두궁과 제4인두궁의 중배엽에서 유래한 아가미끝 융기(hypobranchial eminence)의 입쪽 부분에서 발생된다(그림 9-3).

설체와 설근의 경계는 V자형의 분계구(sulcus terminalis)로 나타나며, 꼭지에 해당하는 부위가 갑상선이 기원하는 맹공(foramen cecum)이다. 혀는 발생이 복잡하며, 그 기원에 따라 신경분포가 다르다. 설체는 제1인두궁으로부터 기원하므로 하악신경의 설가지가 분포한다. 설근은 제3, 4인두궁으로부터 유래하며, 설인신경과 미주신경의 가지가 분포한다. 혀의 근육에는 미주신경이 분포하는 구개설근을 제외하고는 설하신경이 분포한다.

미각에 관여하는 신경은 일반감각과 다르다. 설체의 미뢰에는 안면신경이 분포하고 유곽유두 및 설근의 미뢰에는 설인신경이 분포한다.

3. 얼굴의 발생

얼굴의 원기는 발생 4주 초 인두궁이 형성되면서 구와(입오목 또는 원시구강, stomodeum) 주위에서 나타나기 시작한다. 구와의 가장 깊은 곳은 척삭전판이지만, 발생이 진행됨에 따라 구인두막(입인두막, oropharygeal membrane)이라고 한다.

구와는 표면외배엽의 얇은 함몰이며, 외배엽과 내배엽 두층으로만 이루어진 구인두막에 의해 원시인두(primitive pharynx)와 분리되어 있다. 구인두막은 발생 4주 중기에 파열되며 양막강이 원시인두 및 전장(앞창자)과 서로 교통하게 된다(그림 9-4).

1) 얼굴의 융기

구와의 주위에는 비전두돌기(이마코융기, frontonasal prominence), 1쌍의 상악돌기(위턱융기, maxillary prominence) 및 하악돌기(아래턱융기, mandibular prominence)가 발달하여 5개의 융기가 나타난다. 이 융기들은 발생 4주에 신경주름에서 인두궁 속으로 이동해온 신경능선세포들의 증식으로 형성된다. 신경능선세포들은 얼굴 및 구강부위에 있는 연골, 뼈, 인대 등을 포함하는 결합조직 성분의 주요 공급원이다.

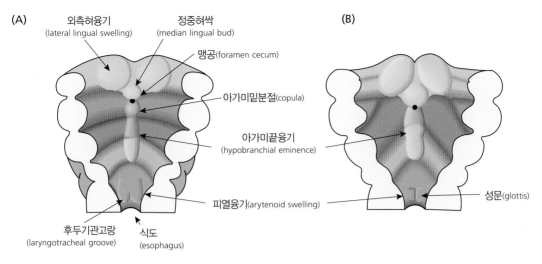

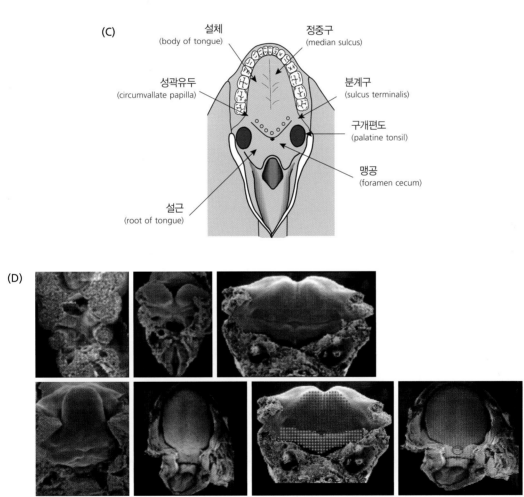

그림 9-3. 혀의 발생. (A) 혀의 원기인 정중혀싹(발생 4주)이 나타나며, (B) 제3인두궁 중간엽의 이동으로(발생 5주) 아가미밑분절이 혀의 형성에 관여하지 않는다. (C) 성인의 혀는 여러 인두궁에서 유래하기에 신경분포가 복잡하다. (D) 혀 발생의 전자현미경 사진.

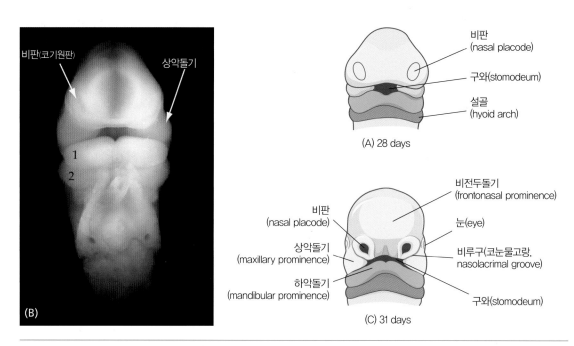

그림 9-4. 발생 5주 초. 이 시기의 두부는 전두돌기, 1쌍의 상악돌기, 1쌍의 하악돌기를 형성한다. 비전두돌기 하단 근처에는 코의 원기인 비판이 형성되며 비전두돌기와 상악돌기의 사이에 비루구라는 작은 고랑이 보인다. 눈은 얼굴의 측방에 있고 발생이 정중시상면을 향해 진행된다.

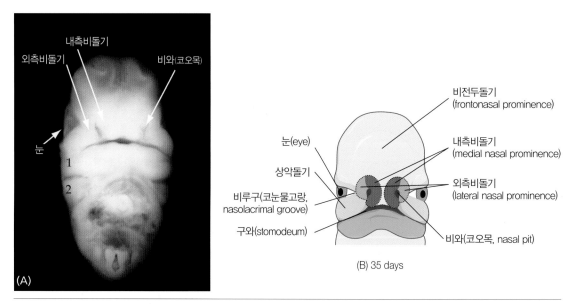

그림 9-5. 발생 6주 초. 얼굴 양 외측에서 눈이 관찰되며, 비판 주위 중배엽이 증식함으로써 비판 부분이 함요하여 비와가 되고 이것은 더욱 깊어진다. 비와 주위의 융기된 중배엽을 각각 외측비돌기와 내측비돌기라고 한다.

비전두돌기의 이마 부분(frontal part)은 이마(forehead)를 형성하고, 코 부분(nasal part)은 구와의 코쪽 경계를 이루고 코를 형성한다. 상악돌기 한 쌍은 구와의 외측 경계를, 하악돌기 한 쌍은 구와의 내측 경계를 각각 형성한다. 얼굴은 이들 5개의 돌기로부터 만들어지며, 얼굴의 발생은 발생 4~8주 사이에 주로 일어난다(그림 9-4, 5, 6, 7). 배자기 말이 되면 얼굴이 비로소 인간의 모양을 나타내며 태아기에 얼굴의 비율이 완성된다.

아래턱과 아랫입술은 얼굴 발생에서 가장 먼저 형성되는 부분으로, 발생 4주에 좌우 양쪽의 하악돌기의 안쪽 끝부분이 정중면에서 합쳐져 형성된다. 발생 4주 말이 되면 비전두돌기 비부의 외측하부에서 표면외배엽이 타원형으로 두꺼워져 비판(코기원판, nasal placode)을 형성한다. 이 비판의 가장자리는 말발굽형 모양으로 증식하여 내측비돌기(medial nasal process)와 외측비돌기(lateral nasal process)를 형성하고 그 결과 비판은 함입되어 비와(코오목, nasal pit)를 형성한다. 비전두돌기와 함께 좌우 양쪽의 내측비돌기는 코의 중심부, 윗입술의 중심부, 상악의 앞부분 및 일차구개를 형성한다.

상악돌기는 안쪽으로 성장하여 외측비돌기 및 내측비돌기에 접근하나, 그 사이에는 비루구(코눈물고랑, nasolacrimal groove) 및 비협구(볼코고랑, bucconasal groove)가 있어 서로 분리되어 있다.

발생 5에서 6주가 되면 상악돌기는 비루구를 따라서 외측비돌기와 만나 합쳐지기 시작한다(그림 9-6 A). 그 결과 외측비돌기에서 형성되는 콧방울(side of nose)과 상악돌기에서 형성되는 볼(cheek region)이 틈새 없이 연결된다.

2) 상악간분절(상악사이분절)의 발생

발생 5~6주에 상악돌기의 내측으로 성장하여 내측비돌기가 서로 융합해서 상악간분절(intermaxillary segment)을 만들고, 이 분절은 상순의 인중을 형성하는 구순성분, 4개의 절치 및 잇몸을 포함하는 상악성분, 일차구개(primary palate)를 형성하는 구개성분으로 이루어진다(그림 9-8).

3) 상순의 형성

발생 7~10주 사이에 상악돌기가 정중선으로 성장함에 따라 내측비돌기가 정중선쪽으로 밀려 맞은편의 내측비돌기와 합쳐지게 된다(그림 9-6 B, C). 이렇게 되어 상악돌기의 앞부분과 내측비돌기 가쪽면이 융합됨으로써 상순(윗입술)을 형성한다. 즉, 외측비돌기는 상순형성에 관여하지 않는다.

4) 치아배의 발생

상악돌기의 아래쪽 가장자리와 하악돌기의 위쪽 가장자리, 즉 구와의 외쪽 모서리 부위에서 상피가 증식되어 두꺼워지는데, 이 부분의 상피를 치아형성상피(odontogenic epithelium)라고 한다. 발생 6주

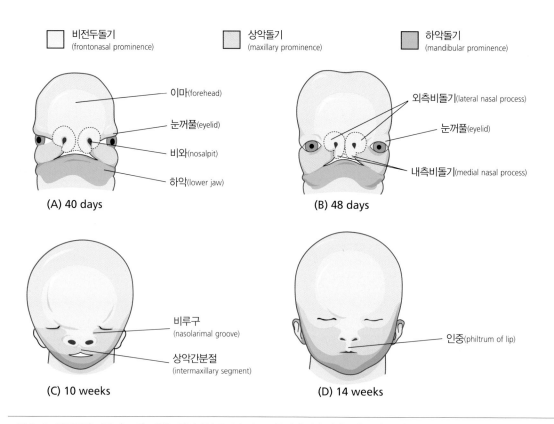

☐ 비전두돌기
(frontonasal prominence)

☐ 상악돌기
(maxillary prominence)

☐ 하악돌기
(mandibular prominence)

이마(forehead)

눈꺼풀(eyelid)

비와(nosalpit)

하악(lower jaw)

(A) 40 days

외측비돌기(lateral nasal process)

눈꺼풀(eyelid)

내측비돌기(medial nasal process)

(B) 48 days

비루구
(nasolarimal groove)

상악간분절
(intermaxillary segment)

(C) 10 weeks

인중(philtrum of lip)

(D) 14 weeks

그림 9-6. 얼굴 발생 과정. (A~C) 비와는 깊어져서 구강과 서로 교통하게 되며 상악돌기는 정중선을 향해 나아가 내측비돌기와 유착하여 상순을 형성한다. (D) 상순 코 바로 아래 내측비돌기의 유착에 의해 세로로 연장된 홈인 인중이 형성된다.

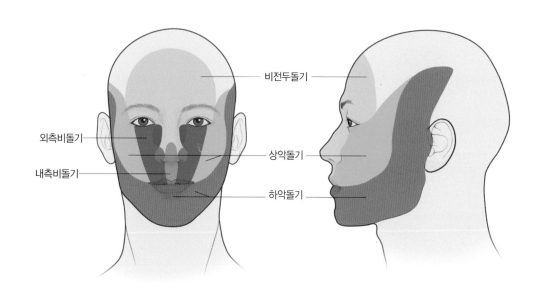

비전두돌기

외측비돌기

상악돌기

내측비돌기

하악돌기

그림 9-7. 얼굴 형성에 관여하는 돌기.

에는 두꺼운 치아형성상피가 내측비돌기의 외쪽면에서도 발생한다. 발생 6주에 치아형성상피가 궁(굽이) 형태의 연속성 판상구조로 관찰되는 것을 1차 상피띠(primary epithelial band)라고 한다. 상악의 1차 상피띠는 좌우 상악돌기 및 내측비돌기 4개의 상피증식대가 합쳐서 형성되고, 이 중 가운데 2개는 내측비돌기에서 형성되며, 하악의 1차 상피띠는 좌우 하악돌기에서 각각 하나씩 모두 2개의 상피증식대로부터 형성된다(그림 9-9). 얼굴의 후기 발생은 천천히 진행되며 주로 얼굴을 구성하는 각 부분들의 비율이나 상대적 위치가 변화한다. 태아기 초기 동안 코는 편평하고, 하악은 발육이 덜 되어 있다. 코와 하악은 얼굴 발생이 완료된 다음에야 최종 모습을 갖게 된다. 외측에 위치하던 눈은 뇌가 성장하고 커짐에 따라 발생 5~9주에 점차 안쪽으로 이동한다. 아래턱뼈와 머리가 커지면서 바깥귀(external ear)의 귓바퀴(auricle)는 눈 높이로 올라간다. 출생 시에는 아직 상악 및 하악이 덜 발달되어 있고 치아도 나지 않았으며, 비강과 부비동이 덜 발달되어 있기에 머리에서 얼굴이 차지하는 비율이 적다.

4. 구개의 발생

구개(입천장, palate)는 1개의 일차구개(primary palate)와 2개의 이차구개(secondary palate)로부터 발생하며, 발생 6주에 형성되기 시작하여 발생 12주에 완성된다. 구개발생의 고비기(critical period)는 발생 6~9주 초이다.

1) 일차구개의 형성

일차구개(primary palate)는 발생 6주 초 내측비돌기들이 합쳐져서 형성된 상악간분절로부터 발생하며, 상악돌기의 중간엽도 일부가 관계된다. 좌우융합한 내측비돌기는 구강내로 연장되어 정중선상에 삼각형의 돌출부를 형성하여 발생 중인 상악돌기의 내면 사이에 쐐기 모양의 중간엽 덩어리를 형성한다(그림 9-10 A, B). 일차구개는 절치공 앞쪽에 위치하며 절치를 포함하고 있는 상악전골(전상악골, premaxilla)로 되어, 성인 상악골의 일부인 경구개 전방 1/3을 이룬다.

2) 이차구개의 형성

초기의 구비강(oronasal cavity)은 구강과 비강이 공유하는 공간으로서, 앞쪽은 일차구개에 의하여 경계되어 있고, 발생 중인 혀가 그 공간의 대부분을 차지하고 있으며, 이차구개(secondary palate)가 형성된 후 비로소 구강과 비강의 구별이 가능하게 된다.

이차구개는 발생 7~8주 사이에 좌우 상악돌기에서 형성된 선반 모양의 구개돌기(가쪽입천장돌기, lateral palatine process)의 융합으로 형성된다. 비중격(코중격, nasal septum)은 정중앙에서 비전두돌기

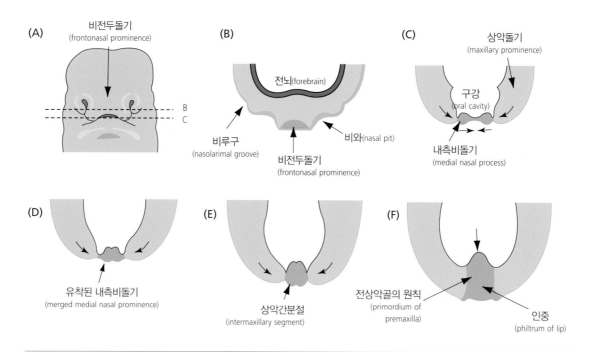

그림 9-8. 상악간분절의 발생. (A) 발생 6주 초 배자(발생 16기)의 얼굴, (B~C) A에 표시된 점선을 지나는 단면. 상악돌기가 내측으로 성장해 양쪽 내측비돌기가 서로 가까워진다. (D~F) 발생 7~8주. 상악돌기의 계속적인 내측 성장으로 내측비돌기가 병합되어 상악간분절이 형성된다. 상악간분절은 구개성분, 구순성분 및 상악성분으로 이루어진다.

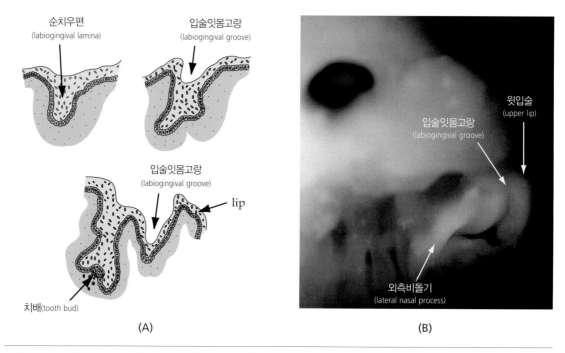

그림 9-9. 치아 및 원시 하악·상악의 초기 발생. (A) 원시 하악의 분화를 나타내는 모식도. 외배엽상피가 두터워져 구순치은판을 형성하며, 이 판의 중앙부가 없어져 구순치은구가 형성됨으로써 하순과 하악 치조가 분리된다. 이 홈의 배측에서 치아가 발생한다. (B) 발생 8주 초(발생 20기) 배자의 원시 상악.

로부터 아래로 자라고, 2개의 구개돌기는 처음에는 혀 양측에서 하방으로 돌출되어 있으나(그림 9-10 C), 발생 7주가 지나면 좌우 양쪽의 구개돌기 사이에서 혀가 빠져나오며 이어서 좌우 구개돌기는 혀 상측에서 수평으로 놓이고 서로 접근하여 정중에서 융합하고, 또한 일차구개와도 융합한다. 비중격은 비전두돌기 내부로부터 하방으로 발달하여 발생 9주에 비중격과 구개돌기가 전측부에서 융합되기 시작하며, 발생 12주에는 후측부도 완전히 융합하게 되어 원시구강은 비강과 구강으로 분리된다(그림 9-10 D, 9-11 A~D). 이차구개는 절치공 뒤쪽으로 견치와 구치를 포함하는 경구개 후방 2/3를 형성한다. 구개돌기의 뒷부분에서는 뼈가 발생되지 않으며, 구개돌기는 비중격을 넘어 뒤쪽으로 뻗어나가 맞은편과 융합되어 연구개(soft palate)와 구개수(uvula)를 형성한다. 구강점막의 구개봉선(입천장솔기, palatine raphe)과 상악골의 정중구개봉합(median palatine suture)은 좌우 구개돌기의 융합선을 가리킨다.

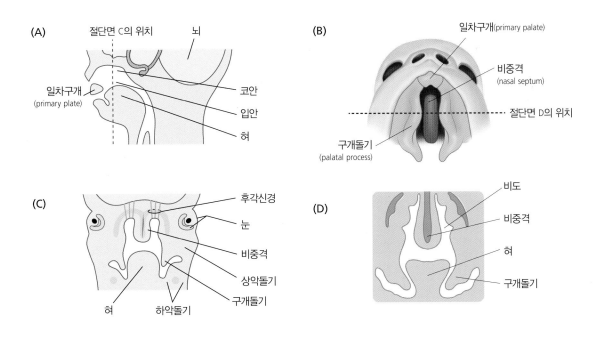

그림 9-10. 일차구개의 발생. 내측비돌기는 구강내에도 연장되어 삼각형의 돌출부를 형성하며(일차구개), 후방에는 구강과 비강이 경계없이 연속되어 있다. 이 때 구강의 용적이 적으므로 구강의 거의 전체를 혀가 점유하고 있어 구개돌기는 혀의 옆에서 아래쪽을 향하고 있다.

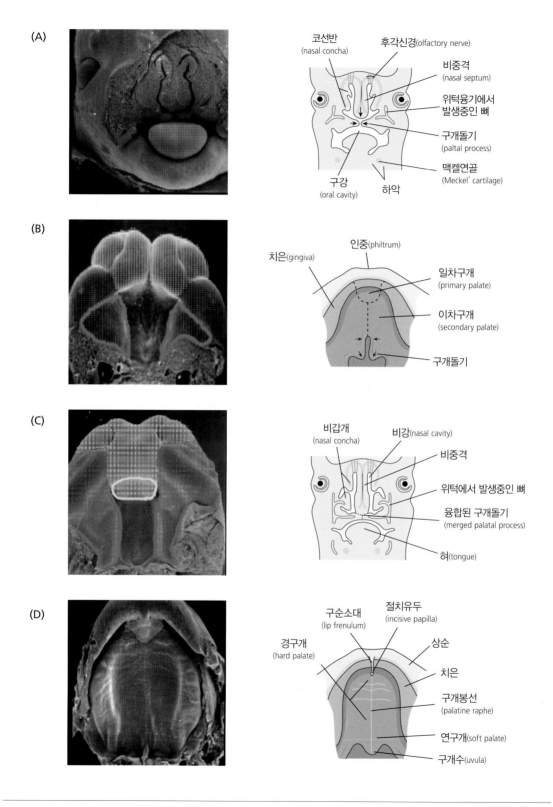

(A)

코선반
(nasal concha)
후각신경(olfactory nerve)
비중격
(nasal septum)
위턱융기에서
발생중인 뼈
구개돌기
(paltal process)
맥켈연골
(Meckel' cartilage)
구강
(oral cavity)
하악

(B)

치은(gingiva)
인중(philtrum)
일차구개
(primary palate)
이차구개
(secondary palate)
구개돌기

(C)

비갑개
(nasal concha)
비강(nasal cavity)
비중격
위턱에서 발생중인 뼈
융합된 구개돌기
(merged palatal process)
혀(tongue)

(D)

구순소대
(lip frenulum)
절치유두
(incisive papilla)
경구개
(hard palate)
상순
치은
구개봉선
(palatine raphe)
연구개(soft palate)
구개수(uvula)

그림 9-11. 이차구개의 발생. 혀가 가라 앉아 방해물이 없어져 구개돌기는 수평으로 방향을 바꾸고 위에서 뻗어 내려온 비중격과 좌우 구개돌기가 융합하여 이차구개가 완성된다. 구강과 비강은 완전히 분리되어 구개의 인두(후비공)에서만 교통한다.

5. 구순열과 구개열

입술이 갈라져 있는 상태를 구순열(cleft lip), 구개가 갈라져 있는 상태를 구개열(cleft palate)이라고 한다(그림 9-12). 이 두 기형은 얼굴과 구개의 기형이며, 얼굴의 모양이 비정상적이고 발음에 문제가 있다. 때때로 구순열과 구개열은 동반되기도 하지만, 발생이나 병의 원인이 전혀 다르며, 대부분 유전적 요인과 환경적 요인의 복합에 의한다. 배자에 영향을 미치는 환경적 요인으로서는 감염인자(infectious agents), X선 조사, 약물, 호르몬, 영양결핍 등이 있다.

구순열은 내측비돌기와 상악돌기가 융합하지 않은 결과로 발생하고, 구개열은 구개돌기가 맞은편 구개돌기, 비중격 및 일차구개와 융합되지 않은 결과로 발생한다.

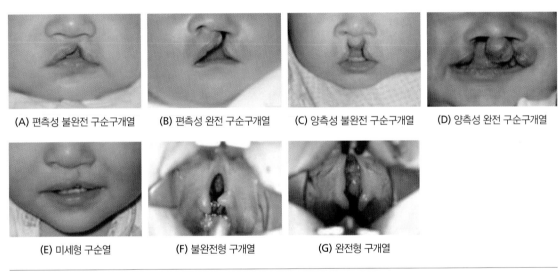

(A) 편측성 불완전 구순구개열   (B) 편측성 완전 구순구개열   (C) 양측성 불완전 구순구개열   (D) 양측성 완전 구순구개열

(E) 미세형 구순열   (F) 불완전형 구개열   (G) 완전형 구개열

그림 9-12. 구순열과 구개열.

치아의 발생

1️⃣ 치판과 전정판을 정의할 수 있다.
2️⃣ 뇌상기, 모상기, 종상기 치배의 특징을 설명할 수 있다.
3️⃣ 법랑질과 상아질의 형성과정을 설명할 수 있다.
4️⃣ 헤르트비히 상피근초와 말라세즈 상피잔사를 설명할 수 있다.
5️⃣ 백악질 형성과정을 설명할 수 있다.
6️⃣ 치아의 맹출과정에 대해서 설명할 수 있다.

1. 치배(치아싹)의 발생

치아는 생체 내에서 가장 고도로 석회화된 조직으로 최근에 들어서 유전자해석, 유전자공학, 세포 생물학, 의용생체공학, 개인 식별을 위한 법의학 등의 분야에서 주요 연구대상이 되고 있다. 치아는 소화기계의 구강에 존재하는 한 기관으로, 파충류나 어류에서는 치아의 형태가 전부 동일한 동형치(homodont)인데 반하여 사람의 치아는 용도와 기능에 따라 그 형태가 다른 이형치(heterodont)이다. 사람의 치열은 턱의 성장에 따라 유치와 영구치가 한번 교체되는 이생치성(diphyodont)이며, 이때 교체되는 전치, 소구치를 계승치아(successional tooth)라고 한다. 반면 대구치는 선행하는 유치를 갖지 않는 일생치성의 영구치아이다.

유치(primary dentition)와 영구치(permanent dentition)는 기본적으로 동일한 조직구조를 가지며(그림 10-1), 구조적으로 치조골의 치조와에 위치한다. 치아는 법랑질(enamel), 상아질(dentin) 및 백악질(cementum)의 경조직으로 구성되어 있으며, 상아질 내부 치수공간에 혈관·신경이 풍부한 결합조직성 연조직이 들어가 치근단공(apical foramen)에서 치주인대(periodontal membrane)에 연결된다.

발생 6주 말 구순치은판에 세포분열이 활발한 10개 부위가 나타나는데, 이 외배엽성 치아 원기를 치배(치아싹, dental germ)라고 한다(그림 10-2). 치배는 구강외배엽에서 유래되는 치아기(법랑기, enamel organ), 중간엽조직에서 유래되는 치유두(dental papilla)와 치소낭(치아주머니, dental sac)의 세 부분으로 이루어진다. 치아기에서는 법랑질이, 치유두에서는 치수와 상아질이, 치소낭에서는 백악질과 치주인대(periodontal ligament), 고유치조골이 각각 형성된다. 치배의 분화단계는 조직 단면에서 관찰되는 특징에 따라 치판(치아판) 형성기(개시기), 뇌상기(싹시기), 모자기(모상기), 종상기(종기)의 4단계로 나누어진다.

1) 치판(치아판) 형성기(dental lamina)

발생 6주 말 장래의 치열궁과 일치하는 구강점막상피가 증식·비후하여 말굽형을 나타내는데, 이 외배엽성 치아원기를 1차 상피띠(primary epithelial band)라고 한다. 1차 상피띠는 위, 아래턱에서 각각 장래에 생길 치아궁(dental arch) 위치에 자리잡고 있다. 1차 상피띠가 형성된 후 전정판(vestibular lamina)과 치판(dental lamina)이 생겨난다. 치판은 치아의 발생기간 동안 존재하며, 증식·비후하여 장래의 영구 치배를 형성한다. 치판은 비스듬히 함입되며, 그 주위에 많은 미분화 간엽세포들을 관찰할 수 있으나, 전정판은 수직으로 함입되고, 그 주위에서 세포가 모이는 현상을 볼 수 없다(그림 10-3). 치판형성보다 약 1주일 후에 치판의 입술쪽 위에 상피가 증식·비후하여 전정판(입안뜰원기, vestibular lamina)을 형성한다. 전정판은 향후 치은과 입술 사이의 함요부분인 구강전정(입안뜰, oral vestibule)을

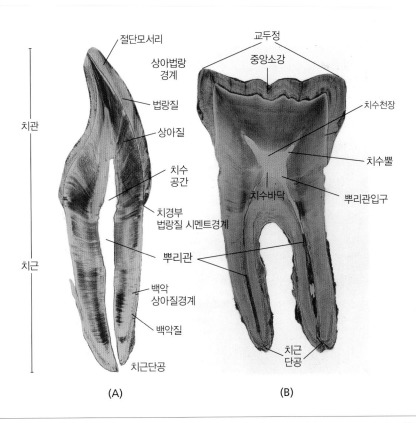

그림 10-1. 하악 전치 및 하악 제1대구치의 연마표본. (A) 하악전치의 시상절단 연마표본 (B) 하악제1대구치의 근원심적 종단 연마표본.

형성한다.

2) 뇌상기(싹시기, bud stage)

발생 8주에 치판이 뚜렷하고 치배의 배자층이 부분적으로 비후하여, 치배(tooth bud)를 형성하는 시기를 뇌상기(싹시기, bud stage)라 하며, 모두 20개의 치배가 형성된다. 치배는 상피세포로 형성되고, 그 주위에는 간엽세포가 모여 전체적으로 둥근 형태의 세포집단을 형성한다. 발생이 진행되면서 치판은 중간엽 쪽으로 돌출하여 발생 8주 초에 뚜렷한 싹 혹은 전구 모양으로 관찰된다(그림 10-3).

3) 모자기(모상기, cap stage)

발생 9주에 싹 모양인 치판의 심측면이 세포증식과 분화에 의해 함입되어 모자모양과 비슷한 형태를 띠는 모자기(cap stage)가 된다. 뇌상기의 치배가 모자 모양으로 상피가 증식한 부위를 치아기(법랑기, enamel lamellae)라 한다.

치아기는 내법랑상피, 외법랑상피 및 성상세망으로 나눌 수 있다. 바깥쪽의 볼록한 면의 입방형의 세포들은 외법랑상피(바깥치아상피, external dental epithelium)라 하며, 치아기의 안쪽 오목한 면의 낮은 원주형 세포들은 내법랑상피(속치아상피, internal dental epithelium)라 한다.

(A)

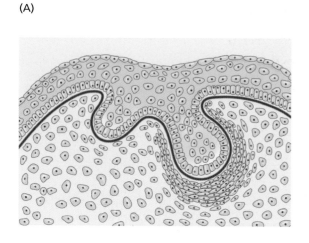

(B)

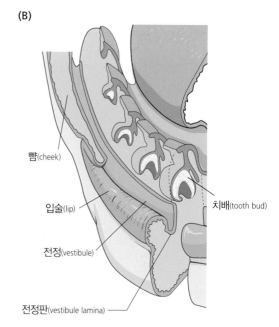

뺨(cheek)

입술(lip)

전정(vestibule)

전정판(vestibule lamina)

치배(tooth bud)

그림 10-2. 치판과 전정판의 발생. (A) 치판과 전정판, (B) 치배 형성후의 전정판

성상세망(별세망 또는 법랑수, enamel reticulum)은 내법랑상피와 외법랑상피 사이에 위치하며, 세포의 형태는 다각형 혹은 별 모양으로 치아기의 세포에 필요한 영양분이 저장된다.

치아기로부터는 법랑질이 형성된다. 치아기의 안쪽 함요부에는 신경능선에서 유래하는 중간엽세포들이 증식하며, 공 모양의 치유두(dental papilla)를 형성한다. 이들 세포는 신경능선(neural crest)에서 유래하며 치유두는 나중에 상아질과 치수를 생성한다.

치아기와 치유두 주위에는 이를 감싸는 치밀한 중간엽조직이 형성되는데, 이를 치소낭(치아주머니, dental sac)이라고 한다. 치소낭으로부터 백악질, 치주인대 및 치조골이 형성된다. 모자기의 치배에서는 세포의 증식과 분화에 의해 치아기, 치유두, 치소낭이 형성되며(그림 10-4), 법랑질과 상아질 그리고 치아주위조직의 형성은 아직 시작되지 않는다.

모자기 때 치배 주위의 치소낭에서 분지하여 치유두로 들어가는 혈관집단이 나타난다. 치유두가 분

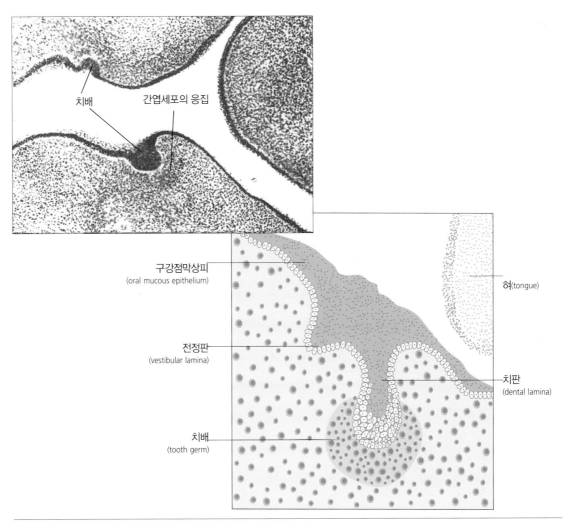

그림 10-3. 뇌상기 치배.

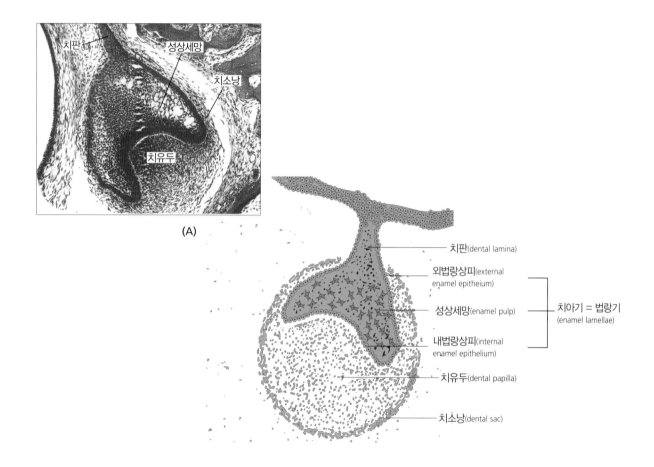

(A)

치판(dental lamina)

외법랑상피(external enamel epitheium)

성상세망(enamel pulp) ⎤
⎬ 치아기 = 법랑기
내법랑상피(internal enamel epithelium) ⎦ (enamel lamellae)

치유두(dental papilla)

치소낭(dental sac)

(B)

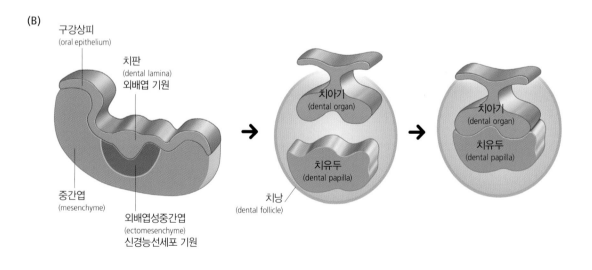

구강상피
(oral epithelium)

치판
(dental lamina)
외배엽 기원

중간엽
(mesenchyme)

외배엽성중간엽
(ectomesenchyme)
신경능선세포 기원

치아기
(dental organ)

치유두
(dental papilla)

치낭
(dental follicle)

치아기
(dental organ)

치유두
(dental papilla)

그림 10-4. 모자기 치배.

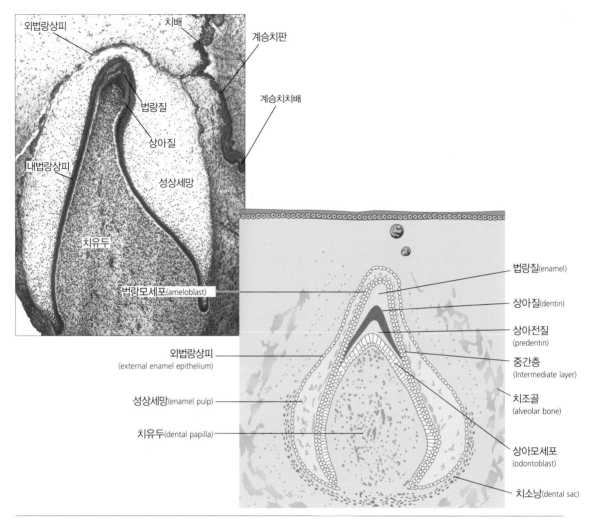

그림 10-5. 종상기 치배.

표 10-1 종상기의 세포층.

세포층		특징	기능
치소낭		법랑기 주변에 형성	백악질, 치주인대, 치조골로 분화
법랑기	외법랑상피	법랑기의 가장 바깥쪽에 위치	법랑기의 방어벽 역할
	성상세망(법랑수)	별 모양의 세포가 그물을 형성	법랑기질의 생산을 지지
	중간층	성상세망층과 내법랑상피 사이에 위치	법랑기질의 생산을 지지
	내법랑상피	법랑기의 가장 안쪽에 위치한 원주세포층	법랑모세포로 분화
치유두	바깥세포	내법랑상피에 가장 가까운 층	상아모세포로 분화
	중심세포	치유두의 중심세포 층	치수조직으로 분화

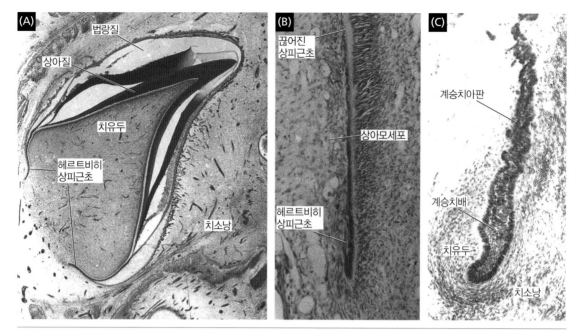

그림 10-6. 종상기 후배 치배. (A) 헤르트비히 상피근초의 신장에 따른 치근상아질의 형성이 보인다. (B) 상피근초를 따라 상아모세포가 분화되어, 치아뿌리 상아질이 형성된다. (C) 계승치판에 이은 계승치배(싹기)의 형성.

화하여 상아질이 형성되기 전까지는 치배는 치유두와 치낭 두 곳으로부터 영양공급을 받는다. 치유두의 혈관수는 치아발생의 조직분화 시기에 증가되고 치관기의 초기에 최대에 이른다.

치아에 분포하는 최초의 신경섬유는 뇌상기–모자기 중에 처음으로 발생 중인 치아에 접근한다. 이들 신경섬유들은 치소낭 안에서 분지하여 치배 주변에 잘 발달된 신경총을 만든다. 상아질 형성이 시작되면 신경섬유가 치소낭으로부터 치유두로 들어간다.

4) 종상기(종기, bell stage)

내법랑상피가 함입되고 외법랑상피는 계속 증식하면서 치아기가 종의 모양을 나타내는 시기를 종상기(종기, bell stage)라고 한다(그림 10-5). 발생 12~16주에 종상기로 이행하는데, 이 시기 동안 치관은 형태분화(morphodifferentiation)를 통해 최종 형태로 변해가고, 치관의 경조직을 만드는 세포들(법랑모세포 ameloblast와 상아모세포 odontoblast)이 그들의 특징적인 표현형(phenotype)을 획득한다(조직분화, histodifferentiation).

모상기 후기에 조직분화가 시작되어 치아기는 내법랑상피, 중간층, 성상세망, 외법랑상피로 4층의 상피세포 집단이 뚜렷해진다(표 10-1). 즉, 단층의 원주형 세포로 이루어진 내법랑상피는 법랑기의 오목한 면에 위치하며, 종상기의 치아기에는 중간층(stratum intermedium)이 형성된다.

중간층은 2~3층의 편평한 세포로 내법랑상피와 성상세망 사이에 놓여 있으며, 법랑질의 형성에 중요하다. 성상세망(법랑수)은 내법랑상피와 외법랑상피층 사이에 놓여 있으며, 종상기의 초기에는 치아기의 대부분을 차지하지만, 후기에는(그림 10-6) 세포층 전체가 축소된다. 세포는 별 모양으로 긴 돌기를 내며 인접세포와 연락된다. 외법랑상피는 규칙적으로 배열된 단층의 입방형 세포층이며, 종상기 말에 많은 모세혈관이 함입되어 치아기에 영양분을 공급한다.

2. 치관의 형성

종상기치배에서는 치아기와 치유두의 분화가 진행되어 상아모세포(odontoblast)와 법랑모세포(ameloblast)로부터 상아질과 법랑질의 형성이 시작되며, 치소낭(치아주머니)으로부터 백악질, 치주인대 및 치조골 일부가 형성된다. 상아질 형성은 법랑질 형성에 선행하며, 이때부터 치관기가 시작된다. 내법랑상피에 접하는 치유두에서는 상아모세포(odontoblast)가 분화되어 상아질 형성(dentinogenisis)을 개시하며, 상아모세포 미석회화의 유기성 기질인 상아전질을 형성하고, 다음으로 기질의 석회화가

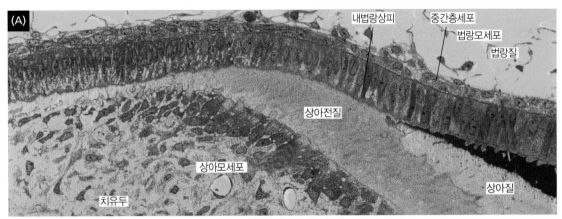

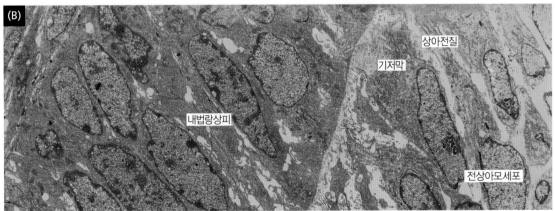

그림 10-7. 내법랑상피를 따르는 치유두의 상아모세포의 분화와 상아전질 및 상아질의 형성. (A) 법랑모세포의 분화와 법랑질 형성은 상아질 형성보다 훨씬 늦다. (B) 내법랑상피와 상아모세포의 분화. 상아모세포에 의한, 외투상아질의 상아전질 형성이 보인다(A. 톨루이딘 블루 염색×370, B×2,000).

시작된다.

상아질이 석회화되면 내법랑상피는 법랑모세포로 분화하는데, 법랑모세포에 의해 법랑질이 형성된다. 상아질과 법랑질의 형성은 교두정에서 치경부 쪽으로 진행되며, 법랑질을 형성하면서 법랑모세포가 후퇴하면 순차적으로 성상세망과 중간층이 감소되고, 최종적으로는 법랑모세포와 외법랑상피가 접촉하여 퇴축법랑(치아)상피(reduced enamel epithelium)를 형성한다. 치관기는 발생 16~26주에 시작되며, 점차 치아의 최종 형태가 갖추어진다.

1) 상아질의 형성

상아질은 상아모세포에 의해 형성된다. 내법랑상피는 법랑모세포로 분화하기 전에, 치유두의 표층세포들을 원주형의 상아모세포로 분화시킨다. 상아모세포는 내법랑상피를 따라 배열되어 상아전질을 생성하기 시작한다(그림 10-7).

상아모세포가 만들어내는 상아전질(predentin)은 내법랑세포가 법랑모세포로 최종 분화하여 법랑질을 분비하도록 자극한다. 이와 같은 상호작용의 신호는 이후의 치관교합면에서 치아경까지 진행된다. 분화된 상아모세포는 원주상의 세포체를 가지며, 미석회화 기질의 상아전질을 형성하고, 상아모세포는 상아전질의 아교원섬유를 무기질화시켜 상아질을 형성한다.

상아질 형성은 교두정에서 치경부 쪽으로 진행되며, 그 후 상아질 형성은 연속적으로 치근 방향으로 진행된다. 상아모세포는 상아질 형성 중에 세포돌기(상아섬유, Tomes' process)를 상아질 속에 남기며 후퇴하는데, 세포돌기가 있는 공간을 상아세관(dentinal tubule)이라고 한다(그림 10-8).

2) 법랑질의 형성

상아질이 형성된 직후, 내법랑상피는 분비기능을 갖는 법랑모세포로 분화되어 법랑질(enamel)을 생성한다(그림 10-9).

법랑질의 형성과정은 유기성 기질이 생성되는 기질형성기와 유기성 기질이 흡수되어 법랑질의 석회화도가 증가하는 성숙기로 나누어진다. 법랑모세포는 아멜로제닌(amelogenin)과 에나멜린(enamelin)이라는 두 가지의 단백질로 구성된 유기성 기질을 분비한다. 법랑모세포는 유기기질을 분비함과 동시에 칼슘이온과 인산이온을 기질 쪽으로 능동 수송하여, 인회석 결정의 침착과 성장을 일으킨다.

법랑질의 유기성 기질은 치아의 맹출 전에 법랑모세포에 의해 분해되고, 법랑질은 광화(mineralization)되어 생체 내에서 가장 고도로 석회화된 조직이 된다.

법랑질 형성이 종료되면 치아기는 퇴축법랑치아상피로 남게 되며, 이 상피는 치아가 구강으로 나올 때 빠르게 없어진다.

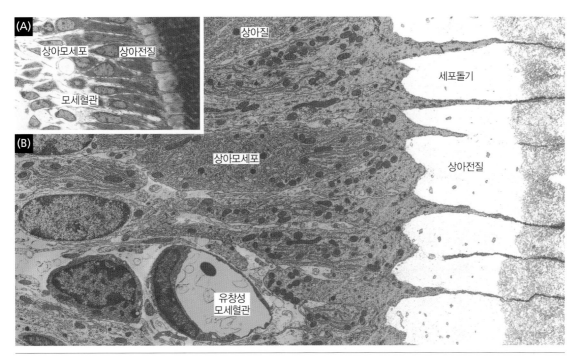

그림 10-8. 성숙한 상아모세포의 전체상. 상아모세포는 고원주상을 띠며, 세포체의 먼쪽단에서 1개의 세포돌기를 상아전질과 상아질의 상아세관 쪽으로 파생시킨다. 상아모세포층에는 유창성(fenestrated)의 종말모세혈관이 분포한다(A. 톨루이딘 블루 염색×600, B×2,400).

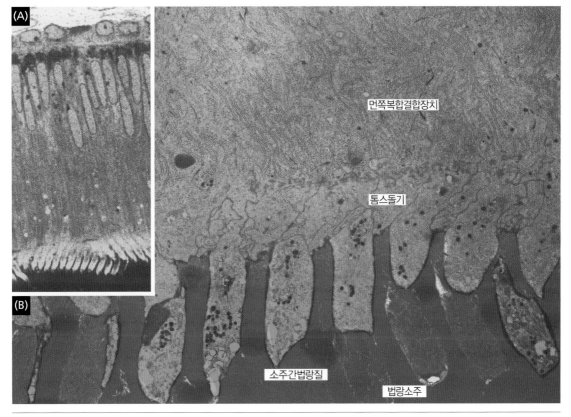

그림 10-9. 법랑모세포의 전자현미경 사진. (A) 높은 기둥 모양의 법랑모세포의 전체상, (B) 세포체 먼쪽부의 전자현미경 사진(A. 톨루이딘 블루 염색×770, B×5,000).

3. 치근의 형성(Root formation)

치근은 치관 형성 후 법랑질과 상아질이 백악질상아질연결부(cemento-dentin junction)에 도달한 후 발생되기 시작한다. 내법랑상피와 외법랑상피의 이행 부위인 치아목고리(치경륜, cervical loop)에서 내법랑상피와 외법랑상피가 증식하여 형성되는 헤르트비히 상피근초(Hertwig's epithelial root sheath)에 의해 치근상아질(root dentin)의 형성이 촉진된다. 헤르트비히 상피근초는 내법랑상피와 외법랑상피로 만 이루어지며, 치근의 외형을 형성하고 치유두가 상아모세포로 분화되도록 유도하여 치근상아질을 형성한다(그림 10-10). 치근상아질이 형성이 완료되면 기저막은 붕괴되고 헤르트비히 상피근초도 붕괴된다. 상피근초가 붕괴된 후 흡수 과정에서 완전히 흡수되지 않고 남아 있는 세포들 중 일부는 말라세즈 상피잔사(epithelial cell rest of Malassez)가 된다. 이 상피잔사는 후에 치주인대에 위치하면서 치성 종양이나 치성낭종 등의 문제를 일으킬 수 있다.

1) 백악질 형성

치배 발생 과정에서 헤르트비히 상피근초에 의해 치근상아질의 형성이 유도된다. 일단 상아질 형성이 개시되면, 헤르트비히 상피집은 단열·붕괴하여 치소낭 중에 유리된다. 이 때문에 치소낭은 노출된 상아질에 접하여, 치소낭 중의 미분화간엽세포로부터 백악모세포가 분화된다. 백악모세포는 직경 10 nm 정도의 단백질분비형 세포로 미세구조적으로는 골모세포와 유사하다. 백악모세포는 상아질상에 백악기질을 분비하여 그 석회화를 유도한다. 백악질 형성은 골 형성과 유사하며 직경 3~8 nm의 미석회화기질의 층이 석회화백악질과 백악모세포 사이를 개재한다. 백악모세포의 일부는 백악질이 형성되는 과정에서 기질 중에 매입되어 백악세포가 된다. 백악질은 해부학적인 치근상아질의 전 표면을 덮는다.

2) 기타 치아주위조직의 발생

치근 형성과 치주인대 형성 그리고 치조골 형성은 동시에 일어난다. 이들 치아주위조직의 형성이 시작되면, 치아는 맹출을 시작한다. 치아의 맹출 과정에서 맹출 진로에 있는 치조골은 흡수되고, 치배의 하부에서는 치조골이 형성된다. 치낭의 외배엽성간엽은 새로 형성된 백악질 주위에 치주인대(preodontal ligament)를 형성하기 시작한다. 이 과정에서 즉시 치주인대의 섬유다발을 이루는 아교섬유가 형성된다. 이들 섬유의 끝은 치아를 지지하기 위해 한쪽 끝은 백악질과 주변 치조골의 내면 1/2 지점까지 연장되어 파묻혀서 샤피섬유(Sharpey fiber)가 된다. 이와 동시에 치주인대를 둘러싸고 있는 치조골도 형성되기 시작한다. 치주인대 형성이나 치근 형성부위에서의 치조골 형성은 치아를 맹출시키는 추진력이 된다.

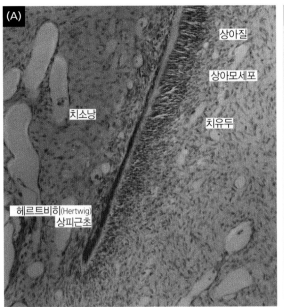

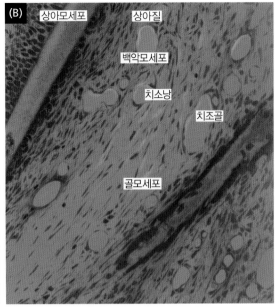

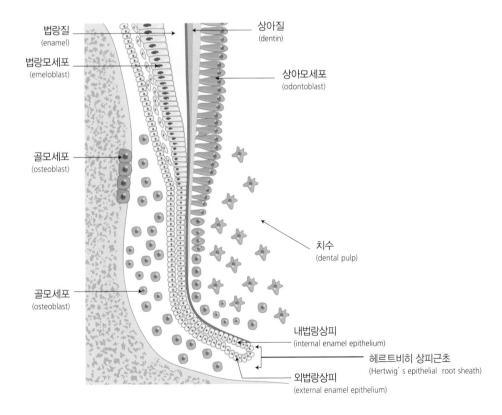

그림 10-10. 치근의 형성. (A) 헤르트비히의 상피근초의 신장에 이은 상아모세포의 분화와 치근상아질의 형성, (B) 치소낭으로부터 법랑모세포의 분화와 치조골 형성(A. H·E 염색×190, B. 톨루이딘 블루 염색×380), (C) 백악질 형성.

치조바닥부 및 치조중격에서는 치아의 맹출에 따라 치조골이 형성된다. 치소낭 주위의 치조골은 특히 치근의 형성단에서 골모세포에 의해 활발히 형성된다. 치근 형성은 치아가 교합접촉을 개시하고 나서도 치근단공이 완성될 때까지 계속되며, 유치에서는 1년~1년 6개월, 영구치에서는 2~3년에 걸쳐 치아의 뿌리가 완성된다. 치관의 선단이 구강내에 나타나는 단계에서 치근은 아직 1/2~3/4 밖에 형성되어 있지 않다. 따라서 치근단은 맹출 직후의 치아에서 아직 완전한 개방 상태에 있음을 유의해야 한다.(그림 10-11, 12)

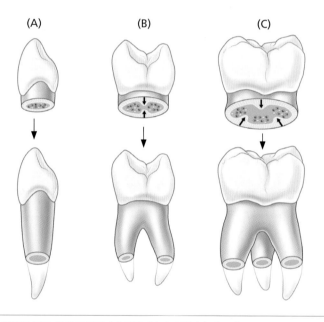

그림 10-11. **치관이 형성된 이후의 치근 형성 모식도.** (A) 전치, (B) 소구치, (C) 대구치).

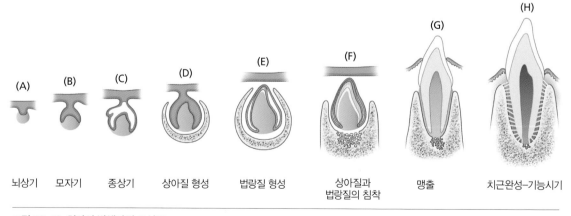

| 뇌상기 | 모자기 | 종상기 | 상아질 형성 | 법랑질 형성 | 상아질과 법랑질의 침착 | 맹출 | 치근완성-기능시기 |

그림 10-12. **치아의 발생과정 모식도.**

표 10-2 치아 및 치주조직의 형성.

기원	치배의 구성요소	치배의 세포	생산물

4. 치아의 맹출(Tooth eruption)

치근이 성장하면서 치관이 구강상피를 뚫고 올라와 교합평면에 이르기까지의 치아의 이동을 맹출 (eruption)이라고 한다. 치아 맹출은 단순히 위치의 이동에 그치지 않고 치아뿌리 형성, 치주인대 형성, 치조골 형성, 치은과 구강전정 형성 및 치아상피의 퇴축 등의 조직변화를 동반한다. 더욱이 후계영구 치 맹출시에는 영구치의 이동과 함께 선행하는 유치의 치아뿌리 흡수와 탈락이 일어난다.

법랑질 형성이 종료되면 치아기는 퇴축법랑상피(reduced dental epithelium)가 되며, 맹출 진로에 있 는 구강점막은 치아맹출에 의해 퇴축법랑상피와 융합하고, 융합부위에서 천공된다. 구강점막상피와 융합한 퇴축법랑상피의 대부분은 치아의 맹출과 치아교합에 의해 박리·소실되지만, 맹출 후의 법랑질 치경부 부분에 잔존하는 퇴축법랑상피는 부착상피가 되어, 치경부 부분의 법랑질에 결합되어 치아면 과 조직 사이를 밀폐시키고, 이 조직은 나중에 치근이 완성되면 완전한 부착상피로 바뀐다(그림 10-13).

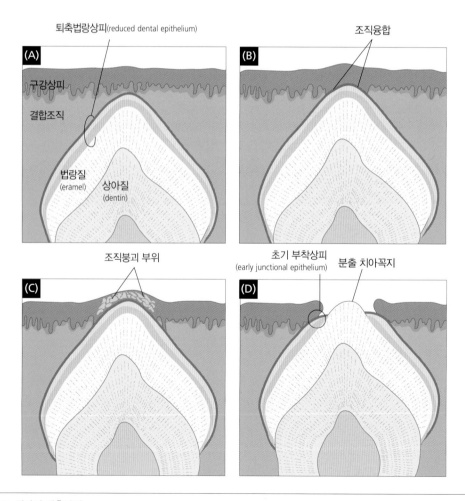

그림 10-13. **치아의 맹출과정.**

부착상피는 치아기에서 유래하기 때문에 비각질중층편평상피이다.

출생 몇 달 후 유중절치로부터 시작하여 2세에 유구치가 완전히 맹출되며, 모두 20개의 유치가 형성된다. 영구치의 원기는 선행 유치의 설측에 위치해 있는데, 성장하면서 유치의 치근을 흡수하기 시작한다. 유치근이 충분히 흡수되면 유치는 탈락하고, 그 자리를 영구 계승치가 대신한다.

영구치의 맹출순서는 유치와 동일하지만, 선행 유치 없이 성장하는 12개의 대구치 중에서 제1대구치는 모든 영구치 중에서 가장 빠른 6~7세 경에 맹출된다. 치아의 형성과 맹출은 안면의 성장에 무척 중요한 요소이다.

1) 치아의 맹출 운동

치아의 맹출은 편의적으로 맹출전기, 맹출기, 기능적 맹출기의 3단계로 나누어진다. 맹출에 이르기 전의 치아의 위치변화를 맹출전기(preerupitve phase)라고 한다. 이것은 치배의 성장에서의 치관 형성과 치근 형성에 따라 치조골 내에서 치배의 위치가 변화하고 이동하는 시기이다. 치배의 치근 형성이 진행되면, 치배의 중심을 교합방향으로 이동한다.

치아맹출이란 치배의 형성에 따라 치아가 턱뼈와 구강점막을 지나 구강 내에 출현하여 기능하기까지 주로 장축방향(교합방향)에서의 위치변화이다. 이것을 맹출기(eruptive phage) 또는 기능적 맹출기(prefunctional eruptive phage)라고 한다. 맹출기에서 치아는 턱뼈 내로부터 잇몸을 뚫고 구강 내에 출현, 그 위에 교합평면에 이르러 대합치와 접촉할 때까지 맹출 운동을 계속한다. 이 시기는 치근의 형성 개시로부터 교합접촉에 이르기까지의 시기로 ① 치소낭 세포의 증식·분화에 의한 치근형성 ② 치주인대 형성 ③ 고유치조골 형성 ④ 퇴축법랑상피의 퇴축과 구강점막과의 융합 ⑤ 잇몸과 잇몸고랑의 형성 등의 조직변화가 생긴다.

또한 기능적 맹출기에서는 턱뼈의 성장과 치아의 교모·마모에 따라 치아가 완만하게 이동한다. 그러나 이러한 분류는 치아의 맹출이라는 현상을 계통적으로 이해하기 위한 수단에 지나지 않으며, 맹출 그 자체는 연속적이면서 지속적으로 일어나는 현상이다. 또한 교합에 의해 접촉부분 치관이 교모되면 그것을 보충하도록 치아의 맹출 운동이 계속된다.

2) 유치의 치근 흡수와 탈락

사람의 치열은 유치열과 영구치열의 이생치성이다. 턱뼈의 성장·발육에 따라 20개의 유치보다 대형의 절치, 견치, 소구치로 교환되며, 이들 영구치를 대생치라고 한다. 또한 제1, 제2, 제3대구치가 소구치 후방에서 맹출하는데 이들 영구치를 후계치(후계영구치)라고 한다.

이 유치와 영구치의 교환시에 유치의 치근은 서서히 흡수되어, 잔존한 유치관의 탈락에 의해서 유치열은 소실된다. 유치의 탈락은 상하악 유중절치로 시작되어(6~7세), 상하악 유측절지(7~8세), 상하악

유견치·유구치(9~12세)순으로 일어난다.

　유치의 치아뿌리는 대생치의 치근 형성과 맹출이 진행됨과 동시에 흡수되어 치근 대부분이 소실되면 유치가 탈락한다. 유치 치근과 계승치 치배는 치조골에 의해 가로막혀 있지만, 대생치 치배의 맹출에 의해 치조골이 흡수되면 계속해서 유치 치근이 흡수된다. 이러한 현상을 생리적인 유치의 치근흡수라고 하여, 염증이나 종상에 의한 병적인 치근흡수와 구별하고 있다.

　전치부에서는 형성중인 영구치 치배가 유치의 치근측 1/3의 혀측 또는 입천장측에 위치한다. 이러한 유치와 영구치 치배와의 위치관계로부터, 치근 흡수는 유절치와 유견치의 치근은 혀측 또는 입천장측의 뿌리끝측으로부터 시작되어, 영구치 치배의 맹출·이동에 따라 절단면 및 입술측 방향으로 진행된다. 한편 유구치 치근은 소구치의 맹출에 의해 치근 사이의 내측(치근간 부분)에서부터 흡수가 시작된다. 치근의 흡수는 주로 백악질과 상아질에서 생기지만, 치아주위나 주위의 치조골에도 흡수조직이 침윤하고, 흡수가 치관에 이르면 법랑질도 흡수되는 경우가 있다. 유치의 탈락과정은 두 치아 사이의 치조골을 흡수(resorption)하는 파골세포(뼈파괴세포, 뼈흡수세포, osteoclast)와 유치 치근의 상아질, 백악질 및 치관 법랑질 일부를 흡수하는 파치세포(치아흡수세포, odontoclast)의 작용으로 이루어진다.

　치근 흡수가 진행되어 유치근이 거의 소실되면, 구강점막상피가 치아목부분 흡수면 하부에 증식·진입하여 흡수면을 덮게 된다. 이 때문에 유치관은 구강점막의 혈관·결합조직과 서서히 분리되며, 특히 통증이나 출혈없이 유치가 동요·탈락된다(그림 10-14).

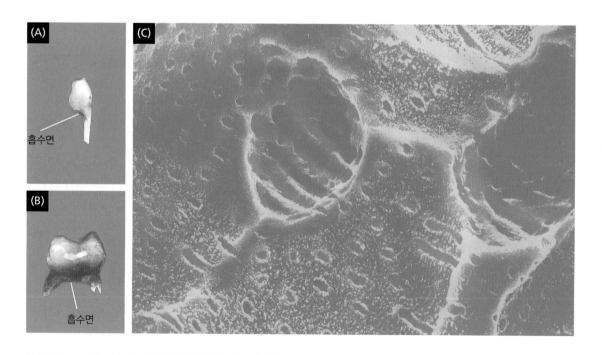

그림 10-14. 유치의 치근흡수. (A) 하악 유절치의 혀 측에서 치아뿌리 흡수, (B) 하악 유구치의 뿌리갈림부분을 중심으로 한 치아뿌리 흡수, (C) 치아뿌리 상아질 흡수면의 주사전현상에서는 관주바탕질의 용해에 의한 상아질세관의 확대가 관찰된다.

PART

4

구강조직학

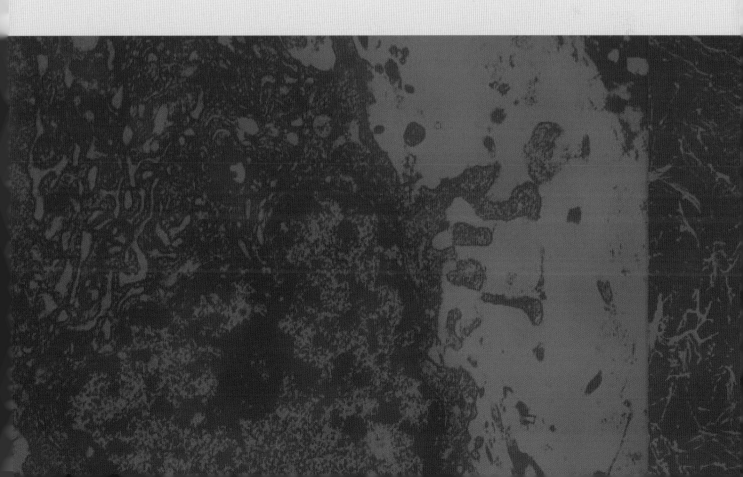

법랑질

▦ 학습목표 ① 법랑질의 특징을 설명할 수 있다.
② 법랑소주의 형성과 주행방향을 설명할 수 있다.
③ 법랑질의 성장선의 종류 및 특징을 설명할 수 있다.
④ 법랑총, 법랑엽판의 특징을 설명할 수 있다.
⑤ 법랑·상아경계의 특징을 설명할 수 있다.

1. 개요

법랑질(사기질, enamel)은 치관상아질의 표면을 덮는 인체에서 가장 고도로 석회화된 상피성 조직으로 인체에서 가장 단단하면서 내법랑상피로부터 분화한 법랑모세포에 의해 형성된 외배엽성 조직이다. 법랑질의 경도는 모스경도계로 수정·장석과 같다(6~7°). 법랑질의 두께는 2~3 mm 정도이고, 치경부에서는 칼날(knife edge) 모양으로 얇아진다. 그러나 법랑질은 단단하지만 깨지기 쉬우며, 법랑질을 보호하기 위해서는 하부의 유연한 상아질의 지지가 있어야 한다. 법랑모세포는 치아맹출과정에서 소실되기 때문에 손상을 받으면 다시 회복되지 않는다.

법랑질은 구강의 점막상피가 국소적으로 비후·증식하여 생기는 치아기(법랑기, dental organ)에 의해 생성된다. 법랑질을 직접 생성하는 세포를 법랑모세포(ameloblasts)라고 한다. 또한 법랑질의 형성에는 상아질의 존재가 필수적이다. 이것도 법랑질 형성이 뼈, 연골, 상아질, 백악질 등의 중간엽성 석회화 조직의 형성과 다른 특징 중 하나이다.

법랑질은 혈관·신경이 존재하지 않는다. 감각도 느낄 수 없다. 그러므로 세포성 대사작용이 전혀 없어, 광물로서의 성격이 강하다. 단지 치아가 맹출된 후의 법랑질에는 타액이나 음료수 중의 무기질이나 이온이 침투하여 노화에 따른 법랑질의 착색, 결정성과 석회화 정도의 변화가 생긴다. 이것을 맹출 후 성숙(post-eruptive maturation)이라고 한다. 이러한 법랑질의 특성에 의해 구강에 노출된 치아 표면이 각종 외부 자극으로부터 보호되고, 치아는 교합 기능을 할 수 있게 된다(그림 11-1).

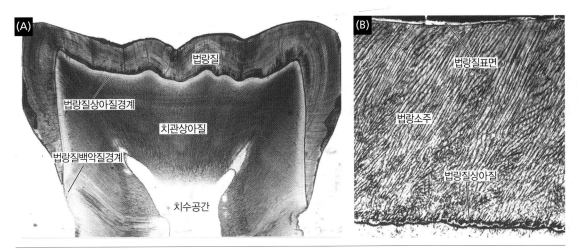

그림 11-1. 구치 부위 치관의 근원심적 세로절단면. (A) 법랑소주는 상아법랑경계로부터 방사상으로 확산되고, 여기에 거의 수직으로 교차하는 성장선이 보인다. (B) 법랑소주는 상아법랑경계로부터 사기질 표면을 향해 거의 직선으로 주행한다(A. 무염색 연마표본의 실제 현미경 사진, B. 산부식 연마표본의 헤마톡실린 염색×180).

2. 법랑질의 물리·화학적인 특성

구성성분은 무기질 96%, 유기질 1%, 수분 3%로 이루어져 있다. 법랑질의 무기질은 주로 인산칼슘으로 결정 유형은 수산화인회석(hydroxy apatite) 결정으로 이루어져 있고, 화학식은 $Ca_{10}(PO_4)_6(OH)_2$이며, 법랑단백질은 에나멜린(enamelin) 또는 아멜로제닌(amelogenin)이다. 법랑질의 색깔은 약간의 황색을 띠고 있고, 두께는 치아의 부위와 치아의 종류에 따라 다양하여 법랑질의 두께는 2~3 mm 정도이고, 교합면에서 가장 두껍고 치경부는 칼날(knife edge) 모양으로 가장 얇다.

3. 법랑질의 조직학적 구조물

1) 법랑소주(enamel rod)

법랑질은 법랑모세포의 Tomes 돌기 출현에 의해 형성된 것으로서 법랑소주(enamel rods)의 집합체이며, 폭은 약 4 ㎛인 기둥이다(그림 11-2). 법랑소주는 횡단면에서 열쇠구멍, 또는 물고기 비늘모양을 하고 있다. 법랑소주는 치관의 중심부에서 법랑질 표면 쪽으로 방사상으로 펼쳐지며, 거의 직선으로 주행한다. 법랑소주는 4개의 법랑모세포로 형성된다(그림 11-3). 법랑소주의 머리(head)는 하나의 법랑모세포가 형성하고, 목(neck)은 두 개의 법랑모세포가 형성하며, 네 번째 법랑모세포가 꼬리(nail)부분을 형성한다.

막대 내부는 거의 완전히 무기질 결정으로 채워지지만, 결정의 배열 방향의 차이에 따라 막대의 머리와 꼬리부분으로 나누어진다. 각 사이는 소주간 법랑질(막대사이사기질, interrod enamel)로 채워진다. 소주간 법랑질은 법랑소주 상호간에는 소주의 절반 정도되는 층이며, 법랑소주와 인접하는 막대 사이 부분을 법랑소주초(막대집, prism sheath)라고 하며, 여기에 약간의 유기질이 존재한다(연마표본을 hematoxylin 염색을 하면 법랑소주와 소주간질보다 특히 진하게 염색됨).

2) 슈레거띠(Schreger band)

슈레거띠는 상아법랑질 경계에서 법랑소주가 직선과 비스듬하게 주행하는 영역의 교차에서 생기는 무늬이며, 법랑질 표면을 향해 방사상으로 주행하여, 법랑질 안쪽층 2/3 영역에서 관찰된다. 또한 슈레 거띠는 외부 힘에 대해 역학적으로 적응된 구조라고 생각된다.

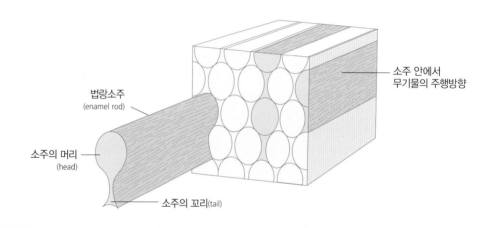

그림 11-2. 육면체의 법랑모세포의 외형과 열쇠구멍모양의 법랑소주를 겹쳐서 보여주는 모식도.

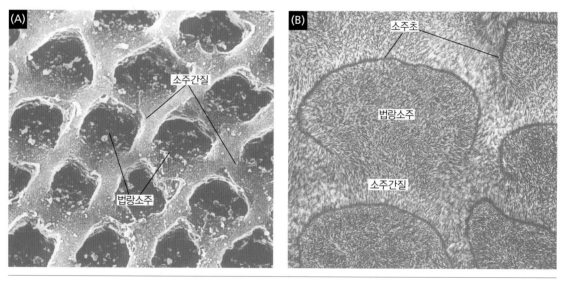

그림 11-3. 법랑소주의 전자현미경사진. (A) 법랑소주와 소주간질 형성면의 주사전자현미경 사진, (B) 삼각뿔 모양 툼스돌기의 형태 와 일치하게 사기질 막대가 형성됨을 알 수 있다. 법랑소주의 가로절단면. 법랑소주와 소주간질에서는 인회석 결정의 배열방행이 약 90도 정도 차이난다. 아케이드형의 법랑소주 외형은 유기질이 풍부한 막대집으로 둘러싸인다(A×3,000, B×10,000).

3) 법랑총(사기질얼기, enamel tufts)

상아법랑경계 근처에서 관찰되는 검은 풀숲과 같은 구조로써 석회화 정도가 낮고 유기질의 함량이 높아 법랑질의 결정화가 일어나지 못한 부분이다.

법랑질단백질을 다량으로 함유하는 저석회화 영역인 법랑총은 상아법랑경계에서 법랑질 표면까지의 안쪽층 1/10~1/5에 걸쳐 존재한다(그림 11-4 A).

4) 법랑엽판(사기질층판, enamel lamellae)

상아법랑경계에서 법랑질 표면에 이르는 줄기와 같은 구조물로서 불완전하게 발육되어 있다. 막대 구조를 포함하지 않고 유기질이 풍부하기 때문에 법랑질 내에 단층이나 균열을 일으키는 원인이 되며, 우식의 진행경로도 된다. 법랑엽판은 석회화 정도가 낮으며 유기질 비율이 높아 법랑질의 결정화가 일어나지 못한 부분이다(그림 11-4 B).

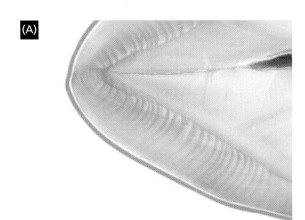

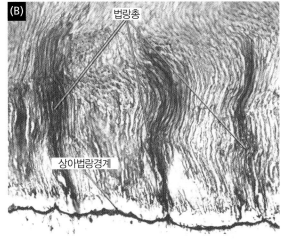

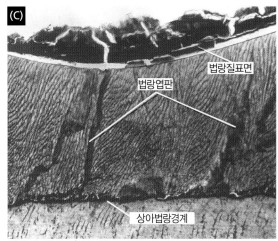

그림 11-4. 법랑총 및 법랑엽판. (A) 슈레거띠, (B) 상아법랑경계에서 일어서는 법랑총, (C) 상아법랑경계로부터 법랑소주를 따라 법랑질 표면에 도달하는 법랑엽판(산부식 연마표본의 헤마톡실린 염색, A×380, B×190).

5) 법랑방추(사기질방추, enamel spindle)

치아 발생 초기인 상아질 형성 시작 시, 상아모세포돌기의 일부가 법랑질 내의 상피 사이로 침입하는 경우가 있다. 상아질 형성은 법랑질 형성 이전에 생기기 때문에, 상아모세포의 세포돌기는 상아법랑경계를 넘어서 침입하는 경우가 있다. 그런데 법랑질의 석회화가 급격히 진행되면서 이들 세포돌기는 법랑질 내에 봉입되어 버린다. 이를 법랑방추라고 한다. 즉, 법랑방추는 상아모세포의 돌기가 상아법랑경계를 넘어서 법랑질 내에 진입한 것으로, 상아법랑경계에서의 지각(통각) 발생에 관여한다. 법랑방추는 교두정 부근의 상아법랑경계에서 많이 관찰된다(그림 11-5 A).

6) 상아법랑경계(상아사기질이음부, dentin enamel junction, DEJ)

상아법랑경계에서의 상아질 표면은 물결치는 모양으로 구조물의 결합을 단단하게 한다. 이 모양은 법랑소주를 지지하고, 법랑질과 상아질 사이의 표면적을 증가시키며, 접착성을 높여 견고하게 하는 구조이다(그림 11-5 B, C).

7) 법랑소피(사기질껍질, enamel cuticle)

구강에 맹출한 치아의 법랑질 표면을 덮고 있는 유기성의 얇은 막으로, 두께는 약 0.5~1 ㎛이며 균질하다. 법랑질을 산으로 용해하여도 법랑소피는 산에 대한 저항성을 나타내며, 용해가 소실되지 않고 잔존한다. 그러나 저작이나 마찰 등의 기계적 작용에 대하여는 비교적 약하다.

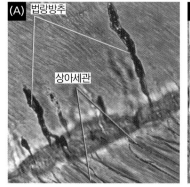
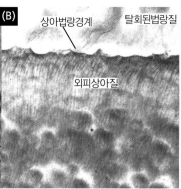

그림 11-5. 법랑방추 및 상아법랑경계. (A) 상아질세관에 연속하는 법랑방추, (B) 물결 모양(스칼럽 scallop)을 띠는 상아법랑경계, (C) 상아법랑경계의 투과전자현미경 사진. 상아질의 콜라겐섬유와 법랑질의 인회석 결정(실제로 관찰되는 것은 결정 주위의 법랑질 단백질)이 복잡하게 교착하고 있다(산부식 연마표본의 헤마톡실린 염색) (A×80, B. H·E염색×190, C. 탈회절편의 류테늄 레드 염색 ×10,000).

8) 주파선조(perikymata)

레찌우스선조가 법랑질 표면에 도달하는 부위의 표면 끝부분에는 얕은 고랑이 있다. 이 얕은 고랑은 치관의 표면을 수평 방향으로 주행하는 홈으로 둘러싸여 있어 육안 또는 확대경으로도 볼 수 있다 (그림 11-6). 이를 주파선조라고 한다. 주파선조 상호 간의 간격은 거의 같은 간격이며, 작은 파상의 곡선을 그리면서 규칙적으로 배열되어 있다. 그 간격은 교두정에서 치경부로 향할수록 좁게 되어 있으나 절대로 서로 교차하지는 않는다.

주파선조는 교모나 마모에 의해 결국 소실되고, 치경부 부분의 법랑질 표면에 아주 조금 남아 있다. 해당치아는 상악 전치, 견치 및 제1소구치 부위에서 관찰된다.

4. 성장선(Incremental line)

1) 횡선문(가로무늬근, cross striation)

횡선문은 치아 연마표본의 법랑소주에서 밝은 선과 어두운 선이 교대로 배열되어 나타나는데 어두운 선을 소주의 횡선문이라 한다. 사람의 법랑질은 하루에 4 ㎛씩 성장하고, 횡선문의 간격은 법랑소주의 폭과 거의 같은 4 ㎛이며, 하루에 1개씩 형성한다. 따라서 법랑모세포가 1일 형성하는 법랑질의 량이다.

이것은 법랑소주의 장축에 대하여 직각 방향으로 수직 교차하는 것처럼 나타나, 가로무늬근이라고 불린다. 횡선문은 연마표본에서는 광선 투과도가 낮기 때문에 다른 부분보다 어둡게 보이며, 헤마톡실린에 염색된다. 이 횡선문은 법랑소주에 있어서의 주기적인 석회화 정도의 차이로 나타나는 구조물이다(그림 11-7).

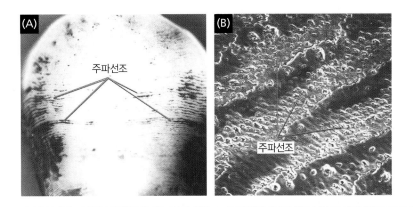

그림 11-6. 주파선조. (A) 치아 표면에 먹즙을 도포하고 닦아낸 후에 관찰된 주파선조. (B) 주파선조의 주사전자현미경 관찰에서는 주파선조의 홈 부분에 법랑소주의 잘려져 남은 부분이 보인다(B×500).

2) 레찌우스선조(Striae of Retzius)

법랑질의 성장선이고, 연마표본에서는 평행하게 주행하는 어두운 줄무늬로 나타나는(그림 11-8) 레찌우스(Retzius)선조는 사람의 영구치에는 명료하게 나타나지만, 유치에서는 뚜렷하게 나타나지 않고 특히, 출생 전에 형성된 법랑질에서는 거의 보이지 않는다.

레찌우스선조는 특히 잘 발달된 횡선문이 이어진 것으로, 횡선문을 따라 단계적으로 법랑소주를 횡단하고 있다. 즉, 7일 동안에 만들어진 법랑질의 양을 나타내는 성장선이다(각 줄무늬 사이에는 8~12개의 횡문이 있다).

3) 신생선(neonatal line)

신생선은 유치와 제1대구치의 법랑질에서 관찰되고, 레찌우스선조가 강조되어 나타난 것으로 출산에 의한 생리적 변화로 인해 치아에 나타난다. 이것은 출산 시에 형성된 석회화 불량의 줄무늬로 여겨진다. 출산 시에는 신생아의 영양상태와 환경이 급격히 변화하기 때문에 특히 현저한 레찌우스선조로써 신생선이 생긴다. 출산 이전에 형성된 신생아선보다 안쪽의 법랑질을 출생전 법랑질이라고 하고, 출생후 법랑질보다 조직적 결함이 적다.

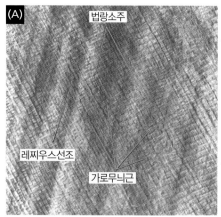
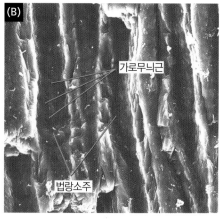

그림 11-7. 법랑소주의 세로절단면. (A) 법랑소주의 세로절단면에서 일주기성의 가로무늬를 나타내는 광학현미경 사진, (B) 주사전자현미경 사진. 가로무늬 부분에서 막대는 굵기가 약간 감소한다(A. 무염색 연마표본×380, B×2,600).

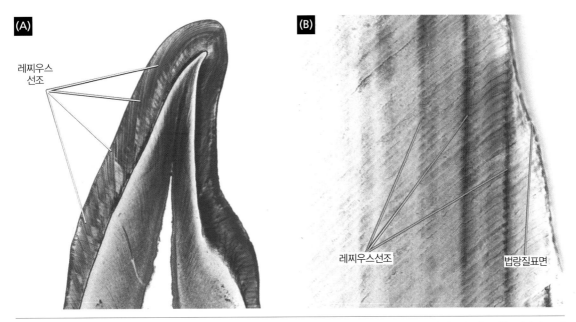

그림 11-8. 전치 치관 세로절단면에서의 법랑질의 레찌우스선조. 각 병행조의 간격은 일정치 않다. 병행조가 있는 것은 법랑질 표면에 도달한다(A. 실제 현미경 사진, B. 무염색 연마표본×380).

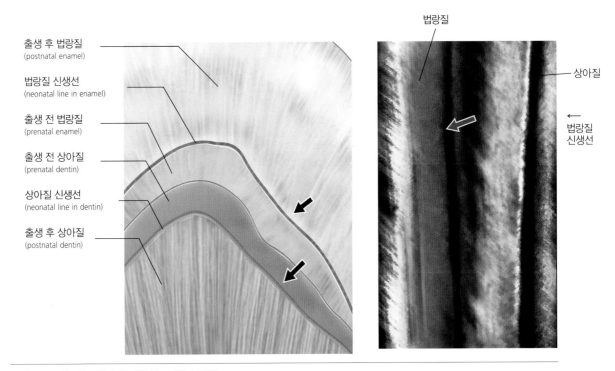

그림 11-9. 레찌우스선이 현저히 두드러진 신생선.

5. 임상적 측면

1) 연령증가에 따른 변화

법랑질은 불활성의 조직으로 대사작용이 없다. 그러나 법랑질은 교모와 마모에 의해 교합면과 인접면에 약간의 형태적 변화가 생긴다. 형태적으로는 교합면이나 인접면에서의 교모와 마모가 생긴다. 조직적으로는 법랑질의 표면 전체가 마모에 의해 마멸되고, 주파선조가 소실되어 법랑질 표면은 더욱 편평해진다.

2) 법랑질의 투과성

법랑질의 표면에 타액이나 음료수 속 불소 등의 이온이 침투하여 수산화인회석의 결정성이 높아진다. 이것을 맹출 후의 성숙이라고 한다. 특히 불소이온이 수산화인회석의 수산기와 교환하여 플루오르애퍼타이트(fluorapatite, $Ca_{10}(PO_4)_6F_2$)가 생기면, 법랑질의 내산성이 증가하고 우식에 이환되지지 않는다. 또한 약간 우식이 진행된 표면의 탈회과정을 재석회화 과정으로 바꿀 수도 있다.

법랑질은 결정 사이에 물을 함유하고 있어서 상아질보다 적지만 약간의 투과성을 가지고 있다. 투과성은 법랑질의 변색, 법랑질의 탈수로 인한 색조의 변화가 나타나고, 색조의 변화는 미백진료 등과 연관되어 있다.

3) 산부식(acid etching)

법랑질 표면에 희석된 산을 이용하여 법랑질을 부식시키면 법랑질의 표면이 달라진다. 치면열구전색재, 법랑질 수복재의 접착, 교정용 브라켓의 치아 표면 접착 등에 산부식이 이용된다. 이것은 첫째, 치태나 유기물질을 제거하고, 법랑질 표면의 일부가 제거되며, 둘째, 법랑질 결정구조를 선택적으로 용해시켜 전색재, 수복재, 접착재가 견고하게 접착할 수 있도록 한다. 셋째, 전색을 하기 위해 부식을 하는 것은 우식을 예방하기 위해서이다.

무소주 법랑질이 있는 부위, 유치, 불소침착을 보이는 치아는 산부식에 저항성이 있으므로 더 오랜 시간의 산부식을 필요로 한다.

4) 법랑질형성부전증(불완전사기질형성증, enamel hypoplasia)

법랑질 형성과정에서 유전적인 문제가 생기게 되는 경우 법랑질형성부전증이 발생한다. 스크루드라이버와 같은 치관형태를 보이거나 색깔이 변형되고 잘 부서지기 쉬운 증상을 보인다.

5) 법랑진주(법랑적, enamel pearl)

정상적으로 매끄러운 치경부 경계를 넘어 치근 위에 국소적으로 돌출된 법랑질을 치경부 법랑질 돌출이라고 한다. 구치부 치근 분지 위에서 발생하는 법랑진주는 법랑질의 이소성 증식에 의해 일어난다. 임상적으로 치근제거술이나 치근활택술을 시행할 때 치석으로 오인하는 경우가 있다(그림 11-10).

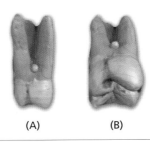

(A)　　　　(B)

그림 11-10. 법랑진주. (A)소구치의 법랑진주, (B)대구치의 법랑진주.

Chapter

12

상아질

학습목표
1 상아질의 특징을 설명할 수 있다.
2 상아세관의 구조와 특징을 설명할 수 있다.
3 상아질의 종류를 설명할 수 있다.
4 관주상아질과 관간상아질을 설명할 수 있다.
5 경화상아질을 설명할 수 있다.
6 상아질 성장선의 종류를 설명할 수 있다.
7 상아질의 신경지배와 지각전달 과정을 설명할 수 있다.

1. 개요

치아의 기본적 외형을 구성하는 치아 경조직의 주체이면서 외배엽성 중간엽 조직이다. 치아의 경조직 중 가장 두껍고, 상아모세포에 의해 만들어진다.

발생학적 측면에서는 치유두에서 분화하여 상아질이 형성된다. 치근상아질이 완성된 후 치유두는 치수로 분화되어 상아질 내부에 위치하고, 상아질과 일체의 조직으로 존재한다. 상아질 대사의 대부분은 치수조직과 밀접하게 관련되어 있으므로 이들을 하나의 발육과 기능의 단위로써 상아질-치수복합체(denti-pulp complex)라고 부른다. 실제 치수가 존재하는 한 상아질은 평생 형성된다.

2. 상아질의 물리·화학적 특징

물리·화학적 성상은 색은 불투명한 황백색이며 연령이 증가함에 따라 짙어진다. 법랑질보다는 약하고 무기질 함량이 더 낮아서 모스경도계로 5~6°이다. 화학적 조성은 무기질 70%, 유기질 20%이며, 수분이 10%이다. 유기질 성분 중 교원섬유가 약 93%이다. 상아세관으로 관통되어 있기 때문에 불투명하다. 상아질은 약간 탄력성이 있어서 저작시 충격을 감당할 수 있어서 깨지기 쉬운 법랑질이 부서지지 않도록 한다.

3. 상아질의 석회화

치수 속의 상아모세포는 치아가 맹출한 후에도 상아질을 계속 분비한다. 분비 직후의 상아질은 유기성 기질만으로 조성되어 있어 상아전질(predentin)이라 하고, 수산화인회석을 함유해서 석회화된 상아질이 된다.

상아질의 석회화 양식에는 구형모양석회화(globular calcification)와 선형모양석회화(lamellar calcification)의 2종류가 있다. 치관부에서는 석회소구(calcified globule)가 형성되어 구형모양석회화를 만들고 형성 속도가 빠른 부위에 생긴다. 구형모양석회화의 주변부분은 석회화도가 높고, 광학현미경적으로는 헤마톡실린으로 짙게 염색되는 연속적인 그물모양 구조를 나타내며, 구간망(interglobular net, 구사이그물)이라고 불린다. 이에 비해 치근부에서 진행된 선형모양석회화는 얇은 석회화층을 형성하면서 진행되며, 형성 속도가 느린 부위에 생긴다(그림 12-1).

4. 상아질의 종류

상아질은 외배엽성 중간엽 조직에서 유래하는 석회화 결합조직으로, 형성 시기에 따라 일차상아질, 이차상아질, 삼차상아질로 구분된다(그림 12-2).

1) 일차상아질(primary dentin)

일차상아질은 치아가 완성되기 전에 만들어진 상아질로서 상아세관이 규칙적이다.

치아의 대부분을 차지하는 조직으로, 치배 발생 시부터 맹출후의 치근 형성의 완료까지 형성된 상아질이다(치근단공이 완성되기 전). 또한 일차상아질은 치관과 치근상아질의 주체가 되어 최외층의 외피상아질과 치수벽 바깥쪽을 둘러싸는 치수주위상아질을 형성한다.

외피상아질은 상아법랑경계에서 처음 침착되고, 치수쪽으로 150 ㎛ 부위까지 형성되었고, 치수주위상아질은 치관에서는 6~8 mm 두께이며 치근에서는 조금 더 얇다.

2) 이차상아질(secondary dentin)

치아가 완성된 후에 만들어진 상아질로 상아세관이 불규칙적이다. 치아가 맹출하여 치근 형성이 완료된 후에도 치수 쪽에서는 기존의 상아모세포 또는 치수세포에서 분화된 새로운 상아모세포에 의해 완만하지만 평생 동안 형성된다. 이렇게 형성된 상아질을 이차상아질이라고 한다. 이차상아질은 치관과 치근의 완성 후에 지속적으로 형성되는 상아질로 일차상아질에 비해 상아세관 수가 감소되며, 상아세관의 배열이나 주행도 불규칙적이고 많이 굴곡되어 있다. 그러나 이차상아질의 석회화 상태는 일

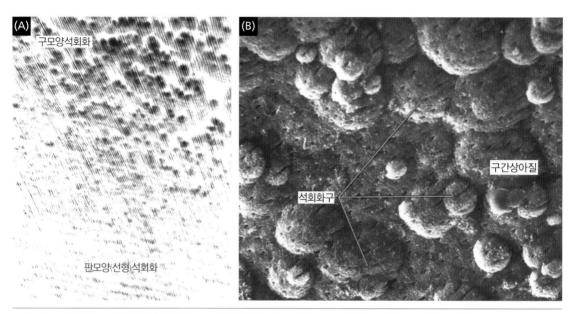

그림 12-1. 상아질의 석회화. (A) 상아질의 구모양석회화와 선형모양, (B) 구모양석회화에서의 석회화구의 형성과 융합을 나타내는 주사전자현미경 사진(A. H·E 염색×190, B. 트립신 처리 표본×520).

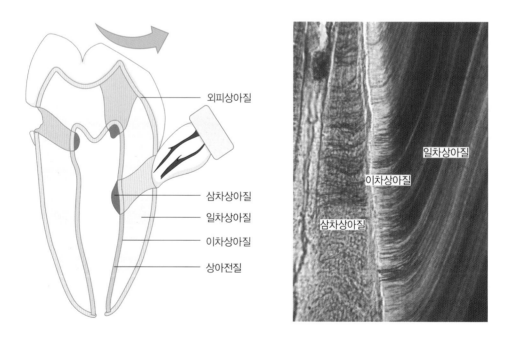

그림 12-2. 상아질 종류.

차상아질에 비해 반드시 나쁘지는 않다. 이차상아질은 상아질의 치수측 전면에 걸쳐 형성되며, 그 결과 치수 공간의 용적은 서서히 감소된다.

3) 삼차상아질(tertiary dentin)

삼차상아질은 수복상아질(reparative dentin) 또는 반응상아질(reactive dentin)이라고도 불리는데 교모, 마모, 우식 및 파절 등 상아질의 결손에 대하여 상아모세포가 반응하여 방어적으로 형성된다. 형성되는 양은 자극받은 부위만 선택적으로 형성되고, 자극받은 기간과 강도에 따라서 관련이 있다.

삼차상아질은 이차상아질에 비해 상아세관 수가 감소되고, 세관의 배열이나 주행도 불규칙하다. 삼차상아질에서는 상아모세포나 섬유모세포가 기질 속에 매입되는 것도 있다. 매입된 세포는 사멸하는 경우도 있지만, 골세포처럼 세관 구조를 통해 생존하는 것도 있다.

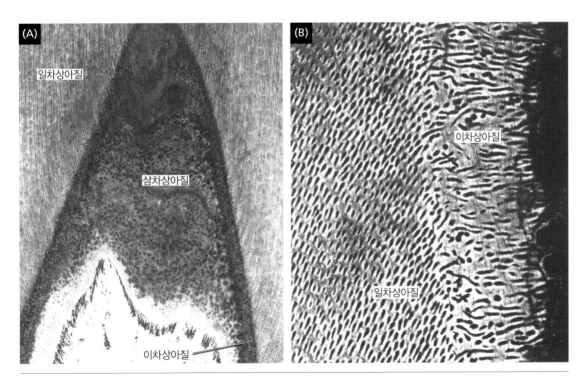

그림 12-3. 일차상아질, 이차상아질 및 삼차상아질. (A) 바로 밑 치수공간 표면에 형성된 삼차상아질과 이차상아질 (B) 일차상아질에 이은 이차상아질의 반사전자상. 이차상아질에는 상아질 세관의 감소와 주행방향의 변화가 관찰되는데, 석회화도에는 큰 변화가 없음을 알 수 있다. 이차상아질의 상아세관 일부는 일차상아질의 상아세관과 연결된다. 또한 이차상아질의 상아세관 벽에는 관주상아질이 관찰된다(A. H·E 염색×190, B×400).

5. 상아질의 조직학적 구조물

1) 상아세관(dentinal tubule)

상아질 내에는 치수강에서 상아법랑경계까지 많은 관이 관통하고 있는데 이를 상아세관이라 한다. 상아세관의 굵기와 수는 연령과 상아질의 부위에 따라 다르다. 젊은 사람은 고령자의 것보다 굵다. 특히 상아세관은 표층 가까이에서 분지되어 있으며, 이 가지를 그 부위에 따라 상아세관의 측지 또는 종지부라 부른다.

상아세관 속에는 상아모세포의 세포돌기가 들어 있다. 이 세포돌기는 톰스섬유 또는 상아섬유라고도 불려왔다. 상아세관의 주행경로는 상아질이 형성되는 동안의 상아모세포의 경로이다. 상아모세포는 상아섬유와 신경섬유를 통해서 상아질의 영양을 담당하고, 상아세관 내의 세포돌기는 노화와 더불어 후퇴하여 노령자의 상아질에서는 치수 부근의 상아세관만 존재한다고 생각된다(그림 12-4 A, B). 상아세관은 치관의 중앙부와 치근에서는 직선으로 주행하지만, 치경부에서는 S자 상으로 구부러져서 주행한다. 이를 일차만곡이라고 한다. 상아세관의 이차만곡은 일차만곡 내에서 보이는 작고 섬세한 곡선을 의미한다(그림 12-4 C, D).

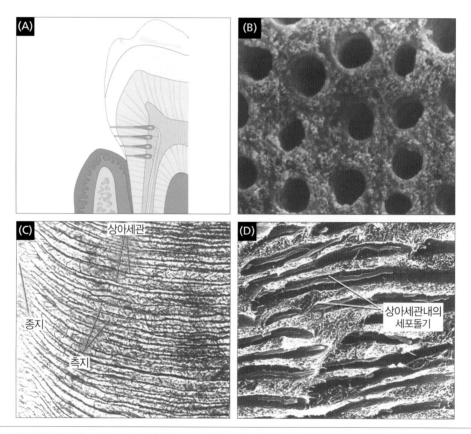

그림 12-4. 상아세관. (A) 상아세관 모식도, (B) 상아질 단면에서 관찰한 상아세관의 주사현미경 사진(X2,700), (C) 상아세관과 그 곁가지 및 끝가지, (D) 상아세관과 그 내부의 상아모세포의 세포돌기의 주사전자현미경 사진

2) 관주상아질(세관주위상아질, peritubular dentin)과 관간상아질(세관사이상아질, intertubular dentin)

상아세관 주위는 석회화의 정도가 특히 높은 상아질로 되어 있는데 이것을 관주상아질(peritubular dentin) 혹은 관내상아질(intratubular dentin)이라 하며, 광화된 상아질에 2차적으로 형성된다. 즉, 젊은 개체에는 얇고 고령화됨에 따라 상아세관의 내경이 좁아지며, 결국에는 상아세관이 폐쇄된다.

관주상아질 사이를 메우고 있는 상아질은 관간상아질(intertubular dentin)로서 상아질의 대부분을 차지하고 있다. 관간상아질도 고도로 광화되어 있지만, 관주상아질보다는 덜 광화되어 있다(그림 12-5).

3) 외피상아질과 치수주위상아질(mantle dentin, circumpulpal dentin)

일차상아질의 가장 바깥층(약 150 ㎛)을 외피상아질(외투, mantle dentin)이라고 한다. 이 층은 치유두에서 분화된 상아모세포에 의해 처음으로 생성된 상아질층이다. 기질의 석회화도는 치수주위상아질에 비해 약간 낮으며, 다른 부위의 상아질과 비교할 때 광화된 아교섬유의 방향이 상아−법랑경계에 수직으로 배열한다. 또한, 외피상아질은 법랑·상아경계에서 물결 모양의 함요 구조를 나타내며, 아래쪽은 구간상아질에 의해 치수주위상아질과 경계가 지워진다.

외피상아질 이외의 일차상아질을 치수주위상아질(circumpulpal dentin)이라고 한다. 치수주위상아질에서는 보다 작은 기질섬유가 법랑·상아경계와 평행하게(즉, 상아세관과 수직으로 교차하여) 놓여있다. 치수주위상아질은 선상모양석회화에 의하여 석회화된다.

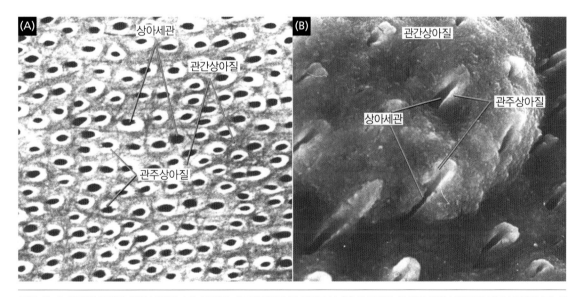

그림 12-5. 관주상아질과 관간상아질. (A) 상아질 가로절단면의 반사전자상. (B) 상아세관 주위의 관주상아질은 관간상아질보다 석회화도가 높기 때문에 전자선을 반사하여 하얗게 관찰된다. 상아질 형성면(구상석회화면)에서의 관주상아질과 관간상아질의 주사전자현미경 사진. 관주상아질이 상아질 형성 때부터 생성되는 구조물임을 알 수 있다(A×1,100, B. 치아염소산처리표본×2,200).

상아세관내의
세포돌기

4) 구간상아질(구슬사이상아질, intergloublar dentin)

상아질 형성량이 많은 치관부에서는 형성 초기에 구형의 석회화가 급속히 진행되면서 석회화구의 크기는 일정하지 않지만, 그것들이 서로 융합하면서 대형화된다. 이 때 융합한 석회화구의 사이공간 부분이 저석회화 상태인 채로 남는다. 이것을 구간상아질(interglobular dentia)이라고 한다(그림 12-6 A, B).

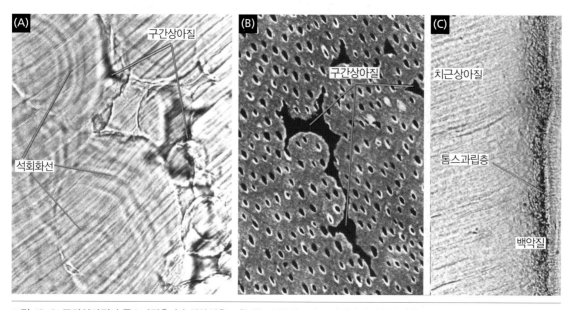

그림 12-6. 구간상아질과 톰스과립층. (A) 회화선을 포함하는 석회화구와 구간상아질의 형성. (B) 구간상아질의 반사전자상. 구간상아질은 미석회화 때문에 전자선을 흡수하여 검게 관찰된다. (C) 치근상아질 가장 바깥층의 톰스과립층(A. 무염색 연마표본×460, B ×450, C. 무염색 연마표본×380).

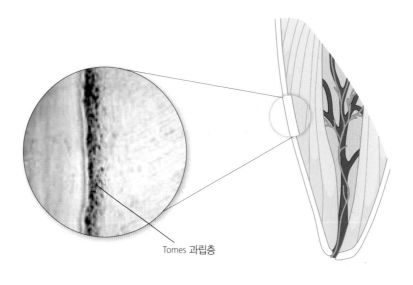

Tomes 과립층

그림 12-7. 톰스과립층. 치근의 백악·상아경계를 따라 나타나는 상아질 과립층을 볼 수 있다.

5) 톰스과립층(granular layer of Tomes)

구간상아질과 같은 구조물이지만, 치근부위의 백악-상아경계 부근에 발현되는 것을 톰스과립층이라고 한다. 이것은 본질적으로 구간상아질과 같은 구조물이다.

단지 치근부에서는 치관에 비하여 상아질의 형성량이 적기 때문에 상아질의 석회화구가 소형이며, 곧바로 평탄한 선상모양석회화로 이행된다. 이 때문에 석회화구의 융합에 따른 미석회화의 사이공간 부분도 소형이 된다. 이러한 미석회화 부분을 톰스과립층이라고 한다.

톰스과립층은 상아세관의 끝 부분에 고리를 형성하고 있어 그 단면이 과립되어 있는 것처럼 보여 종말 부분이 융합 또는 고리 형성에 의해 생긴다는 설도 있다(그림 12-6 C, 12-7).

6) 투명상아질(경화상아질, sclerotic dentin)

상아질에 가해지는 외부의 자극이 장기간에 걸쳐 가해지면 상아모세포의 돌기는 죽고, 상아세관 내에서 석회화된 물질의 침착이 진행되면서 결국 상아세관은 폐쇄된다.

상아세관 폐쇄가 일정 영역에서 일어나면 주위의 상아질기질과 세관 내부의 굴절률이 같아져서, 연마표본을 투과광으로 관찰했을 때 투명하게 보인다. 이것을 투명상아질(translucent dentin)이라고 하며, 치근 끝부분의 상아질에 많이 생긴다. 정상적인 상아질과 비교해보면 경도와 석회 정도가 높다. 경화상아질은 임상적으로 연령이 증가함에 따라 치근 1/3과 치수면, 상아법랑경계에서 형성되며 정지우식증에서 볼 수 있다. 투명상아질은 표본 관찰에 근거한 명칭이지만, 그 성질로 볼 때 경화상아질(sclerotic dentin)이라고도 불린다(그림 12-8 C).

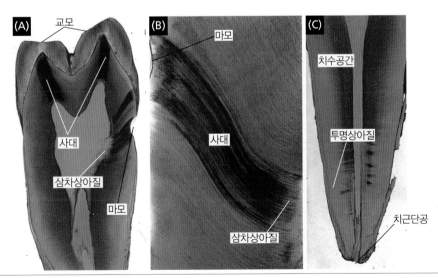

그림 12-8. 삼차상아질, 사대 및 투명상아질. (A~B) 교두부의 교모 및 치관의 마모에 일치하여 형성된 사대와 삼차상아질, (C) 치근 근처의 치근상아질에 생긴 투명상아질.

7) 사대(죽은띠, dead tract)

삼차상아질 형성에 따라 자극을 받은 부위의 일차상아질 상아세관 중의 세포돌기는 퇴축 또는 소멸되어 상아세관은 공기로 채워지게 된다. 연마표본에서 이와 같은 상아세관이 많이 모여 있는 부위에서는 빛을 난반사하기 때문에 어둡게 보이는데, 이 구조를 사대(죽은띠, dead tract)라고 한다. 삼차상아질의 상아세관은 사대(사로)의 상아세관과는 연결되지 않는다. 이렇게 삼차상아질은 치수로 외부 자극의 전도를 차단하여 치수를 보호한다(그림 12-8 A, B).

6. 성장선(Incremental line)

상아질의 형성과 광화는 치관의 첨단부, 구치에서는 교두정에 해당하는 부위에서 시작하여 층상으로 진행되며, 점차 상아질의 심층과 치경에 이른다. 상아질 형성과정에서 상아모세포의 주기적 활성리듬에 의해 상아기질 내에서 기질섬유 배열에 주기적 변화가 나타나고, 이에 관련한 석회화의 주기적 차이가 원인이 되어 여러 가지 성장선이 형성된다(그림 12-9, 12-10).

1) 에브너선(lines of von Ebner)

상아질 형성에 있어서는 기질의 형성량이나 석회화의 변화에 따라 하루마다 성장선이 생긴다. 이 성장선은 낮과 밤으로 혈액의 pH가 변화하기 때문에 생기는 저석회화 영역이다. 이 일주성의 변화에 따른 약 4 ㎛ 간격의 규칙적인 성장선을 에브너선이라고 한다. 상아질의 1일 주기 성장선이라고도 한다. 에브너선 중 특히 조직절편상에서 현저한 선 모양을 안드레젠선이라고 한다(그림 12-9 A, 12-10 B).

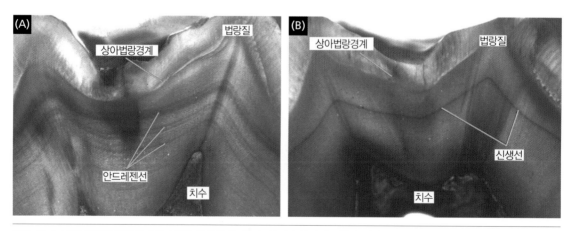

그림 12-9. 구치 단면을 연마하여 오스뮴산 염색을 한 건조표본. (A) 상아질 외형과 거의 일치한 안드레젠선 및 (B) 신생선이 뚜렷하게 보인다.

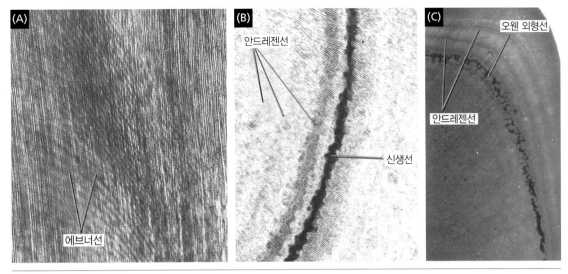

그림 12-10. 상아질 성장선. (A) 에브너선, (B) 신생선 및 (C) 오웬 외형선. 오웬 외형선은 미석회화의 구간상아질 집합체로 관찰된다 (A. H·E 염색×190, B. 카르볼푹신 염색×190, C. 연 X선 사진×45).

2) 오웬 외형선(contour lines of Owen)

구간상아질이 층 모양으로 연속되어 있는 것을 오웬 외형선이라고 한다. 그러나 오웬 외형선은 성장선이라기보다는 석회화 장애 영역이라고 하는 쪽이 더 적합하다. 대사장애가 상아모세포에 영향을 주어 상아질 형성을 변화시키므로써 검은 띠로 나타난다. 오웬외형선 중 가장 강조된 것이 출생할 때의 외상에 의해서 생기는 신생선이다.

법랑질과 마찬가지로 상아질에서도 출생 시의 급격한 환경 변화 및 영양변화에 따라 생기는 저석회화선인 신생선이 발견되며 치아의 외형에 거의 일치하여 발현된다.

7. 상아질의 신경분포와 감각의 전달

상아세관 중에는 상아모세포의 세포돌기가 포함되어 있다. 이것은 상아모세포가 상아질을 형성하면서 세포돌기를 세관 내로 돌출시키고, 치수 쪽으로 후퇴하기 때문이다. 상아모세포의 세포돌기는 상아전질로부터 상아세관 내로 들어가 상아법랑경계 도달한다고 추측된다. 그러나 상아세관 내의 세포돌기는 노화와 동시에 후퇴하여, 노령자의 상아질에서는 치수 부근의 상아세관에만 존재한다.

상아질이 우식, 와동형성, 치은퇴축, 교모, 마모 등의 어떠한 원인에 의해 노출되었을 때, 개방된 상아세관은 환자가 통증을 느끼게 되는 상아질 지각과민(dentinal hypersensitivity)을 일으킨다. 그러나 실질적으로 감각성 신경섬유의 상아질 내의 분포는 상아전질로부터 100~150 ㎛ 정도까지의 상아질 안쪽층의 상아세관 내로 그치고, 상아법랑경계까지는 도달하지 않는다. 즉, 감각성 신경종말은 상아모세포층으로부터 상아질의 내층의 약 100~150 ㎛의 범위에 분포하고 있는 것이다. 상아질 지각과민에 대한 이론은 3가지가 있다. 첫째, 상아질 속에 감각신경의 종말가지가 있다. 둘째, 상아모세포돌기가 신경의 수용체 역할을 한다. 셋째, 상아세관내에 있는 조직액이 자극에 의해 이동하고 이것이 자유신경종말을 자극함으로써 감수성에 반응한다. 상아질 지각과민에 대한 최근의 이론에 의하면, 상아모세포의 세포돌기 주변의 상아세관액에 변화가 생겨서 나타나는 일종의 유체역학기전(hydrodynamic theory)에 의해 일어난다고 한다. 이 기전은 탈수, 액의 이동, 액내 이온의 변화에 의해 상아모세포의 세포체 또는 세포돌기에 시냅스결합하고 있는 신경종말을 기계적으로 자극하여 치수의 감각, 즉 통증이 발현한다는 가설이다(그림 12-11).

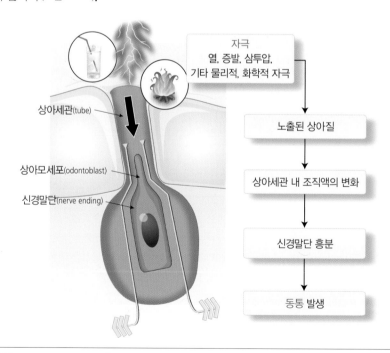

그림 12-11. 유체역학설(hydrodynamic theory).

8. 임상적 측면

상아질에는 노화에 따른 몇 가지 조직 변화가 일어난다. 우선 이차상아질이나 삼차상아질의 형성에 의한 치수공간 형태의 불규칙과 용적의 감소가 있다. 여기에는 치수 결석의 형성을 동반하는 경우도 있다. 특히 치근부에서의 삼차상아질 형성은 치근단공의 극단적인 협착을 야기한다.

노화에 따라 상아세관 내로의 석회염류의 침착이 진행되면, 상아세관이 폐쇄된다. 이 현상은 치근의 끝부분 부근의 상아질에서 일어나는 경우가 많다. 상아세관의 폐쇄가 일정 영역에서 일어나면 주위의 상아질기질과 세관 내부의 굴절률이 같아져서, 연마표본을 투과광으로 관찰하였을 때 투명하게 보인다. 이를 투명상아질(translucent dentin) 또는 경화상아질(sclerotic dentin)이라고 한다. 투명상아질에는 상아세관을 통한 조직액의 침투에 의한 영양공급은 없거나 적다. 또한 투명상아질은 주위의 상아질과 경도가 다른 경우도 있어서 종종 치근파절의 원인이 된다.

또한 교두 꼭대기 부분 등에서는 삼차상아질의 형성에 따라 자극을 받은 부위의 일차상아질 세관 중의 세포돌기가 퇴축 또는 소멸되고, 속이 빈 상아세관이 생기는 경우가 있다. 이 구조를 사대(dead tract)라고 한다. 사대의 상아세관은 침투성이 높지만 삼차상아질의 상아세관이 사대의 상아세관과 연결되지 않으므로, 치수에 대한 외부 자극의 침투가 차단되어 치수가 보호된다.

치수

━━━ 학습목표
1. 치수의 기능과 특성을 설명할 수 있다.
2. 치수의 표층 구조를 설명할 수 있다.
3. 치수에 존재하는 세포를 설명할 수 있다.
4. 치수의 혈관 및 신경 분포를 이해할 수 있다.

1. 개요

치수(dental pulp)는 외배엽성 중간엽조직인 치유두(dental papilla)에서 유래하며, 치수강(pulp cavity)을 채우는 소성(성긴) 섬유성 결합조직이다. 세포, 세포간질, 혈관, 신경, 림프관으로 구성되어 있다. 치유두의 가장 바깥층에서는 신경능선세포(neural crest cell)에서 유래하는 상아모세포(odontoblast)가 분화되어 상아질이 형성된다. 상아모세포는 미석회화기질인 상아전질(predentin)을 형성하고, 다음으로 상아전질의 기질이 석회화되어 상아질(dentin)이 된다. 상아질형성이 진행되면 치유두는 자신이 만들어낸 상아질 내에 봉입되어, 치수라고 불리는 수직교차하는 섬유성 결합조직이 된다. 화학적 조성은 수분 75%, 유기질 25%로 되어 있다.

2. 치수의 해부

치수는 주위가 상아질로 덮여 있고, 치근단공(뿌리끝구멍)에 의해 치주막과 연결된다. 치수를 수용하는 공간을 치수강이라고 한다. 치수 또는 치수강의 외형은 상아질의 외형과 거의 일치한다.

치수는 형태적으로 치관부에 존재하는 치관부 치수(coronal pulp)와 치근부에 존재하는 치근부 치수(radicular(root) pulp)로 나누어진다. 그 경계 부분을 치경부라고 한다. 치관부 치수에는 교두정 또는 절단연 부분과 일치하고, 치수가 상아질 방향으로 길게 뻗은 부분이 있는데, 이를 치수각(pulp horn)이라고 한다. 유치에서는 치수각의 신장이 특히 현저하므로 임상적으로 이 부위의 와동 형성에서는 치수노출에 주의할 필요가 있다.

치근부 치수를 수용하는 공간을 근관(root canal)이라고 하며, 치아의 치경부에서 치근의 끝까지 연장되어 있다. 치수의 이 부분에 개구부가 있어서 치수는 치수 부위부터 백악질을 지나 치아의 주위조직인 치주인대에까지 이른다. 이러한 개구부는 치근단공(뿌리끝구멍)이며, 여기에는 부근관(덧뿌리관)도 존재한다.

3. 치수 표면층의 구조

치수는 대부분이 섬유모세포와 아교섬유(I형)를 주체로 하는 기질로 구성되어 있다. 섬유모세포와 아교섬유의 분포밀도는 균일하여, 치관부 치수와 치근부 치수에서 차이가 없다. 치수의 가장 표면층, 즉 상아질과의 경계부에는 상아모세포층이 위치한다. 혈관과 신경은 치근단공에서 치수로 출입한다. 혈관과 신경은 치근단공에서 치수로 들어가 치수의 긴축을 따라 치근부 치수 쪽으로 상행한다. 이 과정에서 분지를 반복하며, 모세혈관과 신경의 종말 대부분은 치수의 가장 표면층인 상아모세포층에 분포한다.

치관부의 표면층은 세포의 분포 밀도에 따라 상아모세포층, 세포희박층, 세포치밀층, 치수심부로 구분한다(그림 13-1).

1) 상아모세포층

상아모세포층은 치수의 가장 표면층으로 상아전질에 근접해 있는 층이고, 두께는 20~35 ㎛이다. 상아모세포는 치수의 표면을 따라 이차 또는 삼차상아질을 형성할 수 있다. 또한 상아모세포층에는 분화된 상아모세포 이외에 상아모세포에 해당하는 미분화된 중간엽세포가 상아모세포의 바닥쪽에 분포한다.

2) 세포결핍층(와일층, Weil's basal layer)

세포결핍층은 상아모세포층의 아래 층에 위치하고, 층의 두께는 약 30 ㎛이다. 이 층은 저배율로 보면 세포가 없는 것처럼 보이지만, 실제로 세포가 없는 것은 아니다. 그 이유에 대해서는 여러 가지 학설이 있으나, 보통의 HE 염색으로는 염색되지 않는 신경섬유가 밀집되어 있기 때문으로 생각된다. 실제 세포희박층으로부터 세포치밀층에 걸쳐서 리쉬코프 신경총(Raschkow's plexus)이 분포한다.

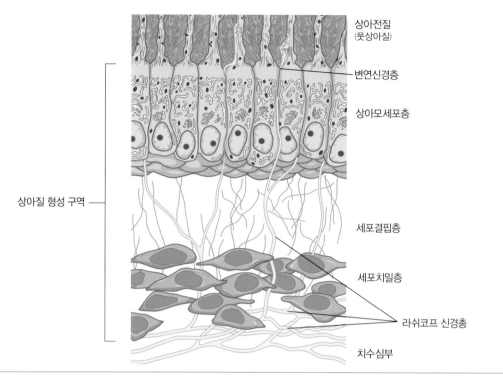

상아전질
(풋상아질)

변연신경층

상아모세포층

상아질 형성 구역

세포결핍층

세포치밀층

라쉬코프 신경총

치수심부

그림 13-1. 치수표면층의 구조.

3) 세포치밀층

세포치밀층의 두께는 40~50 ㎛이고 세포가 풍부하지만, 상아모세포층보다는 세포 수가 적다. 이 층에는 치수세포(섬유모세포)의 밀집 외에 라쉬코프 신경총(상아모세포하 신경총), 모세혈관, 약간의 간엽세포 등이 있다.

4) 치수심부

치수심부는 많은 세포와 풍부하게 분화하는 혈관으로 구성되어 있는데, 위치가 다른 것을 제외하고는 세포치밀층과 매우 유사하다.

4. 치수의 세포

치수의 세포는 상아모세포, 섬유모세포, 미분엽간엽세포, 조직구, 기타 세포 등이 있다(그림 13-2).

1) 상아모세포(odontoblast)

상아모세포층은 치수의 표층을 덮고 있다. 즉, 상아전질 내면과 접하고 있는 상아모세포는 세포체를 치수에 두고 세포돌기를 상아전질과 상아질의 상아세관에 존재한다. 상아모세포는 치수 외측 벽을 따라 이차 또는 삼차상아질을 형성할 수 있다. 직경은 5~7 ㎛, 길이는 25~40 ㎛의 세포체를 가진다.

2) 섬유모세포(fibroblast)

섬유모세포는 간엽세포에 유래하는 세포로서, 치수에서 가장 많이 존재하는 세포이므로 치수세포라고도 한다. 세포체는 장타원형이고, 사방으로 긴 돌기를 갖고 있으며 별 모양이다. 치수의 교원섬유와 섬유간질의 형성에 관여하며, 노화되면 흡수되어 새로운 섬유로 대체된다.

3) 미분화간엽세포(undifferentiated mesenchymal cell)

미분화간엽세포는 세포치밀층부터 치수심부에 걸쳐서 분포하는 것으로, 특히 자극에 의해서 상아모세포, 섬유모세포, 대식세포 등으로 분화할 수 있는 능력을 가진 세포이다. 예를 들어 치수강에 근접할 정도의 깊은 와동을 상아질에 형성하면, 그 바로 밑의 상아모세포는 상아세관 내로 흡수되어 사멸한다. 그러나 약 1개월 후에는 새로운 상아모세포가 만들어지고, 치수는 원상으로 회복된다.

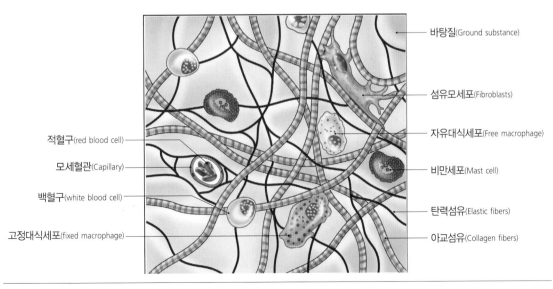

그림 13-2. 치수의 세포. 치수를 구성하는 세포 및 방어에 관여하는 세포가 보인다.

4) 조직구(histocyte)

조직구는 이물 등을 포식하는 기능이 있으며, 기능 상태에 따라 세포의 형태가 변화한다. 기능을 하지 않고 운동을 정지했을 때는 혈관 가까이에 존재하며, 타원형 또는 콩팥 모양을 하고 있다. 자극에 의해 위족을 내고 아메바 운동을 하여 세균, 사멸한 세포 등을 포식한다. 특히 이런 상태의 조직구를 대식세포 또는 탐식세포라고 한다.

5) 기타 세포

비교적 드물게 볼 수 있는 세포로는 형질세포와 비만세포가 있다. 형질세포는 차륜핵을 갖고 있으며, 치수에 염증이 있을 때에 많이 볼 수 있고 항체를 생산한다. 비만세포는 세포질 내에 강한 염기호성 헤파린 같은 물질이나 히스타민 등과 같은 큰 과립을 갖고 있으나, 정상적인 사람의 치수 내에서는 거의 볼 수 없고 염증이 있는 치수에서 보인다.

5. 치수의 혈관 및 신경 분포

치아에 분포하는 혈관은 치근단공에서 치수로 들어간 동맥으로부터 파생된 모세혈관의 대부분이 분포한다(변연신경총). 이들은 대사활성이 가장 높은 상아모세포에 산소 외의 대사물질을 공급한다. 또한 이들 종말모세혈관은 상아세관을 통해 상아질에 영양을 공급한다.

치수에 분포하는 3차신경의 대부분인 감각신경섬유는 치근단공에서 치근치수로 들어가며, 세포치밀

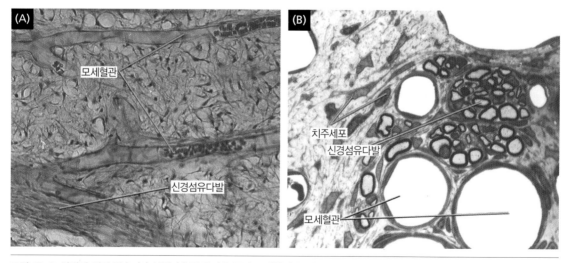

그림 13-3. 사람과 쥐의 치수. (A) 사람, (B) 쥐의 치수 중의 모세혈관과 신경섬유다발. 모세혈관의 벽은 극히 얇아서 거의 내피세포만으로 이루어진다(A. H·E염색×380, B. 톨루이딘 블루 염색×600).

층에서 한 번 치밀하게 응집한다(라쉬코프 신경총 혹은 상아모세포하 신경총). 거기에서 파생된 신경종말은 수초를 상실하게 되고, 상아모세포층과 상아세관 내를 상아모세포의 돌기와 함께 주행하여 상아전질에 분포하게 된다(그림 13-3).

6. 치수의 기질

치수의 세포사이물질 성분은 섬유와 섬유간기질, 그리고 조직액이다. 섬유의 대부분은 아교섬유로 치수세포(섬유모세포)에 의해서 생성된다.

섬유간기질의 대부분은 단백질과 뮤코다당인 히알루론산이나 콘드로이틴황산 등이 결합한 당단백질(proteoglycan)로 구성되며, 조직액의 대부분은 물이다. 연령이 증가함에 따라 기질섬유가 많아지고 섬유간질과 조직액은 줄어든다. 기질섬유는 교원섬유이고 섬유간기질은 세포를 유지, 영양 및 대사산물을 수송한다.

7. 치수의 주요 기능

생리적 측면에서 치수의 주요 기능은 다음과 같다.

첫째, 상아세관 내에 감각신경 축삭과 연결된 신경세포체가 상아모세포층 내에 존재하기 때문에 상아질이나 치수가 손상받았을 경우 모든 자극을 동통자극으로 느끼는 감각수용기의 역할을 한다.

둘째, 상아질에는 혈액공급원이 없으므로 치수가 영양공급기능을 한다.

셋째, 치수의 최외층 표면에는 상아모세포가 존재하므로 상아질이 손상되었을 때 이차 혹은 삼차상아질을 형성하여 치수를 덮어주는 보호기능, 즉 형성기능 및 조직수복기능을 가진다. 따라서 상아질과 치수는 하나의 조직으로써 기능하며, 이것을 상아질-치수복합체(dentinipulp complex)라고 한다.

넷째, 치수가 손상을 받고 나아가 상아모세포도 손상을 받게 되면 미분화중간엽 세포들은 섬유모세포로 분화하여 섬유와 세포간물질을 만들어내며, 상아모세포로 분화하여 상아질을 만들게 된다. 마지막으로 치수는 혈관을 가지고 있어 염증과 면역기능을 일으킬 수 있게 해준다.

8. 임상적 측면

연령이 증가함에 따라 치수에는 여러 가지 구조적·기능적 변화가 생긴다.

1) 치수의 섬유화

치수의 섬유화가 진행되어 아교섬유는 증가하지만, 섬유간질과 조직액, 세포의 수는 감소하게 된다.

2) 치수강의 용적이 감소

이차상아질 및 삼차상아질의 형성으로 치수강의 전체 용적이 감소된다.

3) 치수결석 또는 상아질립의 형성

치수의 노화로 인해 치수조직에 흔히 나타나는 것이 치수결석(pulp stone) 또는 상아질립(denticle)의 형성이다. 치수결석은 석회화덩어리로 상아세관과 상아모세포돌기를 가지는 완전한 상아질이거나 특별한 구조가 없는 형태의 덩어리이다.

치주조직

▨▨▨ 학습목표

1. 백악질의 특징을 설명할 수 있다.
2. 1차 백악질과 2차 백악질의 차이를 구분할 수 있다.
3. 백악법랑경계에 대해 설명할 수 있다.
4. 치조골의 종류와 특징을 설명할 수 있다.
5. 치주인대의 구조와 기능을 설명할 수 있다.
6. 치주인대에 존재하는 세포를 설명할 수 있다.
7. 치주인대의 주섬유의 특징을 설명할 수 있다.
8. 치아치은접합을 설명할 수 있다.
9. 유리치은과 부착치은의 특징을 이해할 수 있다.

치주조직(periodontal tissue, periodontium)은 넓은 의미에서 치아를 지지하는 연조직과 경조직으로 임상치학적 관점에서 치아를 치조골에 고정하여 지지하는 역할로 정의할 수 있다. 또한 저작 시 가해지는 교합압을 완충시키고, 신경 및 혈관의 연조직을 보호하는 역할을 한다. 따라서 치주조직에는 치은, 치주인대, 고유치조골, 백악질이 있다.

1. 백악질

1) 백악질(시멘트질)의 개요

백악질(cementum)은 치아의 치근면을 덮고 있는 경조직으로 치관부위는 법랑질과 치근부위는 상아질과 연결되어 있으며, 법랑질과 상아질보다 변화가 많아, 부위, 나이 및 기능에 따라서 두께의 차이가 있다. 백악–법랑경계(CEJ) 부근에서는 약 16~60 ㎛이지만, 치근부로 갈수록 두꺼워져 치근단 쪽에서는 150~200 ㎛로 백악–법랑경계(CEJ)보다 더 두껍다.

조직학적 관점에서 살펴보면 백악질은 치아의 구성요소 중 하나지만, 동시에 치주인대의 섬유와 결합하여 치아를 악골에 고정시킨다. 물론 치주인대와 악골 사이에도 샤피섬유가 있어 치아를 지지하는 유기적 연속성을 가지게 한다.

물리화학적 성질 및 구조는 치밀골과 유사하지만 혈관과 신경을 포함하지 않기 때문에, 조직 개조 (remodeling)나 흡수 등의 대사가 낮고, 감각을 느끼지 못한다는 것이 골과 차이가 있다(그림 14-1).

2) 물리화학적 특징

백악질은 세포와 세포사이물질(세포간질)로 구성된다. 세포간질은 섬유성분(Ⅰ형 아교섬유), 기질(비섬유성분)과 무기결정으로 이루어진다. 중량비로 약 65%의 무기질, 23%의 유기질 및 12%의 수분을 함유하고 있다. 성숙한 백악질의 결정 형성은 주로 칼슘 수산화인회석으로 구성되는데, 화학식은 $Ca_{10}(PO_4)_6(OH)_2$ 이다. 유기질은 대부분 교원섬유로 되어 있고, 기타 유기질은 단백질과 결합한 다당류이다. 백악질의 두께는 연령, 부위, 염증 상태에 따라 차이가 있으며, 치근단과 치근분지부에서 가장 두껍고(50~200 ㎛) 치경부로 갈수록 얇아지며, 백악법랑경계(10~50 ㎛)에서 가장 얇아진다.

3) 백악질의 분류

백악질은 두 가지 방법으로 분류한다. 한 가지는 형성되는 순서에 따라 1차 백악질(primary cementum)과 2차 백악질(secondary cementum)로 구분하거나, 세포 요소의 존재 여부에 따라 세포성 백악질과 무세포성 백악질로 구분하는 것이다.

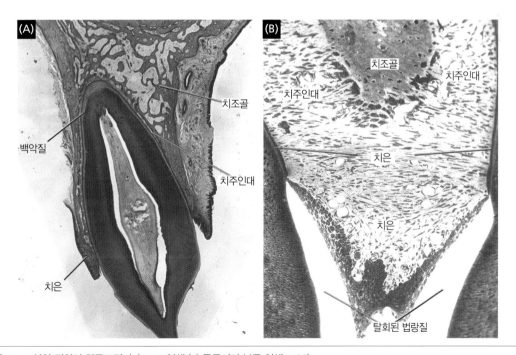

그림 14-1. 상악 전치의 치주조직. (A) H·E 염색 (B) 툴루이딘 블루 염색×100)

(1) 1차 백악질과 2차 백악질

1차 백악질은 가장 먼저 형성되는 것으로, 치경부 1/3을 덮으며 무세포성이다.

2차 백악질은 1차 백악질 형성 후에 그 위에 침착되며 치근부 2/3를 덮는다. 대부분의 2차 백악질은 백악질 내에 백악세포를 함유한 세포성 2차 백악질이나 무세포성 2차 백악질도 있다.

(2) 무세포성 백악질과 유세포성 백악질

치아의 형성과 맹출 시 생성되는 무세포성 백악질은 조직 중에 세포를 포함하지 않은 것으로 치근상 아질 전체를 얇게 덮고 있으며, 치경부 1/3에는 여러 층으로 침착되어 있다. 단, 치근단 1/3에서는 결여되는 경우도 있다. 무세포성 백악질에서는 성장선이 불분명하다. 이에 비해 치아가 맹출한 후 기능에 적응하기 위하여 생성되는 세포성 백악질은 기질 중에 백악세포를 함유하는 것으로 주로 치근단 1/3~2/3의 상아질상에 분포하며 치근단부위와 다근치의 치근 분지부에서 가장 두껍다. 샤피섬유는 무세포성 백악질에서는 굵은 다발을 형성하고 기질 내에서 다수 매몰되어 있는데, 유세포성 백악질에서는 가늘고 수도 적다(그림 14-2, 3).

4) 백악질의 성장선

백악모세포에 의한 백악질 형성에는 주기성이 있기 때문에 백악질에서 성장선을 관찰할 수 있다. 탈회절편에 H/E염색을 하면 성장선은 헤마톡실린(hematoxylin)에 농염되는데, 이 부위를 백악층판(성장선, cement bundle)이라고 하며, 불규칙하지만 주기적으로 형성된다. 이 성장선은 고석회화 영역의 기질로, 기질 중에 아교섬유의 분포가 비교적 적고, 백악모세포에 의한 기질 형성의 휴지기에 해당한다.

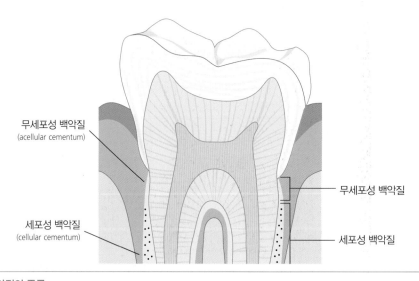

그림 14-2. 백악질의 종류.

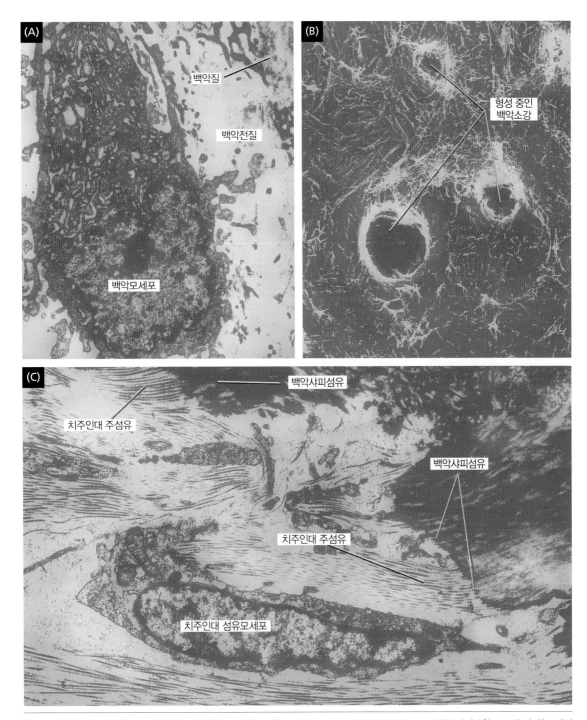

그림 14-3. 백악질을 형성하는 백악모세포와 형성 중인 백악질 표면. 형성 중인 백악소강과 그 주위를 접선방향으로 둘러싸는 기질 원섬유의 다발이 관찰된다. 백악샤피섬유와 그것에 연속하는 치주인대 주섬유(A×8,000, B×1,200, C×10,000)

성장선의 개수로 동물의 연령을 추정할 수 있다. 백악층판 사이에 섬유성분이 많고, 약간 석회화가 낮은 영역을 층판사이층(층판간층)이라고 한다. 세포성 백악질에서는 백악층판과 층판사이층이 교대로 출현한다.

5) 백악질의 세포와 구조물

세포성 백악질은 골조직과는 달리 혈관이 없다는 점 이외에는 여러 면에서 골조직과 대비된다. 기질 중에는 백악소강(cement lacuna)이 있고, 내부에 백악세포가 존재한다. 백악소강으로부터 많은 백악세관(cement canaliculus)이 파생되어 세포돌기가 주행한다. 그러나 혈관이 존재하지 않기 때문에 백악세포의 돌기는 전체적으로 치주인대 쪽을 향하고 있다(그림 14-4).

(1) 백악모세포

치주인대에 존재하며, 교원섬유와 단백질이 결합한 다당류를 분비한다. 치근상아질의 표면에 유기질의 얇은층을 형성하고, 이것을 백악전질이라 한다. 여기에 수산화인회석의 결정이 침착하여 백악질의 석회화가 진행된다.

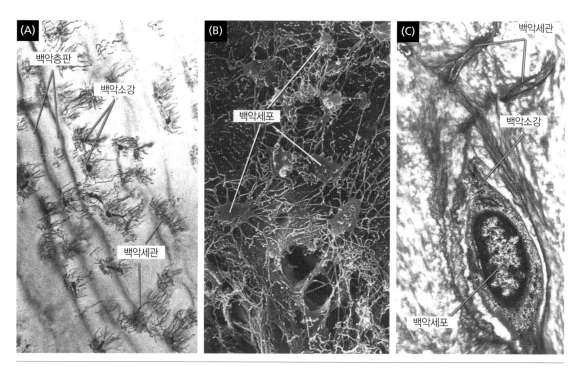

그림 14-4. 백악질의 세포와 구조물. (A) 백악소강과 백악세관의 광학현미경 사진, (B) 백악세포를 배출한 주사전자현미경 사진, (C) 백악소강 중의 백악세포와 그 세포돌기를 포함하는 백악소강의 투과전자현미경 사진(A×190,, B×1,600, C×8,700.)

(2) 백악세포

백악세포는 뼈세포와 비슷하다. 혈관이 없기 때문에 필요로 하는 산소와 영양분은 치주인대에서 공급받는다.

(3) 샤피섬유(Sharpey's fibers)

백악질 표면에 직각으로 배열되어 있고, 치주인대섬유로 백악질의 기질 내에 묻혀 있다. 특히, 치아를 치조골에 고정시키는 역할을 한다.

6) 백악질과 법랑질의 경계

백악질과 법랑질의 경계부는 세 가지의 형태로 분류된다. 연결형태 중 약 60~65%는 백악질이 법랑질을 덮고 있는 형태로 이 부분을 백악소설이라고 한다. 30%는 백악질과 법랑질이 서로 맞닿아 있고, 약 10%는 백악질과 법랑질이 서로 떨어져 있어 상아질이 노출되어 있는 형태를 띠고 있다(백악모세포의 분화 속도의 문제). 후자의 경우 환자는 치은이 퇴축되어 치경부가 노출되면 과민성을 느끼게 된다 (그림 14-5).

> **TIP**
>
> 백악질은 치소낭으로부터 발생하는데, 헤르트비히 상피근초가 파괴된 후, 치소낭의 미분화세포들이 새롭게 형성된 치근상아질 표면과 접촉하게 됨으로써, 이를 통해 세포들은 백악모세포로의 분화가 유도된다.

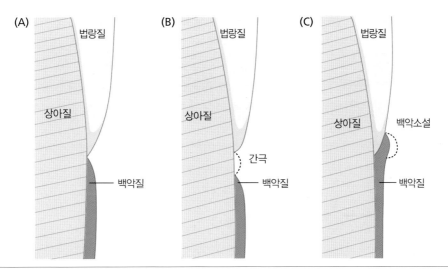

그림 14-5. 백악-법랑경계부의 접촉관계를 보여주는 모식도. (A) 서로 맞닿아 있는 경우 (B) 백악질과 법랑질이 접촉하지 않아 상아질이 노출된 경우 (C) 백악질이 법랑질을 덮고 있는 경우.

7) 임상적 측면

(1) 백악질 증식

과도한 교합이나 강한 교정력에 의하여 백악질이 비정상적으로 두꺼워진 상태로 치근단 1/3 부위에 결절 상태로 형성된다.

(2) 백악립

석회화된 백악질 덩어리로 그 존재 부위에 따라 유리성, 부착성, 개재성(매복성) 등으로 분류한다. 유리백악립은 치주인대 내에 있고, 백악질에 부착 또는 매입되어 있지 않은 것이다. 부착성과 개재성인 백악립은 각각 백악질에 부착한 것과 백악질 내에 매입되고 있는 것을 말한다(그림 14-6).

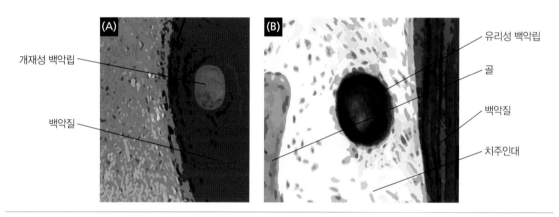

그림 14-6. 백악질의 석회화 덩어리. (A) 개재성 백악립, (B) 유리성 백악립.

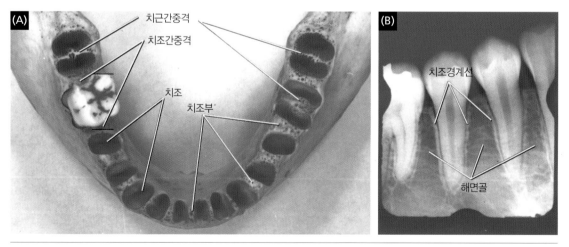

그림 14-7. 하악골의 해부학. (A) 치조와 치조벽을 만드는 치조 부분, (B) 치조간중격, 치근간중격이 구별된다. 하악 소구치부의 X-선 사진. 고유치조골로 이루어지는 치조경질막이 주위의 지지치조골의 해면골조직과 명료하게 구별된다.

2. 치조골

1) 치조골의 개요

치조골(alveolar bone)이란 치근이 들어앉을 자리(치조)를 뜻하는 것으로 상악에서는 치조돌기, 하악에서는 치조부라 한다. 치조돌기(이틀돌기, alveolar process)나 치조부(이틀부분, alveolar part)는 치아의 형성과 동시에 성장하여 치아의 교합기능의 영위로 그 형태나 구조가 변하며, 치아를 지지하고 치아에 가해지는 압력을 분산 및 흡수한다. 치조와 치조 사이의 격벽을 치조간중격이라 하고, 다근치의 치조 내에서 볼 수 있는 낮은 격벽을 치근간중격 또는 치조내중격이라고 한다.

치조골은 발생학적으로 볼 때 악골의 일부로서 형성된 부분과 치아의 발생에 따라 치소낭의 결합조직에서 유래하는 부분으로 되어 있다(그림 14-7).

2) 치조골의 구조 및 분류

치조골에는 치조벽을 구성하는 얇은 골판인 고유치조골(alveolar bone proper)과 그 주위 골의 대부분에 해당하는 지지치조골(supporting alveolar bone)로 나뉜다(그림 14-8, 9).

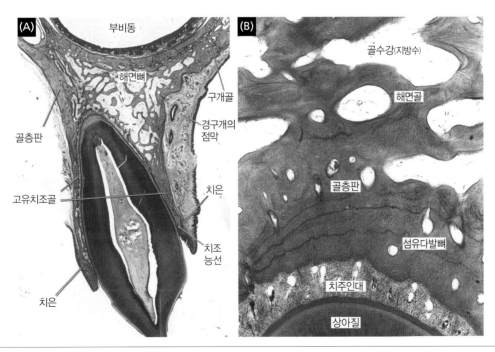

그림 14-8. 상악골 전치의 시상절단모양. (A) 상악 전치의 시상절단모양 사진, (B) 치주인대에 인접하는 고유치조골은 속상골과 골층판으로 이루어지고, 골층판은 지지치조골의 해면골에 연속된다. 구강점막으로 덮이는 지지치조골의 바깥층은 골층판으로 이루어진다. 지지치조골의 골수는 거의 지방화된다(H·E염색, A×10, B×45).

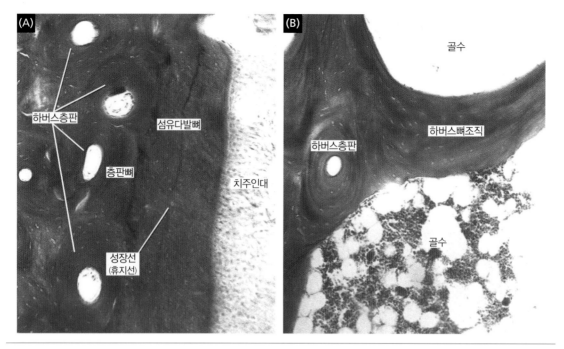

그림 14-9. 고유치조골의 확대. (A) 고유치조골의 확대사진. (B) 샤피섬유를 포함하는 속상골과 하버스 계통을 중심으로 하는 골층판이 관찰된다. 고유치조골의 골층판에 연속되는 지지치조골 해면골의 확대사진. 해면골조직 위쪽의 골수는 지방화된다(H·E염색, A와 B ×90).

(1) 고유치조골

치조를 덮고 있는 고유치조골은 치밀골로 이루어져 있지만, 치주인대의 주섬유가 연장된 샤피섬유가 골 표면에 수직교차하도록 침입하고 있어 속상골(bundle bone)이라 한다. 또한 섬유들이 통과하는 많은 구멍들이 있어 체판(cribriform plate)이라고도 불린다.

이들 섬유다발은 치주인대의 아교섬유다발(주섬유)과 교착한다. 속상골의 골층판은 골표면과 평행하게 주행하고 골질의 조성은 샤피섬유를 포함하는 점을 제외하면 일반적인 골의 기초층판과 다르지 않다. 치아의 형태와 유사하게 치아를 둘러싸고 있는 고유치조골은 치조의 얇은 바깥벽(0.1~0.5 mm)을 형성하고 골질이 치밀하기 때문에 X선의 투과성이 낮으며, 경판(lamina dura)이라 불린다.

(2) 지지치조골

고유치조골을 지지하고 있는 지지치조골은 치밀골(겉질뼈)과 해면골로 분류된다. 치밀골의 두께와 높이는 각 치아에 따라 차이가 크지만, 일반적으로 하악이 상악보다 두껍고, 순면이 설면보다 두껍다. 그리고 상악 견치나 소구치가 가장 얇아 치근 노출이 많이 일어나며, 구치로 갈수록 두꺼워진다.

고유치조골과 치밀골 사이에 존재하는 해면골의 대부분은 치조간중격 및 치근간중격에 분포하며,

치조의 입안 천장쪽과 혀쪽에는 적다. 실제로 근간중격(interradicular septum)은 고유치조골과 해면골로 구성된다.

3) 치조골의 조직 발생

치조골의 조직 발생은 골모세포에 의해 고유결합조직 내에 골이 형성되는 막내 골화(intramem-branous ossification)에 의한다. 이 골의 발생은 상악과 하악에 공통으로 보이며, 이러한 골을 막골(membranous bone)이라 한다. 막골(속뼈) 발생에서는 우선 결합조직 내부에 혈관이 침입하여 호기적인 환경을 만든 다음, 그곳에서 골원세포가 분화·증식하여 골모세포로 최종 분화된다. 혈관의 증식과 침입이 없는 한 막내 골화는 일어나지 않는다. 하악에서는 우선 장래의 하악 몸통의 원기가 되는 멕켈연골(유리연골, Meckel's cartilage)이 형성된다. 이 연골의 성장·발육이 진행되어 최종적인 형태에 도달하면, 혈관의 침입에 의해 연골이 흡수되고 하악 몸통을 구성하는 막골 형성이 시작된다.

4) 임상적 측면

혈관분포가 감소되고 대사율과 골의 개조 및 수복능력이 감소되어 골형성이 늦어지는 반면, 치근을 덮고 있는 골에 치조골이 흡수되어 구멍이 뚫려 치근이 노출될 수도 있고, 치경부에서는 치조골이 흡수되어 치조돌기 혹은 치조부가 내려간 상태도 발생할 수 있다.

3. 치주인대

1) 개요

치주인대는 치조벽과 치아 사이의 공간을 차지하고 있는 치밀섬유성 결합조직으로, 발생학적 기원은 중배엽성 치소낭이며, 치아와 치조골을 연결하여 치아를 고정시키는 동시에 교합력을 완충시키는 역할을 담당한다. 이 외에도 ① 치아 주위조직의 합성(수복)과 흡수, ② 영양공급, ③ 자극에 대한 감각 수용기 등의 역할을 담당한다. 치주인대에는 섬유모세포가 많고, 백악모세포와 골모세포도 있다. 말라세즈 상피잔류물은 치주인대의 백악질 근처에서 보이며, 이는 헤르트비히 상피근초(Hertwig)가 남은 것이다. 치주인대의 섬유는 대부분 교원섬유로서 백악질과 치조골에 진입해서 샤피섬유(Sharpey's)가 된다. 지축방향의 저작압력에 가장 유효하게 대응하는 치주인대 섬유는 사주섬유군(oblique fiber group)이다. 치주인대의 두께는 전치보다 구치, 유치보다 영구치가 두꺼워지며, 기능이 감소하고 연령이 증가할수록 얇아진다. 이러한 치주인대의 특성을 통해 보철처리에 의한 비기능치의 회복의 어려움과 교정치료에 있어서 보정의 중요성을 이해할 수 있다.

형태학적으로 볼 때, 결합조직의 굵은 섬유다발이 치주인대 속을 주행하고 있으며, 그 양단은 치조골과 백악질에 샤피섬유로 고정되어 있다. 이것을 치주인대의 백악치조섬유 또는 주섬유(principal fiber)라고 한다. 즉, 치주인대는 일종의 인대로서의 기능을 가지고, 치근을 치조골에 연결시킨다. 치주인대는 개조를 반복하여 오래된 섬유를 새로운 섬유와 교체하면서 교합압으로 완충한다.

2) 치주인대의 혈관과 신경분포

(1) 치주인대의 혈관

치주인대의 혈관 공급에는 다음 3가지의 기원이 있다.

① 치근첨 부분의 치주인대로부터 치은을 향하여 긴축 방향으로 주행하는 혈관

② 치조골의 치조간중격 및 치근간중격의 골수에서 시작되어 혈관구멍을 거쳐 치주인대로 들어가는 혈관

③ 치조돌기상의 점막 내를 주행하고 치은에서 치주인대로 연결하는 혈관 등이 존재한다.

(2) 치주인대의 신경

치주인대에는 상악신경 및 하치조신경의 가지가 분포한다. 치주막은 감각신경과 자율신경의 분포를 받는다. 상악에서는 상악신경에서 유래하는 전·중·후 상악치조신경의 가지가 상악에서 치아신경총

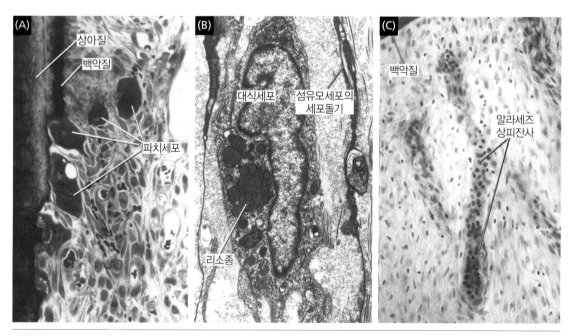

그림 14-10. 치주인대 세포. (A) 치과교정학적인 치아의 이동과정에 출현한 파치세포에 의한 치근의 흡수 사진 (B) 치주인대섬유모세포 사이에 출현한 대식세포(macrophage) (C) 치주막에 근접하여 분포하는 말라세즈 상피잔사(A. 톨루이딘 블루 염색×400, B×6,000, C. H·E염색×200).

(위치아신경얼기)을 형성하여 치주인대에 분포하고 있으며, 하악에는 하치조신경에서 유래하는 하악치아신경총(아래치아신경얼기)의 가지가 분포한다.

3) 치주인대의 구성

치주인대는 결합조직이므로 세포간질, 세포, 섬유 등으로 구성되어 있다. 치주인대 내에는 섬유모세포, 백악모세포와 골모세포, 상피세포, 대식세포, 방어세포 등이 분포한다(그림 14-10).

(1) 섬유모세포

결합조직세포의 주체로서 세포 중에서 가장 많은 것은 섬유모세포이다. 모든 결합조직과 마찬가지로 가장 일반적인 세포인 섬유모세포는 치주인대의 교원섬유를 합성·분비·흡수·분해한다. 긴 세포돌기를 가진 방추형 세포인 섬유모세포는 긴 타원형의 핵을 가지며, 거의 같은 간격으로 균일하게 분포되어 있다.

(2) 백악모세포와 골모세포

다른 결합조직에서와는 달리 백악질 표면을 따라 백악모세포가 배열하여 백악질을 형성하고 있다. 골모세포는 치주인대와 마주하는 치조골상에 분포하여 치조골을 생성한다.

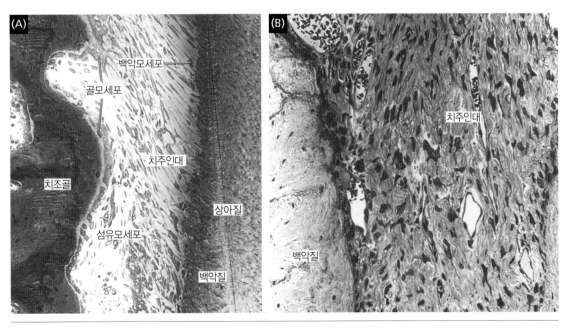

그림 14-11. 치주인대 세포. (A) 치주인대의 시상절단면에서 치주인대의 섬유모세포, 백악모세포, 골모세포의 배열 (B) 치근 표면의 접선 방향으로 제작된 절편에서 치주인대 섬유모세포의 배열(톨루이딘 블루 염색, A와 B×200).

(3) 파치세포와 파골세포

파치세포는 치주인대 중에 항상 존재하는 세포는 아니지만 특정 조건 하에서 모세혈관으로부터 유주하여, 백악질 및 치근의 상아질을 흡수한다. 파치세포는 구조적·기능적으로 파골세포와 매우 유사하다.

(4) 상피세포

치주인대에는 치근의 상아질 형성에 관여하는 헤르트비히(Hertwing) 상피근초가 역할을 끝낸 뒤, 파괴·흡수되지 않고 남아 있는 경우가 있다. 이는 치주인대 특유의 세포인 말라세즈(Malassez) 상피잔사로서 헤르트비히 상피근초(상피껍질)가 치근의 상아질을 유도하여 치근의 외형이 만들어지면서 흡수되지 않고 상피세포의 덩어리로 관찰된다. 이것은 치근단낭종의 원인이 되기도 한다.

(5) 기타

이외에 염증이 생길 때에는 대식세포 외에 호중성백혈구나 비만세포, 형질세포 등의 방어세포가 출현하기도 하고 미분화간엽세포도 존재하여 세포 손상 시 섬유모세포와 백악모세포로 분화한다.

4) 치주인대의 섬유군

치주인대를 구성하고 있는 섬유는 아교섬유로, 그 기능에 따라 치아에 대해 일정한 방향으로 다발 혹은 속(bundle)을 이루면서 배열되어 있다. 이 섬유군을 주섬유(백악·치조섬유)라고 한다. 이 주섬유 끝이 백악질과 치조골에 삽입되어(샤피섬유) 치아를 치조에 고정하고 교합압을 분산할 뿐만 아니라, 혈관과 신경을 보호한다. 주섬유군들은 그 주행방향에 따라 6개군으로 구분된다(그림 14-12).

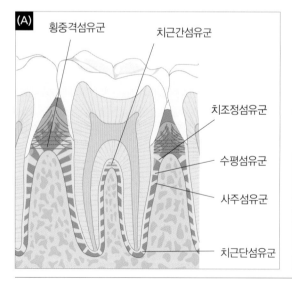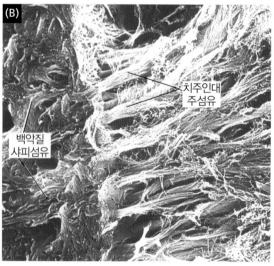

그림 14-12. 치주인대의 주섬유 배열. (A) 치주인대의 주섬유군(세로 단면), (B) 치주인대의 전자현미경 사진.

(1) 치조정군(치조능선군, alveolar crest group)

고유치조골의 치조정에서 비스듬히 상내방으로 주행하여 치경부의 백악·법랑질 연결에 도달하는 섬유군이다. 치주인대 섬유 중 가장 적으며, 치아를 치조와 내에서 지탱해주고 있다.

(2) 수평군(horizontal group)

치조정 가까이에 있는 고유치조골에서 수평으로 주행한 후, 백악질에 삽입되는 섬유군으로 치아를 지지하고 측방운동(경사력)에 저항한다.

(3) 사주군(oblique group)

가장 많은 수(80~85%)를 차지하는 섬유군으로, 고유치조골에서 시작하여 비스듬히 치근단 쪽에 있는 백악질에 삽입된다. 치아의 장축방향, 즉 수직교합압에 가장 효과적으로 저항한다.

(4) 치근단군(apical group)

치근단 주위의 고유치조골에서 시작하여 치근단 부위의 백악질에 삽입되는 섬유군으로 치아의 기울어짐과 탈락을 방지한다.

(5) 치근간군(interradicular group)

다근치에서만 볼 수 있는 섬유군으로, 한 치근의 백악질에서 시작하여 다른 치근의 백악질에 삽입된다. 기능은 치아의 기울어짐, 회전과 탈락에 저항한다.

(6) 횡중격군(치간인대, interradicular group)

치아와 치아 사이의 치조골 상부를 주행하는 섬유군으로 회전력에 저항하며, 치조골 파괴 후 가장 먼저 형성된다.

5) 치주인대의 기질

기질은 기질섬유와 무정형 기질로 구성된다. 기질섬유는 기능적 측면의 주섬유와 구분하여 사용되어야 하며, 대부분은 교원(아교)섬유이며 탄력섬유는 없고, 옥시탈란섬유(oxytalan fiber)라고 불리는 특수한 섬유가 존재한다. 이것은 직경 10~15 nm의 미세원섬유의 집합체로, 전체가 0.1~1.5 ㎛ 정도의 직경을 나타낸다.

치주인대 내의 세포사이물질에는 아교섬유 사이에 다량의 기질(ground substance)이 분포하는데, 주성분은 단백질과 점액다당류(글리코사미노글리칸)이다. 점액다당류에는 하이알루론산(hyaluronic acid)이나 콘드로이틴황산(chondroitin sulfate)이 포함된다. 점액다당류의 대부분은 단백질과 결합하고, 당단백질복합체의 프로테오글리칸으로 존재한다.

6) 혈관과 신경

감각수용체로서 통각, 압각, 촉각 수용기가 있다.

7) 임상적 측면

치주인대의 두께는 연령이 증가할수록 좁아지며 섬유모세포, 골모세포 및 백악모세포의 수 또한 감소한다.

4. 치은

1) 개요

각질중층편평상피에 덮여진 치밀섬유성결합조직인 치은은 치조골과 치경부를 둘러싸고 있는 저작점막의 일부이다. 상피부착(epithelial attachment)에 의해 법랑질 표면에 결합되고, 섬유부착(fibrous attachment)에 의해 백악질 및 치조골의 표면에 결합하여 저작과정에서 생기는 압력과 마찰에 완충작

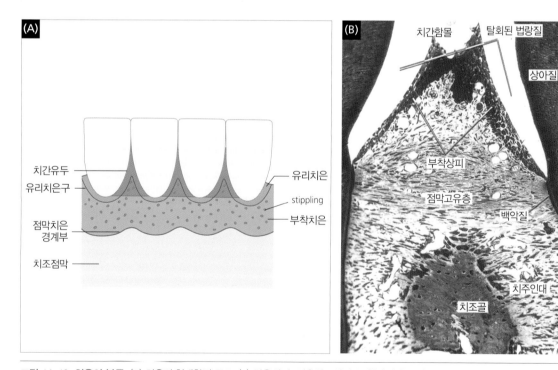

그림 14-13. 치은의 분류. (A) 치은의 형태학적 구조, (B) 치은상피, 치은열구상피, 부착상피의 조직사진.

용을 하여 치아 및 치아 주위조직을 보호할 뿐만 아니라, 그 항상성을 유지함과 동시에 저작 기능에도 관여한다.

해부학적 관점에서 볼 때, 치은은 특수한 구강점막영역에서 각질화한 상피와 치밀성 결합조직의 점막고유층으로 이루어지며, 가동성이 있는 점막하조직이 없다.

2) 치은의 분류

(1) 유리치은과 부착치은

일반적으로 치은은 치조골의 골막과 유착되어 있기 때문에 가동성이 없으나, 치아 주위의 폭이 약 1 mm인 부분은 약간의 가동성이 있다. 이 부분을 변연치은(marginal gingiva) 혹은 유리치은(free gingiva)이라고 한다. 유리치은 이외의 부분을 부착치은(attached gingiva)이라고 한다. 유리치은과 부착치은의 경계에는 치은열구액을 분비하는 치은열구(3 mm 이내)라는 얕은 고랑이 있어 서로 구별이 가능하다(그림 14-13).

또한 유리치은과 부착치은의 구별은 stippling(점몰, 점채)의 존재 여부로도 가능하다. Stippling이란 작은 원형 또는 타원형의 함요부(0.1~0.2 mm)로, 부착치은 전체에 많이 분포되어 있으나 유리치은에서는 불분명하다.

(2) 치간유두

인접한 치아 사이에 있으면서 부착치은으로부터 뻗어나온 부분인 치간유두(치간치은, interdental gingiva)는 인접 치아 사이에 항상 음식 잔유물의 자극을 받기 때문에 상피는 각질 상태에 있는 경우가 많다. 이것은 인접한 치아가 서로 접촉하고 있을 때 잘 발달하고, 치아가 접촉하지 않을 때 높이가 낮아지는 치간유두는 유리치은과 부착치은이 모두 존재한다(그림 14-13 A).

(3) 치간함몰부치은

구치의 치간유두 중앙부는 가볍게 함몰하는 경우가 많은데, 이 부분을 치간함몰부치은(잇몸치아사이함몰, col=kohl)이라 부른다. 치아 사이 함몰의 표면은 얇은 비각질중층편평상피로 덮여 있기 때문에 치주질환에 걸리기 쉬운 부분으로 주의를 요한다(그림 14-13 B).

> **TIP**
>
> 치조점막(alveolar mucosa)은 치은치조점막경계부의 근단부에 존재하는 비각화상피조직으로, 골막에 부착되어 있지 않은 유동성 조직이다.

3) 치은의 구조

구강점막상피인 치은상피의 비부착치은(유리치은)은 법랑질 표면과 결합되지 않고, 치은과 법랑질 사이에는 폭경 0.5~1 mm 이내로 얕은 홈이 생기는데, 이를 치은열구(gingival sulcus)라 한다. 이 치은 열구의 바깥쪽 벽이 되는 상피를 치은열구상피(sulcular epithelium)(착각화 혹은 비각화중층편평상피) 라 하며, 이곳으로부터 치은열구액이 구강으로 유출된다. 이 액에는 치은의 점막고유층 내의 혈관에서 침출된 전해질, IgG, IgM, IgA, 세균에 대한 항체, 백혈구, 그리고 세균이 만들어낸 효소 등이 포함된 다. 치은열구액의 성분을 측정함으로써 치주병의 정도와 유형을 진단할 수 있다.

치은열구에 이어지는 심부에는 부착상피라는 비각질편평상피가 있고, 그 표면세포는 반부착반점과 바닥판(막)에서 법랑질 표면에 결합된다. 이 결합을 상피부착(epithelial attachment)이라고 한다.

치은열구 내에는 음식 잔유물이 남기 쉽고, 치은열구상피와 부착상피는 항상 화학적 자극에 노출되 어 있어, 만약 치주질환이 발생하게 되면 치은열구는 병적으로 깊어지는데, 이를 치주낭(periodontal pocket)이라고 한다.

또한 계속해서 치주낭이 깊어지면 점막고유층의 섬유와 백악질 및 치조골의 결합을 감소시켜 잇몸 의 안정성을 저하시킨다. 이러한 이유로 치주병을 진단할 때 치주낭의 깊이를 측정한다.

> **— TIP**
>
> 부착상피(junctional epithelium)는 치아기관에서 유래하는 상피로, 접합상피라고도 불린다. 부착 상피는 치은열구상피에 연속되지만, 치은열구상피와 치은상피와는 그 발생과 구조가 크게 다르다.

4) 치은섬유군

치은의 점막고유층(lamina propria)은 I형 아교를 주체로 하는 치밀섬유성 결합조직으로, 섬유성 물 질(55~60%), 기저물질(35%), 세포성분(5~8%), 혈관과 신경(5%)으로 이루어져 있다. 점막하층과 부속 샘은 존재하지 않고, 아교섬유다발은 직접 백악질과 치조골의 골막에 결합한다. 또한 치은의 섬유다발 은 치주막의 섬유층과도 교착하고 있으므로 가동성도 적고, 또한 조직 자체에 저작점막으로서의 강인 함이 있어 교합압에 대한 저항성이 뛰어나다.

따라서 치은의 점막고유판 아교섬유다발의 주행은 치은의 기능을 이해하는 데에 있어서 중요하다. 치은의 아교섬유다발은 주행방향에 따라 다음과 같이 몇 가지 섬유군으로 나누어진다(그림 14-14).

(1) 백악치은섬유군(cementogingival fiber bundles)

치은열구의 기저부 백악질에서 시작하여 치은정의 점막고유판으로 부채꼴 모양으로 주행하는 섬유 군으로 섬유부착의 주체가 되며 기능상 가장 중요한 섬유군이다.

(2) 치은치조골섬유군(alveologingival fiber bundles)

치조정에서 시작하여 치은정의 점막고유층에서 끝나는 것으로 골에 치은을 부착시키는 섬유군이다.

(3) 환상섬유군(circular fiber bundles)

모든 치아의 유리치은을 둘러싸며 유리치은을 지지하는 섬유군이다.

(4) 횡중격섬유군(transseptal fiber bundles)

치조중격을 가로질러 주행하고, 인접하는 치아의 백악질에 매립됨으로써 치아 사이의 간격을 유지하는 섬유군이다.

(5) 치아골막섬유군(dentoperiosteal fiber bundles)

치근의 백악-법랑경계 근처의 백악질에서부터 시작되어 치조정을 넘어 치조외벽의 골막 샤피섬유가 되어 치아를 골에 단단히 고정시켜 치주인대를 보호하는 섬유군이다. 점막고유층 내에는 섬유모세포 외에 소수의 비만세포나 형질세포, 백혈구, 대식세포(macrophage) 등의 유주세포가 존재하며, 점막 면역이나 점막의 방어에 관여하고 있다.

5) 치은상피의 구조

연구개(물렁입천장)의 상피와 치아를 제외하면 구강영역에는 중층편평상피만 분포하지만, 중층편평 상피라도 세포 외형이 편평한 것은 표면의 것으로 한정되며, 심층세포는 입방 내지 원주의 외형을 나

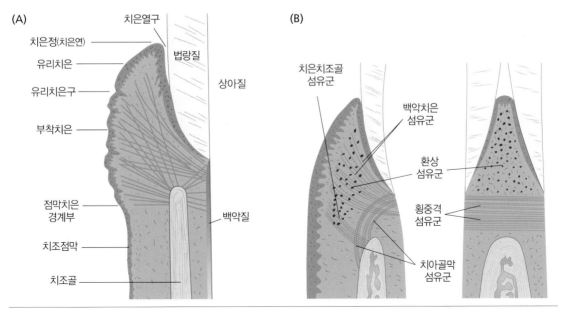

그림 14-14. 치은섬유군. (A) 순설 방향으로 절단한 단면, (B) 치은섬유군.

타낸다(그림 14-15).

구강 내에서는 비각질, 착각질, 진성각질 세 가지 종류의 중층편평상피를 볼 수 있으나, 이번 장에서는 저작점막인 경구개와 부착치은과 연관되어 있는 각질중층 편평상피에 대해 설명하고자 한다.

(1) 기저층(바닥층)

결합조직과 접하고 있는 기저층은 1~2층 입방형의 형태를 띠고 있으며, 기저층을 이루고 있는 세포는 가장 미분화된 세포로 분열능력이 있어 세포분열상을 많이 볼 수 있다.

(2) 유극층(가시층)

기저층의 외측에 위치한 세포층으로, 진성각질상피의 대부분을 차지하는 다각형의 세포이다. 세포와 세포 간의 간격이 넓고, 그 곳에 많은 섬유상의 구조가 보이는데, 이를 세포간교라고 한다. 즉, 다각형의 세포에서 몇 개의 극이 나와 있으므로 이와 같은 이름이 붙었다. 이러한 세포의 대형화와 다각형화에 따라 세포사이공간이 약간 확대되어 상피층에 가해지는 기계적인 압력을 완충시킨다. 기저층과 이것에 연속되어 있는 1~2층의 유극층을 합쳐서 배자층 또는 말피기층이라고도 한다.

(3) 과립층

과립세포층(granular cell layer)에서는 세포외형이 편평하며 3~5층으로 쌓여 있다. 그러나 세포돌기가 많고, 부착반점 결합도 잘 발달되어 있다. 과립세포(granular cell)의 세포질 내에는 핵이 남아 있으

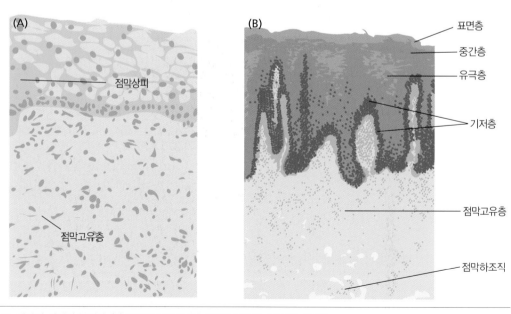

그림 14-15. 태아와 성인의 볼점막. (A) 태아의 볼점막, (B) 성인의 볼점막, 모두 H-E염색.

며, 직경 0.5~1.0 ㎛의 각질유리과립(keratohyaline granule)을 생성하기 때문에 검은점으로 염색되어 나타난다. 케라토하이알린은 각질의 전구물질이 된다고 생각된다.

(4) 각질층

각질층(keratin layer)의 세포는 납작하고 핵이 없으며, 세포질은 각질로 가득 차 있다. 각질세포(keratinocyte)는 표면으로부터 순서대로 박리된다.

치은상피의 각질화에는 ① 정상적으로 각질화가 일어나는 정각질화(orthokeratinization)(약 15%), ② 위축된 핵이 각질층에 잔존하는 착각화(parakeratinization)(약 75%), ③ 정상적인 핵이 표면의 세포에 잔존하는 비각질화(nonkeratinization)(약 10%)가 있으며, 이 중 착각화상피가 가장 많다. 치은상피의 각질화는 잇솔질 등의 기계적 자극으로 촉진된다.

6) 치은의 혈관공급과 신경분포

치은에는 굵고 탄력 있는 혈관망이 있는 점막하층이 없다. 따라서 치은의 혈관망은 다른 구강점막에 비하여 빈약하고, 조직장애에 대한 혈액배분의 적응성이 취약하다. 치은으로의 혈관공급은 치조동맥 및 설하동맥·협동맥·하악골동맥·구개동맥의 가지들에 의해서 이루어진다.

치은에 분포하는 신경은 3차 신경에서 유래하고, 구강점막과 치아사이중격을 거쳐 치은에 분포한다. 상악에서는 상치조신경가지, 하악에서는 하치조신경, 설신경, 협신경의 가지가 분포한다.

7) 임상적 측면

노령화와 함께 섬유모세포의 세포체는 위축되고, 아교섬유의 합성능력도 저하되므로 노인에게서는 치은 퇴축으로 백악질의 노출(감각과민증의 원인)이 일어나기 쉽게 된다. 이와 더불어 상피의 각화와 점몰은 감소한다.

15

피부와 점막

___ 학습목표
1 피부의 기본구조를 설명할 수 있다.
2 표피를 형성하는 구조물의 특징을 설명할 수 있다.
3 구강점막의 종류와 특징을 설명할 수 있다.
4 혀의 구조와 기능에 대해 설명할 수 있다.
5 타액선의 기본구조를 설명할 수 있다.
6 대타액선의 종류를 설명할 수 있다.

1. 피부

1) 개념

피부는 몸 속에 있는 여러 가지 장기를 둘러싸고 있는 하나의 막과 같은 것으로, 신체의 전 표면을 덮고 있으며(그림 15-1), 외부의 자극으로부터 내부 기관을 보호하고 생명을 유지하는데도 중요한 역할을 한다. 성인의 피부 표면 면적은 16,000 cm²이고, 중량은 체중의 16%로 생체기관 중 가장 큰 기관이다.

2) 기능

피부는 생체의 표면에 있고 외부와 접촉하고 있기 때문에 끊임없이 여러 자극을 받고 있다. 피부는 이와 같은 자극으로부터 생체를 보호하는 등 다양한 역할을 한다.

(1) 보호작용

피부는 진피의 탄력섬유와 진피 아래의 피하 지방조직에 의해 외부의 기계적 자극이 직접 내부에 미치지 않도록 완충작용을 하고, 피부 표면을 약산성으로 유지하는 완충능력도 있어서 화학적으로 유해한 자극으로부터 보호한다.

또한 피부의 가장 바깥층인 각질과 피부지질은 수분의 과도한 내부침입이나 외부로의 방출을 막는 장벽 역할을 한다. 표피의 멜라닌 색소는 자외선을 흡수하여 생체 내로의 자외선 침입을 차단하며 각질세포 또한 면역기능을 갖고 있다.

(2) 체온 조절 기능

피부는 피부 모세혈관의 확장, 수축에 의한 피부 혈류량의 변화와 발한에 의한 기화열에 의해 체온 조절에 도움을 준다.

(3) 감각 기능

피부는 외부 환경의 변화를 수용하고 피부감각을 나타낸다. 감각에는 촉각, 압각, 온도감각, 통각 등이 있는데, 이러한 감각을 감지하는 수용체가 진피 내에 존재한다.

(4) 흡수작용

피부에서 여러 물질들이 생체 내로 흡수되는데 그 경로는 각질층을 통한 흡수, 모낭과 피지선을 통한 흡수, 에크린 한선을 통한 흡수가 있다. 현재 밝혀진 바로는, 이 세 가지 경로 중 각질층을 통한 흡수가 가장 중요한 경로이다. 특히 부신피질호르몬 등의 스테로이드나 비타민 A, D, E, K 등의 지용성 물질은 흡수가 잘 된다. 피부에서 수분량을 증가시키거나 온도를 올려주어도 흡수가 잘 된다.

기타 비타민 D합성의 기능을 가지며, 얼굴의 표정과 같이 개체의 정신작용을 표현하는데도 관여하고 있다.

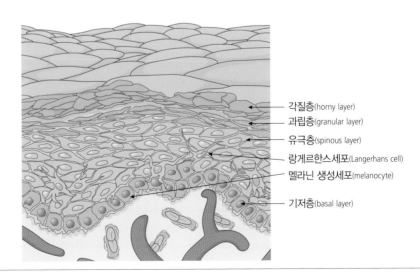

그림 15-1. 표피의 구조.

3) 구조

피부는 중층편평상피인 표피, 치밀결합조직인 진피, 그리고 소성결합조직인 피하조직의 3층으로 이루어진다(그림 15-2). 피하조직이 주로 지방조직으로 이루어진 경우를 피부의 지방층이라고 한다.

(1) 표피(epidernis)

표피는 피부를 덮고 있는 상피층을 말하며 중층편평상피로 구성되어 있다. 표피에는 신경과 혈관이 없으며, 표피의 상피층은 기저층, 유극층, 과립층, 투명층, 각질층으로 구성된다(p.39 참조).

① 각질층(horny layer)

핵과 세포질이 모두 소실되어 각질로 대체되어 있고, 시간이 지나면 피부에서 탈락된다. 각질층은 매우 건조하고 단단하게 결합되어 있어 미생물 침입에 대해 방어 역할을 한다.

② 투명층(stratum lucidum)

손과 발의 바닥 쪽 표면에 있는 피부로 투명층이 뚜렷하게 관찰되고, 이러한 두꺼운 피부에는 털과 피지샘이 없다. 그러나 얇은 피부는 손바닥과 발바닥을 제외한 우리 몸 전체의 피부로 투명층이 없고, 각질층이 매우 얇고 털과 피지샘이 존재한다.

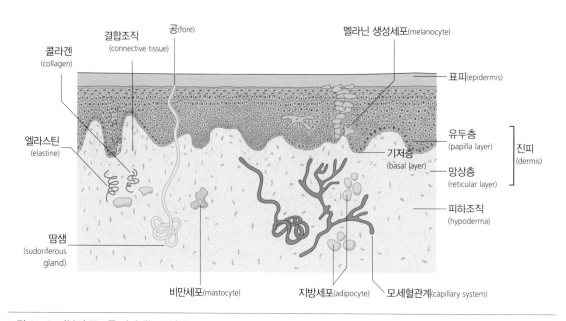

그림 15-2. 피부의 구조를 나타내는 모식도.

③ 과립층(granular layer)

각질을 구성하는 전구물질을 과립형으로 포함하고 있어 광학현미경에서 과립이 뚜렷이 관찰된다.

④ 유극층(spinous layer)

표피에서 가장 두꺼우며, 기저층에서 만들어진 세포가 성숙하여 다각형의 세포가 된다.

⑤ 기저층(basal layer)

세포가 분열하여 새로 만들어진 세포가 위쪽으로 올라가면서 성숙하게 된다. 기저층에는 멜라닌 생성세포(melanocyte), 랑게르한스세포(Langerhans's cell), 메켈세포(Merkel cell) 등이 있다.

(2) 진피(dermis)

진피는 표피 아래에 있는 결합조직으로 피부의 대부분을 차지하며, 신경, 혈관, 표피에서 기원한 표피부속기를 포함하고 있다.

① 유두층

유두는 진피가 표피를 향해 돌출된 부분이며, 피하조직을 주행하는 혈관과 신경의 가지가 진피로 들어가고, 다시 유두에 도달하여 가급적 신체 표면에 접근하려는 구조로 되어 있다. 신경은 유두 속에서 끝나거나 유두에 있는 각종 지각신경종말에 도달한다.

② 망상층(그물층)

유두층 밑에 있는 것이 망상층인데, 굵은 아교섬유 다발이 촘촘하게 짜여 있는 치밀결합조직으로, 약간의 탄력섬유를 함유하고 있다. 탄력섬유는 연령의 증가에 따라 감소되어, 피부에 탄력이 없어지고 주름이 생긴다.

(3) 피하조직(subcutaneous tissue)

피하지방층은 망상 진피의 하부에 위치하며, 지방세포들로 구성되어 있다. 피하지방층의 신체 부위에 따라 두께가 다른데, 중년층의 허리에서 가장 두껍고 눈꺼풀, 음낭, 음경에는 거의 존재하지 않는다. 피하지방층은 열을 차단하며, 충격을 흡수하여 몸을 보호하고 영양 저장소의 기능도 있다. 또한 몸매를 유지하는 미용효과도 제공한다.

4) 피부의 부속기관

(1) 지선(피지샘)

진피의 표면층에 위치하며(그림 15-3 B), 특히 두피와 얼굴 중에서 코와 입 주변에 많이 분포한다(손바닥, 발바닥 제외).

피지가 분비되어 모낭을 통하여 피부 표면으로 배출되는데, 분비된 피지는 피부의 천연적인 지방 공급원으로 피부와 모발 표면에 매끄러운 윤기를 유지시켜 준다.

(2) 한선(땀샘)

땀을 분비하는 기관으로 에크린선과 아포크린선의 2종류가 있다(그림 15-4). 에크린선(eccrine)은 전신에 분포되어 있으며, 땀을 발산하여 체온을 조절하는 중요한 기능을 한다. 또한 피지와 혼합하여 피지막 형성하고 이를 통해서 피부를 보호한다.

아포크린선(대한선, apocrine)은 사춘기에 발달하여 겨드랑이, 외음부, 항문 등 신체 일부에만 분포되어 있다. 분비되는 양은 극히 소량으로, 배출관에서는 무취이나 표피에 배출되어 세균의 침입을 받으면 특유한 냄새가 난다.

(3) 모발

모발 중에서 피부의 표면에 돌출되어 있는 부분을 모간(hair shaft), 피부 속에 매몰된 부분을 모근(hair root)이라고 한다. 모근의 끝에서 약간 불룩한 부분이 피하조직에 있어 모구(bulb of hair)라고 한다. 모구에는 모유두라는 세포층이 있으며, 이 세포의 분열에 의해 털이 형성된다(그림 15-3 A).

모근 전체를 감싸고 있는 조직을 모낭(hair foilicle)이라고 한다. 모낭에는 지선이 부속되어 있으며, 피부의 표면 가까이에서 지선의 도관이 열린다. 진피유두층부터 모낭에 도달하는 평활근이 있는데, 이것을 입모근(arrector pili)이라고 한다. 입모근이 수축하면 지선을 압박하여 그 분비물을 털 표면으로 밀어낸다.

(4) 손톱, 발톱

손·발톱은 동물의 발굽에서 진화하였다(그림 15-5). 보행을 돕고 손가락 끝을 보호하는 기능은 발굽과 공통적이지만, 영장류에서는 촉각이 발달함으로써 납작한 손톱 또는 발톱으로 변하였다.

손톱이 자라는 속도는 1주일에 약 0.5 mm이며, 긴 손가락의 손톱일수록 빠르다. 손톱이 성장함에 따라 손톱의 뿌리 쪽에는 푸른 반달 모양이 형성된다.

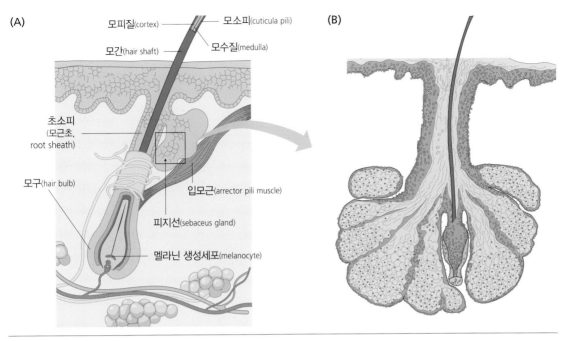

그림 15-3. 모발의 구조. (A) 모발 (B) 피지선의 구조

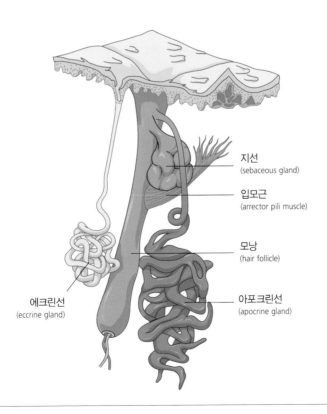

그림 15-4. 한선의 구조.

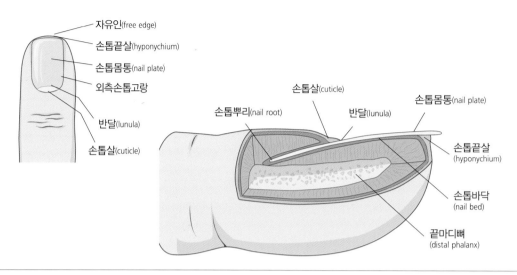

그림 15-5. 손톱의 구조.

2. 점막

1) 개요

소화기·호흡기·뇨생식기 등과 같이 내부에 공간이 있는 경우, 그 내면을 덮고 있는 부분을 점막이라 한다. 구강점막은 중층편평상피로 점막상피, 점막고유층, 점막하조직의 3층으로 구성되며, 각각의 구조는 피부의 표피, 진피, 피하조직에 대비된다. 소화기, 특히 위와 장의 점막은 거의 모든 표면이 선으로 되어 있는데, 점막고유층은 선과 선 사이에 있는 비교적 소량의 결합조직을 가리킨다.

또한 위와 장은 소화운동, 즉 연동운동을 하기 때문에 점막고유층과 점막하조직 사이에는 점막근판이라는 평활근의 얇은 층이 있다(그림 15-6). 선은 대부분 점막근판에 도달하지 못하고 끝나는 경우가 많다.

2) 소화기관

(1) 위

점액세포는 점액을 분비하여 내벽을 매끄럽게 하고, 위의 내벽세포를 방어한다. 벽세포는 염산을 분비하며, 주세포는 펩시노겐을 분비하는데, 이는 소화효소 펩신의 비활성 형태이다. (그림 15-7)은 펩시노겐, 염산, 그리고 펩신이 위의 소화작용에 어떻게 작용하는지를 나타낸다.

① 펩시노겐과 염산은 위샘 내부로 분비된다.

② 그 뒤 염산은 펩시노겐을 펩신으로 바꾼다.

③ 펩신은 연쇄반응으로 더 많은 펩시노겐으로 활성화시킨다. 결론적으로 만들어진 펩신은 단백질을 소화하기 시작하여 단백질의 폴리펩티드 사슬을 더 작은 폴리펩티드 사슬로 끊어준다.

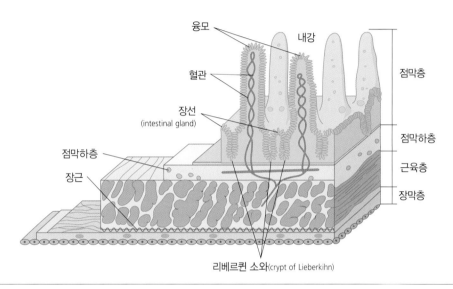

그림 15-6. 소화기 점막의 세부구조.

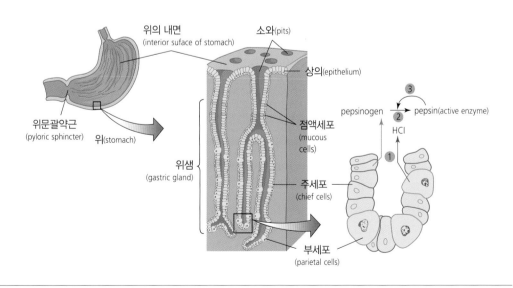

그림 15-7. 위샘을 구성하고 있는 세포들.

(2) 소장

소장 주변에는 융모(villi)라는 작은 손가락 모양의 돌기가 수없이 많은 큰 원형의 주름을 이루고 있다(그림 15-8). 융모의 상피세포를 전자현미경으로 보면, 미세융모(microvilli)라고 하는 작은 돌기가 표면에 돌출되어 있다. 이 미세융모는 소장 내부까지 확장되어 있다. 작은 림프관과 그물망의 모세혈관이 각각의 융모 내부로 통과하는 것을 주목해야 한다.

양분은 우선 소장 상피를 통과한 후 모세혈관이나 림프관의 얇은 벽을 통과하게 된다. 어떤 양분은 소화된 음식물에서 상피세포로 단순 확산된 후 혈액이나 림프관으로 들어가게 된다. 다른 물질은 상피세포막에 의한 농도차에 의해 이동한다.

(3) 대장

대장은 맹장, 상행결장, 횡행결장, S자 결장, 직장으로 나뉘어져 있으며, 소장에서 분해되지 않은 식이섬유 등 찌꺼기가 대장 내 세균의 활동으로 분해된다. 주로 수분과 미네랄의 흡수가 이루어지며, 대변의 형성, 전달과 배설 기능을 맡고 있다.

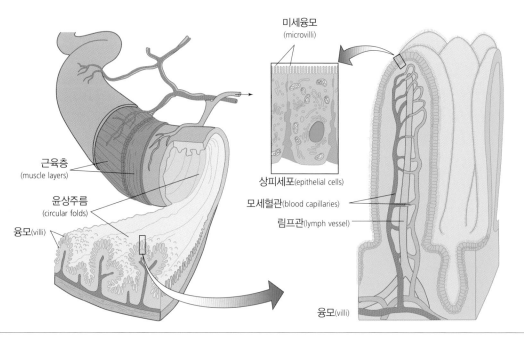

그림 15-8. 소장의 구조.

3. 구강점막

1) 개요

구강은 크게 구강전정(oral vestibule)과 고유구강(proper oral cavity)의 두 부분으로 나눌 수 있다. 구강전정은 치조골과 치아의 앞부분, 입술의 뒷부분에 있는 좁은 공간을 말하며, 치조골과 구강의 뒷부분에 있는 구강의 대부분을 차지하는 공간은 고유구강이다.

고유구강의 점막(oral mucosa)은 거의 모든 구강을 덮고 있으며, 일반적으로 점막상피(mucosal epithelium), 점막고유층(lamina propria), 점막하조직(submucosa)의 3층으로 이루어져 있으나, 부위에 따라서는 점막하조직은 거의 또는 전혀 존재하지 않는 경우도 있다. 또한 하부 소화관과 달리, 구강점막에는 점막근판과 부속하는 근육층이 존재하지 않는다.

점막상피의 대부분은 비각질중층편평상피(구순점막, 연구개, 치조점막, 구강저)로, 부분적으로 각질중층편평상피(치은, 경구개, 사상유두)에 덮이는 영역이 있다.

점막고유층은 치밀결합조직으로 비각화상피의 유두는 키가 작고 폭이 넓은 반면, 각화상피의 유두는 키가 크고 폭이 좁다. 점막하층은 성긴(소성)결합조직으로 부착치은과 경구개의 정중선상에는 존재하지 않으며, 점막고유층이 직접 골막으로 이행한다. 그러나 치조점막, 연구개, 구강저, 구순점막, 협점막, 순홍, 경구개의 측방부 등은 점막하조직이 존재한다.

2) 구강점막의 기본적 구조

점막상피(상피조직), 점막고유층(치밀결합조직), 점막하조직(성긴결합조직)의 3층으로 되어 있다(그림 15-9).

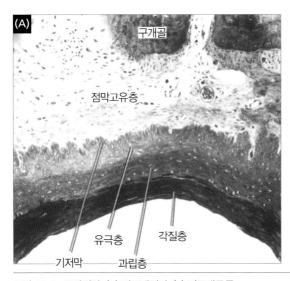
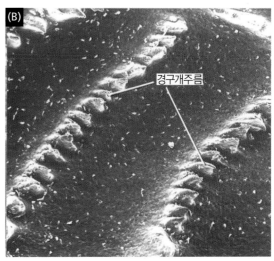

그림 15-9. 구강점막. (A) 경구개점막, (B) 경구개주름

(1) 점막상피

각화구강점막상피의 4세포층으로 기저층(basal layer), 유극세포층(prickle cell layer), 과립층 (granular layer), 각질층(keratinized layer)으로 이루어져 있고, 각화구강점막상피는 혀의 사상유두, 치은, 경구개, 홍순에서 볼 수 있다. 비각화구강점막상피는 기저층, 중간층, 표면층으로 이루어져 있고, 구순점막, 협점막, 치조점막, 연구개, 구강저에서 볼 수 있다.

(2) 점막고유층

점막상피하층에서 상피를 지지하고 그 영양을 관장하는 결합조직이다. 고유층의 상피측 돌출 부분을 유두라고 한다.

(3) 점막하조직

소성결합조직으로서 치조점막, 구강저, 연구개, 구순점막, 협점막, 홍순, 경구개의 측방부에서 점막하조직을 볼 수 있다.

3) 구강점막의 분류

구강에서는 저작, 소화, 감각수용 등의 여러 가지 기능이 존재하기 때문에 기능적으로 ① 저작점막 (masticatory mucosa), ② 이장점막(lining mucosa), ③ 특수점막(specialized mucosa)으로 분류된다.

(1) 저작점막

치아와 함께 저작 시에 직접 교합압을 받고 음식물과의 마찰도 가장 많이 일어나는 강인한 점막을 저작점막(masticatory mucosa)이라 한다. 저작점막에는 부착치은과 경구개의 정중선 부분이 여기에 속한다. 조직학적으로 저작점막은 ① 각질은 중층편평상피이며, ② 점막고유층이 두껍고 치밀한 결합조직으로 이루어지며, ③ 점막하층이 없거나 적고, ④ 점막고유층 또는 점막하층은 치조골 또는 구개골의 골막과 결합한다. 이 때문에 저작점막은 가동성이 적고, 저작에 견딜 수 있는 경도가 있다.

(2) 이장점막

교합압에 그다지 노출되어 있지 않고 점막하조직의 탄력성이 높은 부위인 이장점막(lining mucosa, 피복점막)으로는 입술, 볼, 치조점막, 혀의 아랫면, 구강저, 연구개의 점막 등이 속한다. 상피는 비각질 중층편평상피이고, 점막고유층은 아교섬유와 탄력섬유를 포함하는 치밀성결합조직이지만, 섬유다발의 형성은 그다지 치밀하지 않다. 점막하층은 성긴결합조직으로 이장점막에 가동성을 부여한다.

(3) 특수점막

혀(tongue)에는 혀유두(lingual papilla)가 발달되어 있으며, 그 중 미뢰라는 미각수용기가 있는데, 구강점막 중에서 미각을 관장하는 부분이다. 이와 같은 특수한 구조의 혀점막을 특수점막(specialized mucosa)이라고 한다.

4) 임상적 측면

구강점막의 노화는 부착치은의 퇴축에 의한 상아질의 노출로 치아우식이 증가하며, 설유두의 수와 미뢰의 수가 감소하여 미각 기능이 떨어진다. 또한 타액선의 변화에 의해 타액의 분비가 감소하여 구강점막이 건조해지는 구강건조증이 야기되어 구강질환의 발병률이 증가한다. 조직학적으로 볼 때, 고유판의 유두층과 망상층에도 변화가 일어나고, 특히 탄력섬유에 변화가 일어나 점막의 탄력성이 적어진다.

또한 구강점막에서의 섬유모세포의 수와 활성이 감소함으로써 점막의 치유능력이 감소하고, 치유기간이 늘어난다.

4. 혀점막

1) 개요

혀(tongue)는 고유구강의 특수한 구조와 기능을 가진 구조물로 저작, 미각의 수용, 타액의 생성, 발음, 면역 등의 여러 가지 기능을 담당하고 있다. 혀의 등면(표면)은 저작점막으로 덮여 있지만 확장성과

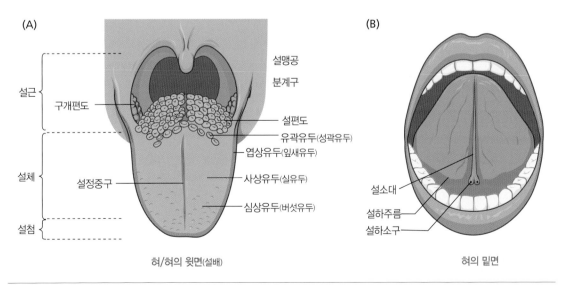

그림 15-10. 설유두. (A) 혀의 윗면(설배), (B) 혀의 밑면

운동성이 뛰어나고, 감각기를 포함하는 여러 가지 유두가 표면에 있다. 게다가 점막고유층에는 많은 작은 타액선이 존재한다.

혀의 뒤쪽은 V자형의 분계구(분계고랑)를 경계로 설체(혀몸통)와 설근(혀근육)으로 나누어진다. 설체의 끝을 설첨(혀끝)이라 하며, 혀의 윗면을 설배(혀등)라고 한다(그림 15-10).

설배(혀등)에는 다른 구강점막에서는 볼 수 없는 설유두(lingual papillae)를 가지고 있으며, 이 중 일부는 특수 미각기관인 미뢰(맛봉우리)와 관련이 있다. 분계구 뒤쪽 부분인 설근 점막에는 림프성 기관이 많이 모여 있는데, 이것을 설편도(lingual tonsil)라고 한다.

2) 설유두

분계구의 앞쪽, 즉 설배(혀등)에는 많은 설유두가 존재하는데, 이들은 음식물의 저작과 미각의 수용에 관여한다. 상피와 점막고유층으로 구성되며, 흔히 점막고유층에서 돌기가 나와 2차유두를 형성한다. 설유두에는 사상유두(실유두), 용상유두(심상유두, 버섯유두), 엽상유두(잎새유두), 유곽유두(성곽유두) 등 4종류가 있다. 설배의 대부분은 각질중층편평상피로 덮여 있지만, 각질화된 것은 수적으로 가장 많은 사상유두뿐으로 다른 유두는 각질화되어 있지 않다(그림 15-11).

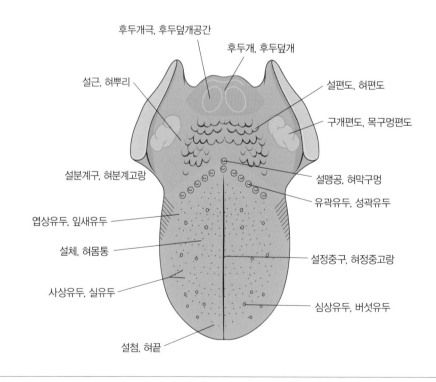

그림 15-11. 혀의 위면을 보여주는 그림.

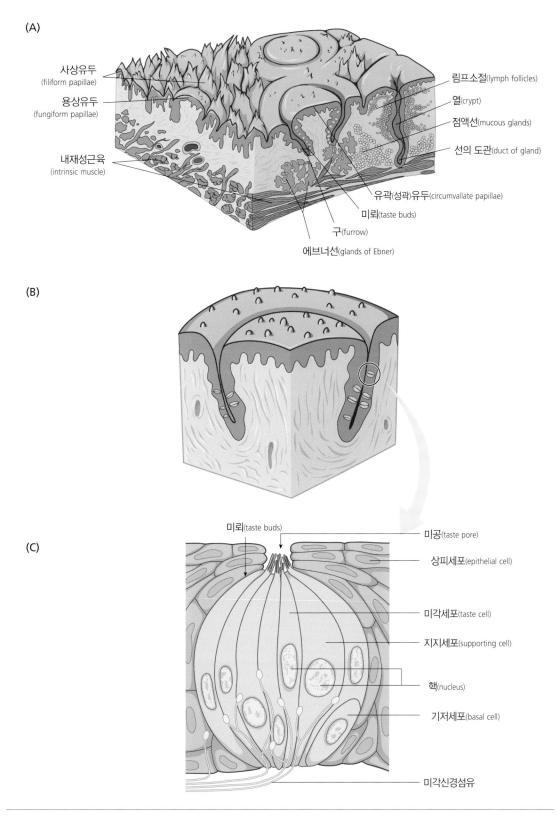

(A)

사상유두
(filiform papillae)

융상유두
(fungiform papillae)

내재성근육
(intrinsic muscle)

림프소절(lymph follicles)

열(crypt)

점액선(mucous glands)

선의 도관(duct of gland)

유곽(성곽)유두(circumvallate papillae)

미뢰(taste buds)

구(furrow)

에브너선(glands of Ebner)

(B)

(C)

미뢰(taste buds)

미공(taste pore)

상피세포(epithelial cell)

미각세포(taste cell)

지지세포(supporting cell)

핵(nucleus)

기저세포(basal cell)

미각신경섬유

그림 15-12. 설유두. (A) 설배점막의 구조, (B) 유두단면, (C) 미뢰.

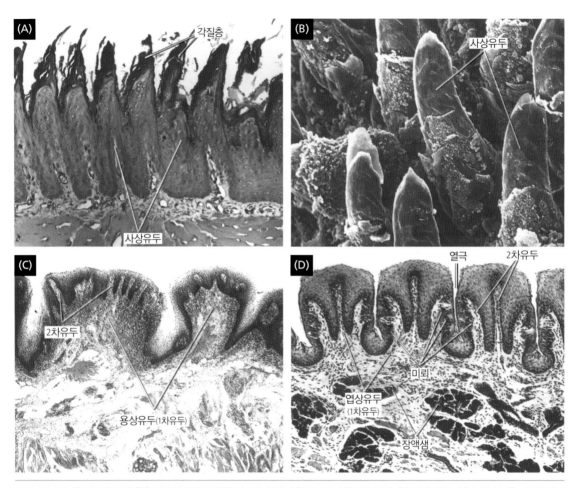

그림 15-13. 설유두의 구조. (A) 혀의 사상유두 광학현미경 사진, (B) 주사전자현미경 사진, (C) 용상유두, (D) 엽상유두(A. 톨루이딘 블루 염색×200, B×300, C. H·E염색×40, D. H·E×100)

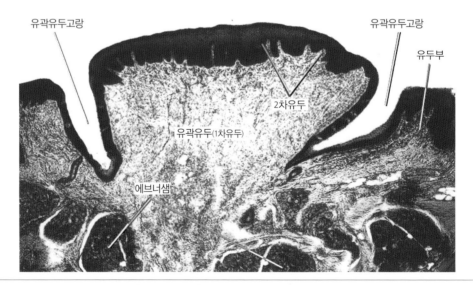

그림 15-14. 유곽유두의 광학현미경 사진(H·E염색×100).

(1) 사상유두

비교적 가늘고 긴 유두인 사상유두(filiform papillae)는 설배의 전면에 분포하고, 설유두 중에서 가장 숫자가 많다. 상피는 두꺼운 각질중층편평상피로, 표면은 각질화에 의한 박리 경향이 강하고, 상피 내에 미뢰는 존재하지 않는다. 형태와 표면의 각질화로 인해 인접하는 사상유두 사이에는 음식 잔류물과 세균 등에 의한 설태가 존재한다. 점막고유판에는 소수의 2차 유두가 보인다.

(2) 용상(심상)유두

붉고 작은 버섯 모양을 한 용상유두(fungiform papillae)는 설배의 전면에 산재하고, 특히 설첨(혀끝)과 가장자리에 많이 분포한다. 용상유두는 사상유두보다 크고(직경 0.5~1 mm), 상피는 비각질중층편평상피로, 점막고유판에는 2차 유두가 많다.

미뢰는 유아기와 젊은 사람의 유두 내에서 관찰되지만, 성인의 용상유두에는 존재하지 않는다.

(3) 엽상(잎새)유두

엽상유두(foliate papillae)는 설체의 외측 뒷편에 분포하고, 나뭇잎 모양의 유두가 일렬로 배열하여 주름을 형성한다. 상피는 비각질화로, 점막고유판에는 작은 2차 유두가 존재한다. 유두는 8~12개의 좁은 틈새에 의해 만들어지고, 틈새에 접하는 상피 내에는 많은 미뢰(약 2,500개)가 존재한다. 엽상유두는 인체에서는 퇴화적인 것이라고 한다.

(4) 유곽(성곽)유두

유곽유두(circumvallate papillae)는 직경 1~2 mm의 큰 버섯 모양의 혀유두로, 분계구(sulcus terminalis)의 전면에 10~14개가 분포한다. 유두의 상부는 평탄하고 그 기시부는 깊은 홈에 의해 주위와 구분된다. 유곽유두는 비각질중층편평상피로 덮히고, 유곽유두 고랑의 바닥면에는 에브너선이 열려 있으며, 고랑의 양쪽 벽에는 약 250개 정도의 많은 미뢰가 분포한다(그림 15-14).

3) 미뢰(맛봉오리)

미각의 수용기를 미뢰(taste bud)라고 한다. 이는 일종의 신경상피세포(neuroepithelial cells)로 음식물의 화학적 맛자극을 수용한다. 미뢰는 설유두 외에 연구개, 인두, 후두 덮개, 볼, 구강저의 점막 등에 분포하지만, 대부분은 설유두의 상피 내에 존재한다. 미뢰는 유곽유두(성곽유두), 용상유두(버섯유두), 엽상유두(잎새유두)에 존재하며, 사상유두(실유두)에는 없다(그림 15-12 B, C).

미뢰는 비각질중층편평세포에 산재하는 원형 또는 달걀 모양의 상피세포군으로, 길이 60~80 ㎛, 직경 35~45 ㎛이다.

미뢰를 구성하는 세포에는 미각세포(taste cell) 외에 지지세포(supporting cell)와 기저세포(basal cell, 바닥세포)가 있으며 미뢰의 끝에는 미공(taste pore)이라는 작은 구멍이 있다. 이 미공으로 미각의 근원이 되는 물질이 이곳에서 미각세포의 돌기를 자극하면 그 흥분이 미신경을 거쳐 대뇌로 전달된다.

4) 설편도

혀의 분계구 뒤쪽 설근 점막에는 림프성 기관이 많이 집합하는데, 이를 설편도(lingual tonsils)라고 한다. 설편도는 구강과 인두의 경계인 목구멍(fauces) 주위에 연속적으로 존재하는 편도조직의 하나이다. 이들 편도(tonsils)에는 인두편도(pharyngeal tonsil), 구개편도(palatine tonsil), 그리고 설편도(lingual tonsil)가 있고, 발다이어의 인두고리(Waldeyer's ring of the pharynx)라고 총칭된다.

이중 설편도는 림프구를 생성하는 림프성조직의 집합체이다. 설편도의 점막상피는 비각질중층편평상피로, 상피하 점막고유판에 많은 림프소절(lumph nodules)이 집합한다.

5. 침샘
1) 개요

선(샘)은 인체의 항상성 유지를 위해 필요한 화학 물질들을 분비하는 구조물로, 선세포에 의해 합성·분비된 분비물이 도관(duct)을 거쳐 운반되어 방출되는 샘을 외분비샘(exocrine gland)이라 한다. 그러나 내분비샘은 도관이 존재하지 않아 혈관을 통해 분비물을 작용부위에 전달하는 것이다. 이중에서 구강으로 연결되어 있는 외분비샘(입안샘, oral gland)을 타액선(salivary gland)이라 하며, 분비물질을 타액(saliva)이라 한다. 타액은 하루에 1~1.5 L나 생성된다. 타액 내에는 소화효소, 점액, 분비형 IgA 및 각종 생리활성물질 등이 함유되어 있어 구강 내 소화, 점막보호, 항균 등의 기능을 한다. 또한 타액은 법랑질의 재석회화와도 관련이 있으므로 치아의 완전성을 유지하는데도 도움을 준다.

2) 분비물의 화학적 성상에 의한 침샘의 분류

(1) 점액선

분비물이 탄수화물을 포함해서 점성이 높은 것을 점액선(mucous gland)이라 한다.

점액은 항상 구강점막을 덮어 각종 외부자극으로부터 보호한다. 소타액선 중 구개선과 설선의 후설선은 점액선이다.

(2) 장액선

분비물이 효소를 포함한 단백질인 것을 장액선(serous gland)이라 한다. 장액으로 분비되는 소화효소를 아밀라아제 또는 프티알린이라 하며, 탄수화물을 분해한다. 이하선과 외측설선(에브너선)은 순수 장액선이다.

(3) 혼합선

하나의 샘 중에 장액선과 점액선이 혼재하는 것을 혼합선(mixed gland)이라 한다. 악하선(턱밑샘)과 설하선(혀밑샘)이 전형적인 예이다. 악하선에는 장액세포가 많으며, 설하선에는 점액세포가 많다.

3) 침샘의 종류

(1) 대타액선

대타액선의 종류는 이하선, 악하선, 설하선으로 구분된다(그림 15-15).

① 이하선(귀밑샘)

가장 큰 타액선(무게는 15~20 mg)으로 순수장액선(복합포상선, compound acinar gland)이다. 그러나 총 타액량의 25%만을 만들어낸다. 이 선의 분비관은 이하선관이라 하며, 이 관을 통해 구강점막의 안쪽에서 구강 내로 개구하는데, 개구 위치는 보통 상악 제2대구치 맞은편인 이하선유두이다. 도관에서는 개재관(intercalated duct)이 가장 잘 발달되어 있다.

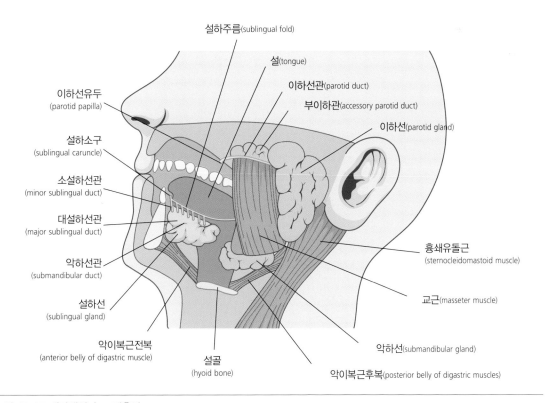

그림 15-15. 대타액선과 그 배출관.

227

② 악하선(턱밑샘)

악하선(submandibular gland)은 장액선이 많은 혼합선으로 분비관이 분지하는 복합관상포상선(복합관상꽈리샘)이다. 이 선의 분비관은 악하선관이며, 개구 위치는 설소대의 양쪽에 있는 설하소구(혀밑언덕, sublingual caruncle)이다.

도관 계통에서는 선조관(줄무늬관)이 이하선과 설하선보다 발달되어 있으며, 줄무늬관에는 분지하는 것도 있다. 개재관(사이관)은 비교적 적다.

③ 설하선(혀밑샘)

설하선(sublingual gland)은 악하선과 같은 혼합샘으로, 분비관이 분지하는 복합관상포상선이다. 설하선에는 장액선과 비교하여 점액선이 훨씬 많다. 설하선관은 대설하선관과 소설하선관이 있다. 대설하선관은 한 개의 큰 도관으로 악하선관과 합류하여 설하소구에 개구하고, 소설하선관은 설하주름을 따라 직접 혀 아래쪽의 점막에 개구한다.

도관의 개재관이 매우 짧거나 없는 예도 있으며, 선조관의 발달도 매우 미비하다.

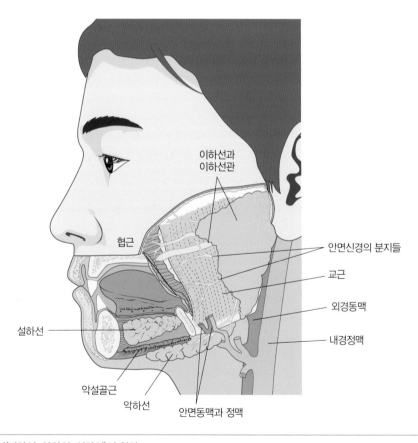

그림 15-16. 대타액선(이하선, 악하선, 설하선)의 위치.

(2) 소타액선

소타액선(minor salivary gland)은 쌀알 또는 좁쌀 정도 크기의 독립된 도관으로 입술, 볼, 구개, 혀 등의 점막 표면에 개구하고 있다. 소타액선에는 구순선(혼합선, labial gland), 협선(혼합선, buccal gland), 구치선(혼합선, molar gland), 구개선(점액선, palatine gland), 설선(혼합선, lingual gland)이 있다. 설선은 전설선(혼합선, anterior lingual gland), 후설선(점액선, posterior lingual gland), 에브너선(외측설선, 장액선, Ebner's gland) 등이 있다.

4) 타액선의 구조

대타액선과 소타액선은 모두 상피조직과 결합조직으로 이루어져 있다. 상피조직은 도관계를 덮고 있고, 타액을 분비하는 구조물도 형성한다. 즉, 분비상피세포가 점액성을 띠며, 점액세포가 되는 것이다. 실제적으로 분비세포는 별개로 떨어져서 존재하는 것이 아니라 포도송이와 같이 하나의 집단을 형성하는데, 이를 분비꽈리(acinus)라고 한다.

각 분비꽈리는 입방형의 상피세포가 하나의 층으로 둘러싸서 내강을 이루고, 이 내강 안에 분비세포에서 만들어진 타액이 축적되는 것이다. 결합조직은 상피를 둘러싸서 이를 보호하고 지지해주는 역할을 한다.

타액선 상피세포의 분화적 측면에서 보면, 타액선은 선세포 집단이 분비물을 생성하는 종말부(분비부, secretory unit)와 생성된 분비물을 나르는 도관(배출관, excretory unit)으로 구성된다(그림 15-16).

(1) 종말부(샘꽈리)

종말부에는 샘꽈리, 샘몸통 부분, 으뜸 부분 등의 명칭이 있다. 종말부의 구조는 대타액선과 소타액선의 차이가 없다. 종말부에서는 하나의 관강(샘꽈리내강)을 둘러싸고, 선세포가 방사상으로 일렬 배열한다. 선세포의 바닥쪽에는 기저막이 있고, 그 주위를 모세혈관이 풍부한 성긴결합조직이 둘러싼다(그림 15-17).

① 장액성 종말부

장액세포의 핵은 원형이며, 세포의 아래쪽에 위치하고 있으면서 당과 아미노산 등을 세포 안으로 이입하여 분비물을 합성한다. 세포질은 헤마톡실린에 염색되는 미세한 작은 알갱이들 때문에 어둡게 보인다. 이 과립은 효소를 만드는데 관여하므로 효소원 과립(zymogen granule)이라고 한다. 선세포의 바깥쪽(샘세포와 바닥막의 사이)에는 근육상피세포(myoepithelial cell)가 존재한다. 근육상피세포는 민무늬근육세포의 일종으로 이것이 수축하여 세포 내에 있는 분비물을 선강 방향으로 밀어낸다.

② 점액성 종말부

점액세포의 기본구조는 장액세포와 크게 다르지 않다. 점액세포의 세포체는 장액세포보다 크며, 핵과 조면소포체는 분비과립 때문에 바닥쪽으로 강하게 눌려 납작하다. 골지복합체는 잘 발달되어 있고, 내강 쪽의 세포질에는 크고 다량의 분비과립(점액과립)이 가득하다. 헤마톡실린에 거의 염색되지 않기 때문에 세포 전체가 밝게 보인다. 또한 장액선 종말부의 경우와 마찬가지로 선세포의 바깥쪽에는 근육상피세포가 분포한다.

③ 혼합선 종말부

혼합선이란 하나의 샘조직 중에 장액선 종말부와 점액선종말부가 혼재하는 것을 말하며, 장액세포와 점액세포가 하나의 종말부를 형성하기도 한다. 이를 혼합선 종말부라고 한다. 혼합선 종말부에서는 사이관 가까이에 점액세포가 모이고, 장액세포가 점액세포 주위에 반달처럼 붙어 있기 때문에 장액성 반달(serous demilune) 혹은 본넷(bonnet)이라고 한다. 반달의 분비물은 점액성 세포 사이에 있는 관을 통해 선포(acinus)로 배출된다.

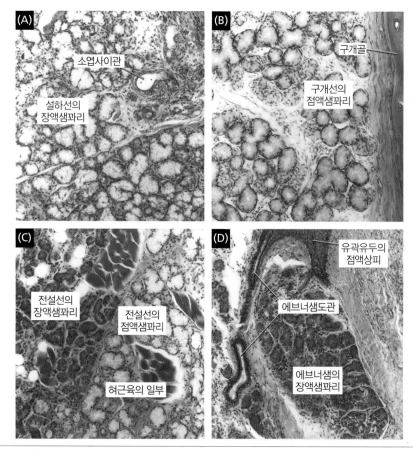

그림 15-17. 소타액선. (A) 설하선, (B) 구개선, (C) 전설선(혼합선), (D) 에브너샘 (H·E 염색, A~D×100).

(2) 도관 계통

타액선의 도관계는 분비꽈리에 연결된 관으로부터 시작하여 바깥쪽으로 갈수록 점점 더 굵어지는 여러 도관들로 구성된다. 즉, 선강으로 배출된 분비물은 개재관, 선조관, 도관을 거쳐 구강으로 배출된다(그림 15-18).

① 개재관(사이관)

개재관(intercalated duct)은 단순하게 사이부(intercalated portion)라고도 불리고, 종말 부분으로 이어지는 가늘고 짧은 도관이다. 개재관의 가로절단면에서는 단층입방상피세포가 관강을 둘러싸고 있으며, 내강의 직경은 가늘 다. 이하선에서 잘 발달되어 있다. 사이관의 바깥쪽에는 근육상피세포가 분포한다. 개재관의 기능은 타액에 대한 통로를 제공하는 것 외에는 아직 잘 알려져 있지 않다.

② 선조관(줄무늬관)

선조관(striated duct)은 개재관에 이어지는 도관으로 1층의 원주상피로 이루어지는 비교적 굵은 도관이다. 광학현미경으로 상피세포의 바닥에 줄무늬구조(바닥줄무늬 또는 기저선조, basal striation)가 보이기 때문에 줄무늬관이라 불린다. 선조관은 타액의 통로뿐만 아니라 분비물 중 과다분비된 수분과 무기질을 재흡수하여 타액의 성분을 조절하는 기능을 한다. 이러한 선조관은 이하선과 악하선에서 잘 발달되지만, 설하선에서는 그다지 보이지 않는다. 또한 소타액선에는 존재하지 않는다.

③ 도관(분비관)

도관 또는 분비관(secretory duct)은 줄무늬 부분부터 덮개상피에 이르는 긴 도관이다. 처음에는 내강의 직경도 줄무늬 부분보다 가늘지만 덮개상피에 가까워지면서 굵어진다. 침샘에서 상피세포는 단층의 입방 또는 원주상피지만, 구강점막에 근접하면서 내강이 굵어짐과 동시에 중층원주상피가 된다.

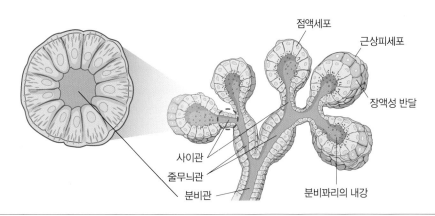

점액세포
근상피세포
장액성 반달
사이관
줄무늬관
분비관
분비꽈리의 내강

그림 15-18. 타액선의 현미경적 구조.

INDEX

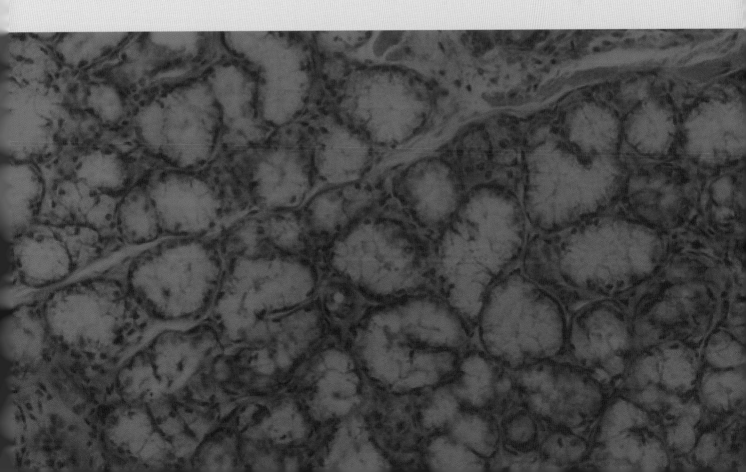

INDEX

기타

1차 백악질 — 191
2차 백악질 — 191

ㄱ

가로무늬근 — 165
가시층 — 208
가지돌기 — 98
각질중층편평상피 — 39
각질층 — 40, 209, 211
감각뉴런 — 99
감각상피 — 37
감각신경섬유 — 186
감수분열 — 34
감염인자 — 141
개재관 — 227
개재층판 — 75
갱년기 — 107
거짓중층상피 — 40
결합선 — 75
결합조직 — 50
경판 — 198
경화상아질 — 177, 181
계승치아 — 142
고유결합조직 — 51, 61
고유구강 — 219
고유치조골 — 197
고정세포 — 55
골격근 — 93
골단연골 — 80
골단위 — 75
골막 — 75
골모세포 — 74, 199
골세관 — 74
골세포 — 74
골소강 — 74
골소주 — 77
골수 — 77, 79
골수강 — 77

골조직 — 72
골지복합체 — 26
골질 — 75
골화 — 79
과립성 성분 — 27
과립소포체 — 24, 97
과립층 — 40, 208, 213
관간상아질 — 175
관상선 — 49
관절원반 — 69
관주상아질 — 175
관포상선 — 49
교감신경 — 102
교통반 — 45
교통연접 — 45
구간상아질 — 175
구강전정 — 143, 219
구강점막 — 219
구개돌기 — 137
구개열 — 141
구순열 — 141
구슬사이상아질 — 176
구심성신경통로 — 98
구와 — 132
구인두막 — 132
귀밑샘 — 227
그물층 — 213
근간중격 — 199
근섬유 — 90
근섬유막 — 91
근세포 — 90
근원섬유 — 90
근육동맥 — 86
근육원섬유마디 — 90
근절 — 90
기관형성기 — 122
기능적 맹출기 — 157
기저막 — 82
기저층 — 39, 208
기초층판 — 77

ㄴ

난자 · 107
난할 · 108
낭배 · 110
내막 · 84
내배엽 · 112, 122
내법랑상피 · 144, 146
내분비선 · 48
내장근육 · 93
내측비돌기 · 135
내표면 · 36
내피 · 82
내피세포 · 82
노르아드레날린 · 102
노르에피네프린 · 102
뇌 · 100
뇌상기 · 143
뉴런 · 95, 96
니슬소체 · 97

ㄷ

단백질 · 203
단위막 · 20
단층상피 · 42
단층원주상피 · 43
단층입방상피 · 42
단층편평상피 · 42
대뇌 · 100
대생치 · 157
대식세포 · 56, 185
대장 · 218
대타액선 · 227
데스모솜 · 44
도관 · 231
동맥 · 84
동형분열 · 34
동형세포군 · 66
동형치 · 142
땀샘 · 214

ㄹ

라쉬코프 신경총 · 183
란비에르마디 · 97
랑게르한스세포 · 213
레찌우스선조 · 166
루제세포 · 82
리보솜 · 27
리소조옴 · 26
림프관 · 81, 87
림프구 · 58

ㅁ

막내 골화 · 199
막대사이사기질 · 161
막성 골발생 · 80
막성성분 · 24
말기 · 32
말라세즈 상피잔사 · · · · · · · · · · · · · · · · · · 200
말이집 · 98
말초신경계 · 100
망상층 · 211
맹공 · 132
맹출 · 156
맹출기 · 157
맹출전기 · 157
메켈세포 · 213
멕켈연골 · 199
멜라닌세포 · 213
면역글로불린 · 57
모간 · 215
모구 · 215
모낭 · 215
모발 · 215
모상기 · 144
모세혈관 · 82
모자기 · 144
무과립소포체 · 25
무세포성 백악질 · 191
무정형 기질 · 61

INDEX

무초무수섬유 102
무초유수섬유 102
미뢰 225
미분화간엽세포 185
미세섬유 29
미세소관 30
미주신경 132
미토콘드리아 26
밀착연접 44

ㅂ

바깥세포 147
바닥층 208
반부착반점 44
반응상아질 173
반전선 75
배자 104
배자결합조직 51
배자기 104, 122
배자내 중배엽 112
배자모체 109
백악립 196
백악모세포 194, 199
백악세포 195
백악소설 195
백악전질 194
백악질 142, 152, 189
백악층판 192
백악치은섬유군 206
백악치조섬유 200
법랑기 147
법랑방추 164
법랑소주 165
법랑소피 164
법랑엽판 164
법랑진주 169
법랑질 142, 150, 161
법랑질형성부전증 169
법랑총 164
변연신경총 186

변연치은 205
보호(덮개)상피 37
볼크만관 75
부가성장 70
부교감신경 102
부착띠 44
부착반점 44
부착상피 155
부착치은 205
분비관 231
분비꽈리 229, 231
분비(합성)상피 37
분할 108
분해능 10
불수의근 92
불완전사기질형성증 169
비각질중층편평상피 40
비각질화 209
비만세포 56, 186
비전두돌기 135
비중격 137

ㅅ

사기질 161
사기질껍질 164
사기질방추 164
사기질얼기 163
사기질층판 163
사대 178, 181
사립체 26
사상유두 220
사이뉴런 99
사이질성장 70
사이층판 75
사주군 203
사주섬유군 199
산부식 168
삼배엽성 배반 110
삼차상아질 173
삼층배자원반 110, 122

상순	135	성상세망(법랑수)	147
상실배	108	성염색체	107
상아모세포	170, 185	성장선	165, 178, 192
상아모세포층	183	성장판	80
상아법랑경계	165, 180	세관사이상아질	175
상아사기질이음부	164	세관주위상아질	175
상아섬유	174	세망섬유	61
상아세관	174	세망조직	61, 63
상아질	142, 150, 170	세포	18
상아질립	188	세포간질	55, 59
상아질 지각과민	180	세포결핍층	183
상악간분절	135	세포막	18
상악돌기	135	세포분열	30
상악전골	137	세포사이물질	61, 203
상염색체	107	세포사이연접	43
상피띠	137	세포소기관	24
상피부착	204	세포영역	67
상피세포	202	세포주기	30
상피조직	36	세포질	90
상피초	42	세포질분열	32
샘꽈리	229	세포체	97
생명현상	18	세포치밀층	184
생식자	107	소뇌	100
샤피섬유	75, 152, 194, 198	소장	216
석회화	171	소주간 법랑질	161
선상피	46	소타액선	229
선조관	231	소포체	24
설근	132	속상골	197
설배	221	수복상아질	173
설유두	222	수산화인회석	168
설인신경	132	수상돌기	96, 98
설편도	221, 226	수송상피	37
설하선	228	수의근	92
설하신경	132	수정	108
섬유모세포	55, 185, 201	수초	96, 98
섬유부착	204	수평군	203
섬유성 결합조직	61	슈레거띠	162
섬유성 성분	29	슈반세포	97
섬유연골	69	시냅스	95, 99
성긴(섬유성) 결합조직	63	시냅스소포	99
성상세망	144	식균세포	56

INDEX

신경계 99
신경관 117
신경근육연결 95
신경능선 118
신경배 116
신경섬유마디 97
신경아교세포 99
신경연접 99
신경외배엽 122
신경전달물질 99
신경절 101
신경판 117
신생선 166
심근 93
싹시기 144

ㅇ

아교(교원)섬유 59
아교원섬유 59
아교조직 63
아드레날린 102
아세틸콜린 102
아포크린선 214
악하선 228
액틴 29
에브너선 178
에크린선 214
에피네프린 102
엘라스틴 59
연골(cartilage) 64
연골기질 67
연골내골형성 70
연골단위 67
연골막 68
연골발생층 68
연골성 골발생 80
연골세포 66
연골세포방 66
연골소강 66
연골조직 64

염산 216
염색질 20
엽상유두 225
영구치아 142
영양막 109
영역간기질 67
영역바탕질 67
영역사이바탕질 67
오디배 108
오웬 외형선 179
옥시탈란섬유 59
와일층 183
와튼아교질 63
외막 84
외배엽 112, 122
외배엽성 중간엽 119
외법랑상피 144, 147
외분비샘 226
외분비선 47
외측비돌기 135
외측주름 124
외표면 36
외피상아질 175
용상유두 225
용해소체 26, 56
운동뉴런 95, 99
원시선 112
원심성 신경통로 98
원형질 18
원형질막 18
유곽유두 225
유극층 40, 208, 213
유두층 213
유리연골 199
유리치은 205
유사분열 32
유세포성 백악질 192
유주세포 55
유체역학기전 180
유초무수섬유 102
유초유수섬유 102

은친화성섬유   61

은친화성섬유	61
이배엽성 배반	110
이생치성	142
이장점막	220
이질염색질	21
이차구개	137
이차만곡	174
이차상아질	171
이층배자원반	110
이하선	227
이행상피	39
이형분열	34
이형치	142
인두구	129
인두궁	128
인두기관	128
인두낭	129
인두막	129
인지질	18
일생치성	142
일차구개	137
일차만곡	174
일차상아질	171
입모근	214

ㅈ

자극	95
자율신경계	101
장골	64, 77
장배	110, 113
장액선	49, 226
장액성 종말부	229
저작점막	220
적색골수	79
전기	32
전도동맥	84
전연골	70
전정판	143
점막	216
점막고유층	220

점막상피	220
점막하조직	220
점몰	205
점액다당류	61, 203
점액선	49, 226
점액성 종말부	230
정각질화	209
정맥	86
정자	107
정중구개봉합	139
정지선	75
제1분열	34
제2분열	34
제4체절	117
조면소포체	24
조직구	186
조직액	82
종기	148
종말부	229
종상기	148
주머니배	109
주섬유	198, 200
주파선조	165
죽은띠	178
줄무늬관	231
중간섬유	30
중간연접	44
중간엽	66, 119
중간중배엽	119
중간층	147
중기	32
중막	84
중배엽	112, 119
중심관	75
중심세포	147
중추신경계	100, 117
중층상피	38
중층원주상피	38
중층입방상피	38
중층편평상피	39
지방조직	63

INDEX

지지조직 — 50
지지치조골 — 197
진정염색질 — 21

ㅊ

착각화 — 209
착상 — 110
창자배 — 113
척삭 — 112
척삭관 — 112
척삭돌기 — 112
척수 — 100
척추사이원반 — 69
체성신경계 — 100
체세포분열 — 32
체판 — 198
초자(유리)연골 — 69
축방중배엽 — 119
축삭 — 95, 98
축삭돌기 — 96
치간유두 — 205
치간함몰부치은 — 205
치골결합 — 69
치근 — 152
치근간군 — 203
치근간중격 — 197
치근단공 — 142
치근단군 — 203
치근흡수 — 158
치밀골 — 75
치밀(섬유성) 결합조직 — 62
치배 — 142
치소낭 — 145, 148, 197
치수 — 181
치수각 — 183
치수강 — 182
치수결석 — 188
치수심부 — 184
치수주위상아질 — 175
치아골막섬유군 — 207

치아기 — 142
치아배 — 135
치아싹 — 142
치유두 — 142, 145, 148, 182
치은 — 204
치은상피 — 207
치은섬유군 — 206
치은열구 — 206
치은치조골섬유군 — 207
치조골 — 142, 197
치조내중격 — 197
치조능선군 — 203
치조돌기 — 197
치조와 — 142
치조점막 — 205
치조정군 — 203
치주인대 — 142, 145, 152, 199
치주조직 — 190
치판(치아판) 형성기 — 143
침샘 — 226
침착 — 181

ㅌ

타액선 — 226, 228
탄력동맥 — 84
탄력섬유 — 59
탄력연골 — 67, 70
탐식세포 — 186
태아기 — 104, 126
톰스과립층 — 177
톰스섬유 — 174
퇴축법랑상피 — 156
퇴축법랑치아상피 — 150
퇴행성 변화 — 70
투명상아질 — 177, 181
투명층 — 212
트로포콜라겐 — 59
특수결합조직 — 51, 64
특수점막 — 220

ㅍ

파골세포	74, 158, 202
파치세포	158, 202
펩시노겐	216
펩신	216
편평상피세포	82
평활근	93
폐경기	107
폐쇄띠	44
폐쇄연접	44
포배	109
포상선	49
포식소체	26
폴리솜	27
표면외배엽	122
표피	212
풋연골조직	70
프로테오글리칸	61
피막층	80
피복점막	220
피부	210
피지샘	214
피하조직	213

ㅎ

하버스관	75
하버스층판	75
하악돌기	135
하이알루론산	61
한선	214
합성전기	31
해면골	77, 198
핵	20
핵막	20
핵막수조	20
핵소체	23, 97
핵주위부	97
핵즙	20
핵층판	20

핵형질	20
헤르트비히 상피근초	152, 199
혀점막	221
혈관	81
혈관주위세포	82
혈장	82
협착	181
형성층	80
형질내세망	24
형질세포	57, 186
호흡상피	37
혼합선	49, 227
혼합선 종말부	230
환상섬유군	207
활동전위	95
활면소포체	25
황색골수	79
횡문근	93
횡선문	165
횡주름	125
횡중격군	203
횡중격섬유군	207
후기	32
흡수상피	37

A

acid etching	168
adipose tissue	63
alveolar bone	197
alveolar crest group	203
alveologingival fiber bundles	207
anaphase	32
apical group	203
axons	98

B

basal cell layer	39
bell stage	148
bone marrow	79

INDEX

bud stage ⋯⋯⋯⋯⋯⋯⋯⋯⋯⋯⋯⋯⋯⋯⋯ 144
B림프구 ⋯⋯⋯⋯⋯⋯⋯⋯⋯⋯⋯⋯⋯⋯⋯⋯ 58

C

cap stage ⋯⋯⋯⋯⋯⋯⋯⋯⋯⋯⋯⋯⋯⋯ 144
cell body ⋯⋯⋯⋯⋯⋯⋯⋯⋯⋯⋯⋯⋯⋯⋯ 97
cell cycle ⋯⋯⋯⋯⋯⋯⋯⋯⋯⋯⋯⋯⋯⋯ 30
Cell division ⋯⋯⋯⋯⋯⋯⋯⋯⋯⋯⋯⋯ 30
Cell membrane ⋯⋯⋯⋯⋯⋯⋯⋯⋯⋯ 18
cementogingival fiber bundles ⋯ 206
cementum ⋯⋯⋯⋯⋯⋯⋯⋯⋯⋯⋯⋯⋯ 142
chromatin ⋯⋯⋯⋯⋯⋯⋯⋯⋯⋯⋯⋯⋯ 20
circular fiber bundles ⋯⋯⋯⋯⋯⋯ 207
circumpulpal dentin ⋯⋯⋯⋯⋯⋯ 175
circumvallate papillae ⋯⋯⋯⋯⋯ 225
cleft lip ⋯⋯⋯⋯⋯⋯⋯⋯⋯⋯⋯⋯⋯⋯ 141
cleft palate ⋯⋯⋯⋯⋯⋯⋯⋯⋯⋯⋯⋯ 141
compact bone ⋯⋯⋯⋯⋯⋯⋯⋯⋯⋯ 75
connective tissue ⋯⋯⋯⋯⋯⋯⋯⋯ 50
connective tissue proper ⋯⋯⋯⋯ 51
contour lines of Owen ⋯⋯⋯⋯⋯ 179
cross striation ⋯⋯⋯⋯⋯⋯⋯⋯⋯⋯ 165

D

dead tract ⋯⋯⋯⋯⋯⋯⋯⋯⋯⋯⋯⋯ 178
DEJ ⋯⋯⋯⋯⋯⋯⋯⋯⋯⋯⋯⋯⋯⋯⋯⋯ 164
dendrites ⋯⋯⋯⋯⋯⋯⋯⋯⋯⋯⋯⋯⋯ 98
dental pulp ⋯⋯⋯⋯⋯⋯⋯⋯⋯⋯⋯ 182
dentin ⋯⋯⋯⋯⋯⋯⋯⋯⋯⋯⋯⋯⋯⋯ 142
dentinal tubule ⋯⋯⋯⋯⋯⋯⋯⋯⋯ 174
dentin enamel junction ⋯⋯⋯⋯ 164
dentoperiosteal fiber bundles ⋯ 207
desmosome ⋯⋯⋯⋯⋯⋯⋯⋯⋯⋯⋯ 44
DNA합성기 ⋯⋯⋯⋯⋯⋯⋯⋯⋯⋯⋯ 31
duct, striated ⋯⋯⋯⋯⋯⋯⋯⋯⋯⋯ 231

E

embryonal connective tissue ⋯⋯ 51
enamel ⋯⋯⋯⋯⋯⋯⋯⋯⋯⋯ 142, 160
enamel cuticle ⋯⋯⋯⋯⋯⋯⋯⋯⋯ 164
enamel hypoplasia ⋯⋯⋯⋯⋯⋯⋯ 168
enamel lamellae ⋯⋯⋯⋯⋯⋯⋯⋯ 163
enamel pearl ⋯⋯⋯⋯⋯⋯⋯⋯⋯⋯ 169
enamel spindle ⋯⋯⋯⋯⋯⋯⋯⋯⋯ 164
enamel tufts ⋯⋯⋯⋯⋯⋯⋯⋯⋯⋯ 163
endocrine gland ⋯⋯⋯⋯⋯⋯⋯⋯ 48
endoplasmic reticulum ⋯⋯⋯⋯⋯ 24
epidernis ⋯⋯⋯⋯⋯⋯⋯⋯⋯⋯⋯⋯ 212
epithelial cell rest of Malassez ⋯ 152
epithelial tissue ⋯⋯⋯⋯⋯⋯⋯⋯⋯ 36
exocrine gland ⋯⋯⋯⋯⋯⋯⋯⋯⋯ 47

F

fibroblast ⋯⋯⋯⋯⋯⋯⋯⋯⋯ 55, 185
filiform papillae ⋯⋯⋯⋯⋯⋯⋯⋯⋯ 225
foliate papillae ⋯⋯⋯⋯⋯⋯⋯⋯⋯ 225
fungiform papillae ⋯⋯⋯⋯⋯⋯⋯ 225

G

G1기 ⋯⋯⋯⋯⋯⋯⋯⋯⋯⋯⋯⋯⋯⋯⋯ 31
gap junction or nexus ⋯⋯⋯⋯⋯ 45
gelatinous tissue or mucous tissue ⋯ 63
glandular epithelium ⋯⋯⋯⋯⋯⋯ 46
glycoprotein ⋯⋯⋯⋯⋯⋯⋯⋯⋯⋯ 55
glycosaminoglycan ⋯⋯⋯⋯⋯⋯⋯ 55
golgi complex ⋯⋯⋯⋯⋯⋯⋯⋯⋯⋯ 26
granular cell layer ⋯⋯⋯⋯⋯⋯⋯ 40
granular layer ⋯⋯⋯⋯⋯⋯⋯⋯⋯ 213
granular layer of Tomes ⋯⋯⋯⋯ 177

H

Harversian's canal ⋯⋯⋯⋯⋯⋯⋯ 75
Hertwig's epithelial root sheath ⋯ 152

histocyte — 186
horizontal group — 203
horny cell layer — 40
horny layer — 212

I

Incremental line — 165, 178
intercalated duct — 231
Intercellular junction — 43
intergloublar dentin — 176
intermediate filament — 30
intermediate junction — 44
interradicular group — 203
intertubular dentin — 175
intervertebral disc — 69
isotropic band — 90
I대 — 90

L

lines of von Ebner — 178
lingual tonsils — 226
lining mucosa — 220
lymphocyte — 58
lysosome — 26

M

macrophage — 56
macula adherens — 44
mantle dentin — 175
mast cell — 56
masticatory mucosa — 220
meiosis — 34
metaphase — 32
microfilament — 29
microtubule — 30
minor salivary gland — 229
mitochondria — 26

mitosis — 32
mixed gland — 49, 227
mucous gland — 49, 226

N

neonatal line — 166
neuron — 96
nodes of Ranvier — 97
nucleolus — 23
Nucleus — 20

O

oblique group — 203
odontoblast — 185
osteoblast — 74
osteoclast — 74
osteocyte — 74
osteoid — 75
osteon — 75

P

perichodrium — 68
perikymata — 165
periodontal tissue — 190
periodontium — 190
periosteum — 75
peritubular dentin — 175
primary dentin — 171
prophase — 32
pseudostratified epithelium — 40

R

Raschkow's plexus — 183
reticular tissue — 63

INDEX

S

salivary gland · 226
Schreger band · 162
Schwann's cell · 97
sclerotic dentin · 177
secondary dentin · 171
secretory duct · 231
serous gland · 49, 226
Sharpey's fiber · 75
Sharpey's fibers · 195
simple epithelium · 42
special connective tissue · 51
specialized mucosa · 221
spinous cell layer · 40
spinous layer · 213
sponge bone · 77
stippling · 205
stratified columnar epithelium · 38
stratified cuboidal epithelium · 38
stratified epithelium · 38
stratified squamous epithelium · 39
stratum lucidum · 212
Striae of Retzius · 166
striated duct · 231
subcutaneous tissue · 213
sublingual gland · 228
submandibular gland · 228
synapse · 99
S기 · 31

T

taste bud · 225
tertiary dentin · 173
tight junction · 44
transitional epithelium · 39
transseptal fiber bundles · 207
T림프구 · 58

U

undifferentiated mesenchymal cell · 185

V

Volkmann's canal · 75

W

Weil's basal layer · 183
Wharton's jelly · 63

Z

Z line · 90
zonula adherens · 44
zonula occludens · 44
Z선 · 90